D0094121

« PAVILLONS »
Collection dirigée par
Maggie Doyle et Jean-Claude Zylberstein

DIANA EVANS

26a

Traduit de l'anglais par Mona de Pracontal

ROBERT LAFFONT

Titre original : 26a

ISBN 978-2-221-10715-7
(édition originale : ISBN 0-7011-7796-9 Chatto & Windus, Londres)

Pour Paula

LE PREMIER BOUT

1

Ham

Juste avant leur naissance, Georgia et Bessi connurent un moment d'indécision. Elles parcouraient le sous-bois depuis quelque temps déjà, de nuit, sous un croissant de lune, sans destination précise ni la moindre idée de l'endroit où elles pouvaient bien se trouver – un champ du Buckinghamshire, les vallées du Yorkshire, les abords de la M1, entre Staples Corner et Watford ?... Les oiseaux nocturnes chantaient. La terre dégageait une odeur de pluie ancienne. Elles allaient trottinant, traversant des ronces piquantes, des trous qui se transformaient en tunnels tièdes et grottes souterraines à l'éclairage diffus. Des baies sucrées s'écrasaient sous leurs pattes entre les grandes herbes, et pour ne pas se perdre chacune flairait la trace de l'autre.

Elles eurent bientôt la sensation qu'elles approchaient d'une route. Un de ces immenses espaces ouverts à toutes les catastrophes où ils étaient si nombreux à avoir péri. Des écureuils aplatis sur le macadam. Des lapins, des blaireaux, des oiseaux marcheurs – tous assassinés et abandonnés aux mouches. Bessi pensait qu'elles devaient tenter le coup, qu'on ne voyait rien venir à des kilomètres. Mais Georgia n'en était pas sûre, car on ne pouvait jamais être sûre, il n'y avait qu'à voir les conséquences possibles (un peu plus loin sur le bitume gisait un oiseau luisant de sang, les plumes raides de son aile dressées vers le ciel).

Elles avancèrent jusqu'au bord de la route pour mieux regarder. Pas le moindre véhicule à l'horizon. Pas de grondement de moteur, pas de phares. Georgia mit longtemps à changer d'avis. Bon, d'accord. Mais faisons vite, plus vite que vite. Courons, sautons, volons. Soyons sans limites, pure vitesse. Elles s'engagèrent sur la chaussée et fusèrent comme des flèches, se touchant presque ; c'est alors que surgit la voiture, et, pour des raisons qui les dépassaient, elles s'arrêtèrent.

Tel fut le souvenir qu'elles gardèrent : deux petites boules de poils aux yeux pétrifiés, fascinées par les phares qui arrivaient sur elles, par ce double soleil de glace, par le possible. Ça expliquait certaines choses. Ça leur rappelait qui elles étaient.

Après le carnage, le temps sembla se figer. Tandis que la chaussée s'imbibait de leur sang, elles éprouvèrent de la chaleur, de la douceur, du mouillé. Mais, surtout, ce fut brutal. Des hurlements, une sensation d'étranglement. Suivit une poussée violente et elles déboulèrent, complètement gelées, dans une blancheur électrique et chirurgicale, hystériques, secouées de sanglots, essayant d'évacuer ce choc de leurs cœurs. Ce n'était pas une mince affaire. Georgia, qui était née la première, de quarante-cinq minutes, refusa de respirer pendant sept minutes. Elle n'avait toujours pas encaissé le traumatisme deux ans et demi plus tard, quand il fallut la ramener d'urgence à l'hôpital St Luke, les intestins pleins de lambeaux de torchon, de poussière de moquette, de grosses boules de cheveux (la moitié de son afro !) et de pompons arrachés à la frange du canapé. Elle les avait mangés, entre son riz au lait et ses raviolis, voire à leur place. L'épreuve que ça avait été ! Ida qui court dans toute la maison en criant : « Georgia va mourir, ma Georgia va mourir ! » L'ambulance qui l'emporte en catastrophe et Bessi qui, par une étrange aspiration, se sent ramenée vers la route (comme elles l'établirent quand elles furent assez grandes pour explorer les terres sauvages de Neasden, il était fort possible qu'il se soit agi du périphérique nord, qui faisait rage au bout de leur rue).

Il y a une photo d'elles deux à table devant leur troisième gâteau d'anniversaire ; elles sont sur le point de souffler leurs bougies, trois flammes qui s'apprêtent à disparaître. Georgia a les bras levés en signe de protestation pour un motif oublié, et, sur son ventre, cachée, s'allonge la cicatrice restée là où ils l'ont ouverte, ont extirpé les cheveux et la moquette du salon comme autant de vers sanguinolents, puis recousue. La cicatrice a grandi avec elle. Elle s'est élargie comme un sourire pâle et la coupe en deux.

Bessi, quant à elle, passa le premier mois de sa vie humaine en couveuse, la poitrine intubée, agitant confusément bras et jambes, implorant comme un scarabée retourné sur le dos. La couveuse avait beaucoup à se reprocher.

Georgia et Bessi comprenaient donc parfaitement cette expression dans l'œil du hamster, en bas, au jardin d'hiver. Prisonnier d'une cage à côté du lave-vaisselle, il avait une fourrure rousse striée de blanc. *Qu'est-ce que c'est ?* disaient ses yeux. *Où suis-je ?* Brouillée par un flou hamstérien, la vue depuis sa cage se résumait à une machine à laver, des seaux empilés, des rideaux figés et des sacs plastique remplis de sacs plastique, pendus au plafond tels les fantômes d'un massacre. Des gens, des géants, venus d'autres parties de la maison, traversaient la pièce en claquant la porte, faisant tinter le carillon. Un homme à l'air revêche, qui souffrait de tremblements matinaux. Une femme toute de murmures, un filet à cheveux sur la tête, qui portait du pain et des sacs de pois indiens surgelés.

Qu'est-ce que c'est ?

Sans conviction, il poussait du museau contre sa roue en plastique, en quête de mouvement, dans un espoir de fuite ou de clarté. Et l'explication ne venait jamais. C'était une interrogation qui dépassait le simple besoin de savoir à quoi servait la roue, d'où venait la cage et comment il s'était retrouvé là – ou, pour les jumelles, le sens du mot « supercalifragilistique » et pourquoi leur père aimait le chanteur Val Doonican. La question était plutôt : « *Qu'est-ce que* Val Doonican ? » Donc : « Que suis-je ? » La question qui précédait toutes les autres.

Le hamster était seul, ce qui aggravait les choses. Seul avec sa roue sur un matelas de copeaux de bois et de papier journal. Georgia et Bessi faisaient tout leur possible ; elles le bourraient de raisins et nettoyaient ses saletés, elles lui avaient donné un nom. « Ham », dit Georgia, les yeux à la hauteur de Ham car elle n'avait que sept ans, « essaie d'être heureux certains jours, hein, sinon, un matin, tu risques de ne pas te réveiller. Voici un cadeau ». Elle avait cueilli une rose du rosier du jardin qui Relevait de Sa Responsabilité (c'était Aubrey qui l'avait dit et Ida avait accepté, alors Kemy n'avait qu'à se taire) et l'avait posée sur une soucoupe, pétales rubis aplatis sur un côté, une feuille unique endormie au soleil. Elle ouvrit la cage et plaça la soucoupe à côté de Ham. Il la renifla puis redevint immobile, mais son visage avait pris une expression pensive qu'il n'avait pas auparavant. Georgia pensait que les fleurs étaient parfois meilleures pour la santé des gens que la nourriture. Elle passait souvent des après-midi entières dans le jardin avec un chiffon, une pelle et un arrosoir, à essuyer la terre des feuilles, asperger énergiquement la pelouse et arracher les mauvaises herbes.

Les jumelles habitaient deux étages au-dessus de Ham, au grenier. C'était leur maison. Elles habitaient au 26a Waifer Avenue et les autres Hunter logeaient au 26, en bas de l'escalier, là où la maison était plus sombre, en particulier dans le placard sous les marches où Aubrey les faisait s'asseoir et « réfléchir à ce que vous avez fait » quand elles se conduisaient mal (ce qui pouvait impliquer casser son agrafeuse, utiliser toute l'eau chaude, finir les biscuits au gingembre ou rayer la voiture avec le bord de sa pédale de bicyclette). Il y avait d'autres coins sombres où réfléchir à ce qu'on avait fait, notamment au fond de la salle à manger à côté du bureau d'Aubrey et dehors dans le garage, avec les chiffons sales et le white-spirit.

Sur l'extérieur de leur porte d'entrée, Georgia et Bessi avaient écrit à la craie « 26a », et sur la face intérieure « G+B », à hauteur des yeux, juste au-dessus de la poignée. C'était leur dimension supplémentaire. Celle qui venait après la vue, l'ouïe, l'odorat, le toucher et le goût, celle où le monde se déployait et se multipliait parce qu'il était la somme de deux personnes. Ce qui brillait brillait deux fois plus. Chaque couleur avait plus de couleur. Des petites filles avec des parapluies sautillaient sur le papier peint, et Georgia et Bessi les entendaient rire.

Le grenier avait un escalier séparé qui partait du palier du premier étage ainsi qu'une salle de bains attenante avec des portes de saloon, comme dans les westerns spaghetti. À cause de son intimité avec le toit, c'était la seule pièce de la maison à présenter des triangles et des murs en pente. Le plafond se penchait au-dessus du lit de Bessi et cela lui donnait l'impression d'avoir de la chance. De toute la maison, il n'y avait aucun autre lit aussi proche du plafond, ni de Dieu, pas même celui de Bel, qui avait la chambre la plus grande parce qu'elle avait des seins. Cela signifiait que le lit de Bessi était le meilleur. *Le plus bon*. Elle l'écrivit sur le mur à la craie jaune : BESSI BON LIT, à l'endroit où ses yeux se posaient tous les matins, juste à côté du placard en soupente où on pouvait cacher des choses, où on pouvait cacher des personnes entières sans que nul n'ait jamais l'idée de venir chercher là parce qu'on n'y tenait pas debout et que c'était plein de vieux livres et de seaux et pelles pour les vacances.

Au bout du lit de Georgia, à côté de la fenêtre – le haut du mur était entièrement pris par une fenêtre qui leur donnait des cloches d'église, des couchers de soleil et, tout au fond, un arbre vert – il y avait un autre triangle, une alcôve où réfléchir. Nichés dans les coins se trouvaient deux Saccos dont les billes sentaient la fraise ; c'était là qu'elles s'asseyaient. Peu de gens étaient autorisés à s'y asseoir, en dehors d'elles, seuls Kemy et Ham. Mais absolument personne n'était autorisé à s'y asseoir avec elles quand elles réfléchissaient, en particulier quand elles prenaient une décision.

Vers la fin de l'été 1980, Kemy frappa à la porte (c'était une règle) alors que les jumelles essayaient de décider si Ida et Aubrey devaient divorcer ou non. Georgia avait placé des roses dans un bocal sur le rebord de la fenêtre pour pouvoir se les représenter pendant qu'elle déciderait, et découpé une nectarine qu'elles partageraient après – la nectarine était leur fruit préféré parce que sa chair avait la couleur du coucher de soleil. Bessi s'était enroulée dans sa couette fétiche car elle ne pouvait pas réfléchir quand elle avait froid. Pantoufles bleu clair aux pieds, elles s'assirent dans les coins à la fraise et fermèrent les yeux. Elles réfléchirent longuement et sérieusement à la question, voguant entre les possibles. Cinq minutes s'écoulèrent, puis dix. Alors Georgia lâcha dans le silence : « Maman ne sait pas conduire. » Bessi n'y avait pas pensé. C'était d'une importance indiscutable : elles avaient besoin de la voiture pour aller faire des courses et emmener Ham chez le véto la semaine prochaine pour son rhume. Un rhume pouvait tuer un hamster.

Ça, c'était un Contre.

Bessi, quant à elle, avait réfléchi aux pommiers qui Relevaient de Sa Responsabilité. Comme Ida aimait faire des tartes, et comme Aubrey aimait les manger, Bessi était chargée de surveiller les pommiers tout au long de l'année, jusqu'au moment, en septembre, où les pommes commençaient à tomber lourdement par terre. Alors elle faisait son annonce, d'une voix de clairon : SAISON DE LA TARTE AUX POMMES ! Et ils devaient tous la suivre avec leurs paniers, leurs escabeaux et leurs sacs plastique, même Bel qui avait mal aux hanches. Bessi ne savait pas si elle pouvait renoncer à cette position parce qu'elle avait l'impression que, dans un sens, c'était un entraînement important pour l'avenir. Or on était presque en septembre. Aussi murmura-t-elle : « C'est presque les pommes. »

Ça faisait un deuxième Contre.

Mais si, effectivement, ils divorçaient, pensa Georgia, elles pourraient toutes dormir davantage, où qu'elles soient, et ça, bien sûr, c'était un Pour.

Sauf si elles se retrouvaient obligées de dormir à Gladstone Park. Ce qu'elles ne pouvaient pas totalement exclure.

À ce moment-là, Kemy frappa à la porte, ce qui était agaçant parce qu'elles n'avaient pas beaucoup avancé.

— *Qu'est-ce qu'il y a ?* grognèrent-elles.

— J' peux entrer ?

— Non, dit Bessi, on décide.

— Vous décidez quoi ?

Kemy était déçue.

— Moi aussi, j' veux décider.

— *Non.* Va-t'en, dit Georgia. C' important.

Kemy, qui avait cinq ans et ignorait ce que signifiait « c' important », se mit à pleurer.

— Je vais dire à papa que vous décidez, lança-t-elle avant de dévaler bruyamment l'escalier.

Georgia et Bessi ajournèrent la décision sur le divorce, estimant d'un commun accord qu'il valait mieux attendre après le rendez-vous chez le véto et les pommes de cette année. De toute façon, « ça ne dépend pas de nous », fit remarquer Bessi, en prenant un morceau de nectarine. « Non, renchérit Georgia, ça dépend de Bel. »

Le matin, elles passaient d'abord au jardin d'hiver voir comment se portait Ham, puis elles sortaient pour les pommes et les roses. Elles enfilaient leur anorak – rouge et bleu pour Georgia, jaune et vert pour Bessi – par-dessus leur pyjama quand il faisait froid. En général il faisait froid parce que ça revenait cher de chauffer le jardin d'hiver (murs minces, toit en plastique ondulé) et dehors il n'y avait pas de chauffage sauf quand c'était l'été. Elles comprenaient bien cela. Ce serait du gaspillage de mettre des radiateurs dehors le long de la clôture. Vous imaginez l'argent que ça coûterait de chauffer tous les dehors du monde ? Sans doute plus de trois cents livres.

Georgia grimpa à l'escabeau et décrocha le tuyau d'arrosage du mur. Ham l'observa. Depuis des heures il était réveillé et regardait l'aurore s'étirer vers le matin. Aujourd'hui, un mercredi, il était particulièrement pas heureux. Les mercredis étaient difficiles et cela aussi, les jumelles le comprenaient. C'était le fait d'être pile entre le début et la fin, là où les choses dégringolaient, là où les choses basculaient. La journée était réticente, elle ne savait pas comment s'habiller. Elle rêvait et aspirait au crépuscule, mais les gens vaquaient à leurs occupations comme si c'était un mardi ou un vendredi, comme si les humeurs du temps n'avaient pas d'importance. C'était déroutant pour Ham et les jumelles, mais ils faisaient de leur mieux pour suivre le mouvement.

Le tuyau d'arrosage sur l'épaule, Georgia plongea le regard dans la cage de Ham. Elle sentait le bois sec et les crottes. Ham cligna très lentement des yeux et regarda le menton de Georgia. « Tu veux un chocolat, une gourmandise pour ton p'tit déj' ? » dit-elle en faisant tinter l'écuelle sous la table. « Pour te mettre de bonne humeur aujourd'hui. » Il n'y eut aucune réaction visible, pas même une accélération du souffle ou un éternuement discret.

Georgia sortit au soleil mordant et observa Bessi à travers les buissons qui séparaient le jardin de devant de derrière du jardin de derrière de derrière. Le jardin de derrière de derrière était sauvage. Aubrey n'y passait la tondeuse qu'une fois par an parce que personne ne manifestait jamais l'envie d'y dérouler un tapis de sol et de s'y allonger. Il y avait des ombres. Une coque de vieilles herbes en passe de devenir de la paille près du mur du fond. Juste à côté, une cabane pleine d'araignées incroyables. Bessi brillait entre les feuilles comme un vitrail. Parfaitement immobile. Les yeux fermés, elle guettait les bruits de chute, mais aucun ne s'était fait entendre encore. Elle avait l'impression que, si elle se concentrait assez fort, quelque chose se passerait, juste devant elle.

Les pommiers, lourdement chargés à présent, abordaient un long mercredi de plus en grinçant et tanguant au vent. C'étaient des jumeaux, eux aussi. Jusqu'à maintenant, cette année, à eux deux, ils avaient donné naissance à trois pommes qui refusaient de rougir. C'était loin d'être suffisant pour que Bessi déclare ouverte la Saison de la Tarte aux Pommes. Il en fallait au moins quatre chacun, et aux joues roses. Là, les choses pouvaient démarrer. La procession dans les terres sauvages, la cueillette, l'épluchage, la cuisson, au four et à l'étuvée, les tartes et la compote avec le sucre dedans, et tout cela dépendait d'elle. « Mon Dieu, pensa-t-elle, s'il Te plaît aide-les à faire tomber leurs pommes pour que nous puissions les ramasser. Merci, amen. »

Georgia alla rejoindre Bessi et leurs doigts s'effleurèrent. Un frisson parcourut le vent. Bessi ouvrit les yeux.

— Je crois que Ham est déprémié, dit Georgia, le regard perdu entre les herbes.

Il y eut un silence. Certaines fois, quand Ida n'avait pas assez dormi, elle tirait le verrou de la salle de bains derrière elle. Ensuite elle prenait un bain qui durait cinq heures, pendant lesquelles les fillettes plaquaient l'oreille à la porte et l'entendaient parler à quelqu'un en edo (en général à Nne-Nne, sa mère, qui lui manquait). Quand la porte se rouvrait enfin en tremblant, Ida sortait dans le couloir comme sur une piste qui s'enfoncerait dans un pays totalement inconnu, où elle débarquerait avec pour tout bagage sa robe de chambre magique et une trousse de toilette. Georgia avait demandé à Bel ce que signifiaient ces fois-là car normalement il ne fallait pas autant de temps pour être propre. Normalement ça prenait vingt minutes, une heure maximum si elles avaient du bain moussant. Bel avait baissé la voix et lui avait répondu qu'Ida faisait peut-être de la dépremmion. Lorsque Georgia avait demandé ce que ça voulait dire, elle avait expliqué que c'était lié au fait d'être triste, que la tristesse, à partir d'une certaine quantité, ça pouvait faire comme un rhume.

Or Ham avait un rhume.

— Il est dans la salle de bains ? demanda Bessi.

— Non. Il est dans sa chambre.

Bessi fronça les sourcils.

— Mais s'il est pas dans son bain, comment il peut être déprémié ?

— T'as pas besoin de prendre un bain. Il suffit d'avoir un rhume.

— Ah.

Elles fixèrent le pied d'un pommier non chuteur de pommes. Un moineau qui avait fait son nid dans les branches leur jeta un coup d'œil furtif et attendit.

— Qu'est-ce qu'on va faire ? dit Bessi.

— Je lui ai donné un chocolat mais il n'en veut pas.

— Si on lui mettait du Vicks ? Sur le nez.

— Faut demander à maman.

— D'accord.

Georgia se tut. Elle se plongea dans une profonde réflexion et posa la main sur son ventre, par-dessus sa cicatrice.

— Et s'il meurt, Bess ?

— Ch' ai pas. Il faudra peut-être qu'on le mette dans une boîte et qu'on lui fasse un enterrement.

Neasden était comme le talon haut de la botte de l'Italie. L'endroit que la ville écrasait pour être sexy. Londres avait besoin de ses Neasden pour donner tout leur glamour aux lumières de Piccadilly, au Strand étincelant, aux pigeons de Trafalgar Square et à la reine saluant de son balcon de Buckingham, tous si loin, par-delà des hectares de voie ferrée et des kilomètres de voitures. Les enfants des banlieues regardaient tout ça à la télévision. Les Hunter ne s'aventuraient que très rarement au-delà de Kilburn parce que la plupart des choses dont ils avaient besoin pouvaient s'acheter à Brent Cross, où il y avait tous les magasins. En ces rares occasions où ils se rendaient en ville, les petites (Kemy et les jumelles) se cognaient dans un tas de trucs et il y en avait toujours une pour se perdre (Kemy au rayon literie du Debenham's d'Oxford Street, Georgia à la fête foraine de Leicester Square, un hiver, sous un cheval ailé à pois orange).

Neasden était plus facile. Une petite banlieue vallonnée, proche d'une rivière et d'une autoroute, avec des arbres qui ployaient au vent et une rangée de magasins trapus. Une banque, une bibliothèque, un opticien, une pharmacie, un *fish and chips*, un traiteur chinois, un pub, un coiffeur, un vin et spiritueux, un supermarché de gros, un fruits et légumes et deux marchands de journaux, comme un point final à chaque bout de Neasden Lane. Il y avait aussi une usine de biscuits au chocolat aux effluves de chocolat qui, d'après les anciens de la ville, pouvaient rendre les gens fous. Les écoliers y faisaient des visites guidées inoubliables ; le chocolat tiède, fondant, venait napper les biscuits frais sortis du four sur leurs tapis roulants. Georgia et Bessi y étaient allées et, après, elles avaient beaucoup ri.

Ici, l'air était pur et chargé d'histoire. Les collines étaient un héritage des golfeurs de l'époque victorienne qui envoyaient leurs balles vers des trous lointains, aujourd'hui réduits à de minuscules souvenirs sous les maisons, les ruelles, les parkings branlants et les arrêts de bus de la municipalité de Brent. C'était un endroit où les cyclistes commençaient à avoir des crampes, où ils s'arrêtaient pour boire de grandes lampées d'eau, l'été, appuyés sur leurs vélos à mi-hauteur de Parkview, inhalant l'air chocolaté (lequel s'alourdissait avec la chaleur). Les routes serpentaient, piquaient et s'enroulaient autour des creux et des pics venteux en dévouement à la verte campagne, désormais sacrifiée au béton. À l'exception de Gladstone Park avec ses fantômes, et du marais de Welsh Harp, où se précipitait la rivière.

La maison de Gladstone se dressait toujours là, à l'entrée supérieure du parc. Il n'y avait jamais habité à proprement parler, Georgia le savait bien, il se contentait d'y séjourner de temps en temps avec ses amis les Aberdeen quand il n'en pouvait plus du Parlement. Mais, pour elle, c'était la maison de Gladstone. La mare aux canards et les rangées de chênes, les étendues d'herbe verte étincelante, tous avaient composé son jardin. Des dames corsetées portant des ruchés de dentelle et de grands chapeaux y buvaient du vin sous leurs ombrelles, et des enfants se cachaient dans l'ombre des arbres. Gladstone aimait les réceptions, mais il aimait aussi le calme et la tranquillité, piquer une tête dans la mare, s'allonger dans son hamac entre deux arbres. Georgia avait vu un portrait de lui. Des yeux sérieux dans un visage bien en chair, une bouche intelligente, de longs favoris blancs et une couronne de fins cheveux blancs sur son crâne dégarni. Il ne ressemblait en rien à son père.

À Noël dernier, quand une épaisse couche de neige avait recouvert le jardin de Gladstone, Aubrey avait emmené ses filles au parc faire de la luge. Elles avaient traîné les luges en haut de la colline, où les canards frissonnaient, et dévalé la pente à maintes et maintes reprises. Aubrey avait décidé de se mettre de la partie, bien que Bel le lui ait déconseillé à cause de son dos qui le faisait souvent souffrir l'hiver, ou quand il était particulièrement tendu. En long trench-coat bleu marine, ses grosses lunettes glissées dans une poche intérieure, il s'était assis sur une luge et poussé dans la pente douce. Bel avait dit d'une voix lourde de présages : « Il va se faire mal. » Toutes l'avaient regardé en réfléchissant à ce qui se passerait si Aubrey se faisait mal, et au début ça avait été une pensée agréable. Mais Aubrey s'était mis à hurler, Kemy avait dit, en dépit de tout : « S' faistoi pas mal, papa ! » ; et les quatre s'étaient précipitées. Tout le long de la descente, il avait poussé un hurlement d'homme, grave et sans timbre, tandis qu'elles couraient derrière lui en criant, inquiètes pour son dos et même pour son cœur. Ça faisait bizarre, un adulte comme lui sur une luge, avec ses jambes courtes tendues dans le vide. Arrivées en bas, elles lui avaient touché le bras, l'avaient aidé à se relever, Kemy en pleurs, et il avait grommelé qu'il allait bien, que son dos allait bien et assez d'histoires comme ça, nom de Dieu. Après, il avait passé une semaine au lit à boire le thé au lait d'Ida, sans beaucoup parler. Ce fut une très bonne semaine pour le reste de la famille, qui en profita pour rattraper du sommeil, ne pas aller au coin et regarder des émissions interdites à la télé.

Ce ne serait peut-être pas *si* terrible que ça, songeait

à présent Georgia, si elles se retrouvaient à dormir dans le parc, après le divorce. Ils le longeaient en cet instant même, en route pour le cabinet du véto, dans leur break bleu roi à trois banquettes. Ham était à côté d'elle, son *Qu'est-ce que c'est ?* toujours présent dans les yeux. Aubrey conduisait.

Georgia s'imaginait la scène ainsi : elles frapperaient à la porte, Bessi et elle, et l'un des arrière-petits-enfants de Gladstone leur ouvrirait ou, mieux encore, Gladstone en personne, l'air délicieusement vieux dans son gilet. Il leur demanderait ce qu'il pouvait faire pour elles et ce serait à cet instant crucial que Georgia lui expliquerait qu'avec Bessi elles étaient dans sa classe à l'école, la classe Gladstone, qui avait le vert pour couleur, et puis elle lui montrerait son badge. Il ne pourrait pas refuser. Il dirait : « Eh bien, j'allais justement servir le dîner aux faneurs, entrez donc et mettez-vous à l'aise. » Et il ferait aussi entrer Ham. Le lendemain matin, ils se réveilleraient tous dans les tintements de vaisselle d'une réception imminente, et attendraient que les dames arrivent pour boire leur vin.

C'était donc un Pour. C'était un Complètement Pour. Elle hocha la tête.

Présentement, Aubrey n'était pas de très bonne humeur. La veille, il avait crié jusqu'à une heure avancée de la nuit à cause de la chaudière qui était cassée et après sa famille qui n'était qu'un sale ramassis d'ingrats, en particulier Bel parce qu'elle avait commencé à mettre du rouge à lèvres. Personne n'avait beaucoup dormi ; ils avaient tous, de la plus petite au plus grand, des poches sous les yeux. Et pour ne rien arranger, il y avait un embouteillage dans Dollis Hill Lane, ce qui était du jamais vu. C'était « abracadabrant », « scandaleux », et « sacrément casse-pieds ». Ce furent ses mots. Kemy, assise de l'autre côté de Ham, demanda ce que signifiait abra-cadres, imaginant qu'il y avait peut-être un rapport avec Michael Jackson, mais Aubrey l'ignora. Georgia intervint car elle avait réfléchi à la question, elle aussi, pour arriver à la conclusion qu'il y avait un rapport avec extra. Des cadres extra. Extra normal. Extra or-di-nai-re, ce qui était la même chose que normal, elle savait cela – c'était « une fille très intelligente » (avait dit sa maîtresse, Miss Reed, pas plus tard que la semaine dernière). Elle déclara donc : « Des cadres extra et plus ordinaires. » Kemy la regarda longuement de ses yeux marron et brillants qui palpitaient d'être si grands.

La circulation avait repris et la voiture de devant négligea de suivre le flot. Aubrey klaxonna et haussa la voix : « Alors, ma p'tite dame, qu'est-ce qu'on attend ! » Bessi était plaquée au dossier du siège passager par sa ceinture de sécurité, fort navrée de son sort après s'être disputée avec Kemy parce que aucune d'elles ne voulait s'asseoir à l'avant. Elle examina les contours de la tête, devant eux, à qui Aubrey donnait du ma p'tite dame. Elle trouvait que ça ressemblait indiscutablement à un homme, cette masse de cheveux grisonnants et ces épaules massives. « Je crois que c'est un homme, papa », dit-elle. Aubrey écrasa furieusement le mégot de sa Benson dans le cendrier en recrachant la fumée du fin fond de sa gorge. Lorsque la fumée était fraîche et qu'elle s'étirait en volutes, elle évoquait la couleur et la texture de ses cheveux, qui eux aussi s'effilochaient.

Ils s'arrêtèrent en haut d'une côte et Aubrey dut mettre le frein à main. Il le tira si fort que la voiture trembla en émettant un grincement abominable et retentissant qui fit rire Kemy. « Ha ! ha ! Recommence, papa ! » Ses maigres gambettes s'agitèrent et elle cribla le dossier d'Aubrey de coups de pied. « Reco-*mmence*, papa ! » Il la fusilla du regard par-dessus son épaule. « Tu vas te calmer, bon Dieu, tu vas te calmer, oui ! »

Ham éternua doucement dans sa cage et ferma le visage.

Il y avait eu un accident au carrefour. La police dégageait la route et, lorsqu'ils passèrent, ils virent une voiture rouge, bousillée, écrasée contre un lampadaire. Le capot était plié. Le lampadaire penchait en arrière, reculant devant cette mort, devant cette femme en train de mourir dans l'ambulance qui filait en clignotant vers l'hôpital. Georgia perçut une trace d'elle abandonnée sur le siège avant, une écharpe vaporeuse, couleur pêche, qui frôlait le volant, ainsi qu'une légère odeur de regret.

Cela faisait vingt ans que M. Shaha était le seul vétérinaire à Neasden. Il avait quitté le Bangladesh pour Londres après les bombardements de la Seconde Guerre mondiale. « Ils ont complètement détruit Willesden », racontait-il aux gens (ses petits-enfants, les amies de sa femme, ses patients : les chiens, hamsters, perruches, chats, gerbilles et, plus rarement, les serpents), « des choses terribles, terribles. Mais la vie doit continuer, toujours, il en va ainsi chez les Shaha ». Deux documents encadrés étaient accrochés au mur de sa salle d'attente, qui dégageait en permanence une puanteur animale de poils et d'intestins : son diplôme de vétérinaire froissé et une photo en noir et blanc de sa mère, floue, avec une lettre pliée, écrite en bengali, qui cachait son cou.

Ham claquait des dents, la mine renfrognée, pendant

qu'ils attendaient au milieu des miaulements et des grognements. Il allait et venait dans sa cage en traînant des pattes, pignochant dans ses pétales de roses séchés, tandis qu'en face de lui un labrador haletant tressaillait et se grattait les testicules. Quand M. Shaha les fit entrer, Kemy s'était endormie et Aubrey dut la porter. M. Shaha, vieux et gros, des sourcils épouvantables, un dos tordu qu'on ne faisait que deviner sous sa blouse, sortit lentement Ham de sa cage et le regarda droit dans les yeux.

— Alors, toi, qu'est-ce qui ne va pas ? dit-il. Hem ?

— Ham. Il s'appelle Ham, dit Georgia. Il est déprémié.

— Il a un rhume, ajouta Bessi.

— Et il ne veut pas de chocolat.

Ham traversa les airs, à plat sur une main chaude. L'haleine de M. Shaha sentait les kippers de son déjeuner. Il déposa Ham sur la table d'examen et Ham resta raide et immobile.

— Est-ce qu'il va mourir ? demanda Georgia.

M. Shaha la regarda gravement :

— Ma petite, nous allons tous mourir un jour, et je crois qu'il vaut mieux s'y être préparé.

Il ne pouvait pas faire grand-chose pour Ham. Il examina sa bouche et ses yeux, dont un était fermé, puis recommanda de la chaleur et beaucoup de soleil.

— Essayez de l'occuper, dit-il.

Aubrey acheta un manteau à carreaux de la vitrine à accessoires de M. Shaha (laquelle s'était avérée fort lucrative au fil des ans) et, sur le trajet du retour, Georgia l'attacha sous la gorge et le ventre de Ham.

— Là, dit-elle. C'est pas mieux comme ça ? Tu ne vas plus mourir.

Mais Bel fit un autre de ses rêves, et les rêves de Bel

n'étaient jamais pris à la légère. Une fois, à la fête annuelle de Roundwood Circus, une diseuse de bonne aventure lui avait dit qu'elle possédait « le pouvoir de prémonition », ce qui l'avait fait frissonner car elle n'avait que dix ans à l'époque. Ida, qui nourrissait des présomptions sur le statut psychique de Bel à cause du mystère pénétrant qu'elle lisait dans ses yeux et qui lui rappelait sa grand-mère paternelle, Cecelia Remi Ogeri, elle aussi portée sur la clairvoyance, avait pris Bel par la main et l'avait regardée d'un regard intense. « T'inquiète pas, lui avait-elle dit, ça signifie que tu es une sage et que tu connaîtras beaucoup de choses secrètes. » Plus Bel grandissait, plus ses rêves étaient fiables, au point qu'Ida la consultait parfois sur des questions telles que les catastrophes naturelles à venir au Nigeria ou les risques que courait Kemy d'attraper la varicelle des jumelles (ce qui fut le cas : elles avaient toutes des marques dans le dos).

La nuit qui suivit la visite chez le vétérinaire, Bel rêva d'un mariage qui se déroulait dans un champ boueux. Elle s'agita dans son sommeil. Il n'y avait pas de jeunes mariés. Il n'y avait pas d'invités. Il n'y avait que quelques serveurs qui erraient avec des piles d'assiettes vides, et pour seul bruit l'aboiement d'un chien désespéré devant la tente. Bel se réveilla et se frotta les tempes du bout des doigts. Elle savait ce qui allait advenir.

Au cours des deux semaines qui suivirent, Ham bougea de moins en moins. Les pommes commencèrent à tomber, à la grande joie de Bessi. Elle tambourina contre une poêle à frire avec une cuillère de bois et mena son armée de moissonneurs dans le jardin sauvage. Sous la direction d'Ida, elles épluchèrent, découpèrent et mélangèrent, enrubannées dans leurs tabliers, en sueur. Tandis que Bessi, devant la cuisinière, s'occupait de la compote et de l'avenir, toutes les heures Georgia sortait silencieusement dans le jardin d'hiver pour aller voir Ham. Elle avait l'impression, en ces derniers jours, qu'Ham et elle faisaient ensemble le voyage au bout du *Qu'est-ce que c'est ?* et qu'il y avait un point qu'elle ne pourrait pas franchir.

Le nez luisant, Ham laissait passer les jours. Il s'employait à prendre une décision. Lorsqu'il l'eut prise, il cessa tout simplement de bouger. Et ferma l'autre œil.

C'était donc possible, remarqua Georgia, de choisir le moment, de partir quand on était prêt. Le cœur envoie un message de capitulation au cerveau et le cerveau accomplit les formalités, le ralentissement du sang et le refroidissement, la montée du grand calme et l'extinction des feux intérieurs. La vision déclinante de Ham capta l'homme en colère, qui faisait les cent pas au beau milieu de la nuit en fulminant. Il y eut des caresses tendres sur son dos, de la part des petites filles, et des roses, de nouvelles roses. Il entendait l'écho lointain des cloches. Mais tout cela, c'était du passé. Il avait pris une décision, elle s'était réalisée et maintenant sa fin le menait vers la suite. Vers un autre choc, une autre échelle. Elle avait été très petite, cette vie.

La dernière chose qu'il aperçut : les deux fillettes prises dans un hula hoop jaune, qui s'avançaient avec précaution dans le jardin.

2

Le mariage

Diana Spencer sort du carrosse de verre en tenant ses jupes et lève la tête de cette façon bien à elle, en la gardant quand même légèrement baissée. Son voile est en taffetas de soie, long comme les siècles et tout aussi lourd. Elle émerge dans un mois de juillet plein de baisers et n'ose pas regarder autour d'elle. Parce que le monde entier la regarde et qu'elle n'est qu'une jeune fille timide de Norfolk. Son diadème regorge de diamants. Elle pénètre dans la cathédrale, à pas lents pour ne pas trébucher, ce qui serait aussi horrible qu'impardonnable. Son prince l'attend. On dirait qu'il attend – le temps est suspendu – et avec lui, les créatures de Dieu au plafond, l'archevêque de Canterbury et Lord Nelson dans la crypte, la ville, la moitié de l'Angleterre massée dehors et l'autre moitié prise dans les caméras avec le reste du monde, sa presque belle-mère, enfin, la reine Elizabeth II. Elle a besoin de sa famille de sang tout entière pour alléger le poids du voile.

Presque tout Neasden était à l'intérieur des caméras. Ça avait été pareil le jour du jubilé d'argent de la reine. Il y avait eu des fêtes ailleurs, dans les rues de

Kensington, de Clapham et dans tout le East End, de même qu'il y avait un peu partout maintenant des carnavals locaux avec orangeade, tabliers sales et pilons de poulet grillés caoutchouteux ; mais en dehors du rare aventurier qui fonçait en ville par le métro pour rejoindre les rangs de fans et de touristes qui se tordaient le cou en soupirant devant la cathédrale St Paul, les gens de Neasden restèrent chez eux. Ils avaient d'autres choses en tête cette année-là. Le cratère de Brent et l'augmentation des agressions dans la petite rue qui menait aux magasins, les travaux à Parkview et, pour les petites, la question de l'approvisionnement en glaces, sachant que le haut-parleur du camion à glaces était en panne. Il arrivait moteur chuintant, au lieu de jouer sa ritournelle ô combien plus séduisante, *Sing a Song of Sixpence*. Les Hunter restèrent à la maison et mangèrent du poulet.

Il y avait à la cuisine une étagère unique chargée de livres de recettes anglaises qu'Aubrey et sa mère avaient achetés à Ida depuis son arrivée à Londres. Certains avaient des pages cornées, dénotant l'intérêt d'un lecteur, mais Ida les regardait rarement. Elle préférait faire à sa façon, en respectant toutefois l'institution du rôti du dimanche ainsi que des œufs au bacon et du foie mariné aux oignons le lundi. Il arrivait que ses pommes de terre rôties au four soient brûlées aux bords ou ses légumes à l'eau trop cuits, surtout quand elle prenait un long bain, mais pour le poulet, Ida surpassait les enseignements de n'importe quel livre. Ida savait quoi faire à un poulet. A priori, elle n'ajoutait pas beaucoup d'assaisonnement ; elle ne bourrait pas non plus l'intérieur de farce ni de gousses d'ail. Bel et les petites pensaient qu'Ida parlait au poulet. Tout en le badigeonnant d'huile dans le jardin d'hiver, en saupoudrant sa peau de grains mystérieux, elle se penchait vers lui et murmurait : « Tu es délicieux, tu es tendre, tu es le poulet des rois et des reines. » Et le poulet obéissait. Il gonflait et se gorgeait de jus au four, dans son voyage vers l'état de nourriture, il amassait dans sa chair toute la sérénité et la passion du goût, puis tombait savoureusement dans leurs bouches, brun, fondant, divin.

Bessi était tout occupée à manger le « nez de Parson ». C'était le morceau le plus fin du poulet, disait Aubrey. Rien que du jus et du caoutchouteux alléchant et salé. Elle le mangeait (le Bon Bout de Bessi) chaque fois qu'ils avaient du poulet, c'est-à-dire un dimanche sur quatre et dans les grandes occasions comme celle-ci. Un mariage de conte de fées, susceptible, qui plus est, de faire pencher Georgia et Bessi contre le divorce.

Bien plus tard, trop tard pour que Bessi s'en remette, il allait apparaître un jour dans la conversation que le « Nez de Parson » était en fait le croupion du poulet. Son derrière. Bessi en serait consternée. Ça ne lui était jamais venu à l'esprit, mais bien sûr, c'était beaucoup trop gros comme morceau pour être un nez. Elle déclarerait alors les croupions responsables de son eczéma. Et calculerait que de son vivant (entre les âges de six et quatorze ans, car après cela elle ne toucherait plus à un seul croupion) elle avait dû manger autour de cent soixante-huit derrières de poulet et quatorze derrières de dinde. Cela représentait des quantités considérables.

Tandis que Diana négociait le tapis rouge, Bessi grignotait donc innocemment un derrière. Pas de bacon, pour elle et Georgia. Plus maintenant. La mort de Ham avait mis fin aux délicates languettes de lard qui se recroquevillent en cuisant avec le poulet, mis fin aux friands à la saucisse et au « spam[1] », mis fin au porc tout court. (Même si Bessi avait mangé en secret une saucisse de porc à Noël, mais c'était tout, juste cette fois-là. Elle adorait les saucisses de porc. Elle avait honte. Elle en avait savouré chaque délicieux instant.)

Elles avaient enterré Ham près des pommiers lors d'une cérémonie dirigée solennellement par Georgia – c'était elle qui l'avait trouvé un dimanche matin, affaissé sur le flanc au milieu des pétales et des crottes, dans le murmure des cantiques qui s'échappaient de la radio. Avaient également assisté à l'enterrement Bessi, Kemy et Bel (qui était arrivée en retard). Elles avaient chanté « Kumbaya » et « No Doubt About It », de Hot Chocolate, la seule chanson à laquelle Ham ait jamais réagi, dressé sur ses pattes arrière, plongeant le regard dans la musique. Elles avaient mis ce qu'elles avaient de noir c'est-à-dire pas grand-chose – des chaussettes montantes, leurs chaussures d'uniforme, des caleçons et des hauts moulants qui appartenaient à Bel, larges sur elles –, et prié pour que Ham fasse un voyage sans encombre jusqu'à la route : « Nous savons, Seigneur, pourquoi Ham a dû partir, avait dit Georgia, soudain bouillante, en serrant très fort les mains et les paupières. S'il Te plaît fais qu'il soit heureux maintenant et dis-lui que nous l'aimons, merci. Amen. »

Aujourd'hui, un mercredi indécis et torride où la chaleur montait du bitume, tout le monde fut autorisé à manger au salon pour mieux voir le Mariage. Manger au salon signifiait que lorsqu'elles avaient fini, elles n'avaient pas besoin de dire : « Puis-je sortir de table s'il vous plaît, merci de ce bon déjeuner » parce qu'il n'y

1. Ham signifie « jambon » en anglais ; le « spam » est un pâté de jambon en conserve. (*N.d.T.*)

avait pas de table. Kemy était assise entre les jumelles, toutes les trois en rang d'oignons sur le canapé, faisant bien attention à leur assiette et se comportant de plus en plus comme des triplées – même s'il y avait une limite que Kemy ne pouvait pas franchir, des choses de jumelles qu'elle ne pourrait jamais comprendre, et c'est pourquoi elle se nichait encore plus près d'elles, désireuse de savoir, désireuse de voir. Elle essayait de décoder leurs regards pendant les repas et gardait l'espoir d'être acceptée à un de leurs conseils de décision au 26a.

Diana était parvenue au sommet des marches. Le corsage de sa robe enserrait sa taille, ses bras étaient des ballons ivoire. Elle ressemblait à une princesse des neiges perdue dans ses ruchés de dentelle.

— Sa robe est stupide, dit Kemy en avalant du chou (ça ne servait à rien de discuter) et en regardant les jumelles. Vous trouvez pas ?

— Non, dit Bessi, enfin, un peu parce qu'elle l'empêche de marcher vite.

— T'as pas besoin de marcher vite quand tu te maries, expliqua Bel – qui portait de l'eye-liner en secret et, moins secrètement, une minijupe qui découvrait généreusement ses jambes quand elle s'asseyait –, tu es *censée* marcher lentement. Comme maman.

Ida marchait plus lentement que quiconque en Angleterre et Bel était la seule qui supportait de suivre sa cadence.

— Pas aussi lentement, dit Bessi. Moi, de toute façon, quand je me marierai, je marcherai plus vite que ça.

— Moi aussi, dit Georgia. Regardez, ça va lui prendre toute la journée.

— Bordel de merde ! s'écria Aubrey.

Sa carotte refusait de rester sur sa fourchette. La banque lui avait donné sa journée et il était assis là-bas, dans son fauteuil brun chocolat, le coin d'une serviette en papier glissé dans son col. Il parvint à expédier la carotte dans sa bouche et se renversa dans son fauteuil, l'air détendu de nouveau. À côté de lui, sur le manteau de la cheminée, s'alignaient les petits bonshommes argentés qu'il collectionnait depuis des années. Ils étaient source de réconfort et de fascination pour Aubrey, figés comme ils l'étaient dans leur mouvement, un cavalier courbé sous le vent, un pilote et son hélicoptère sur un axe. L'un d'eux, qui venait d'être poussé, décrivait des tours complets sur une barre.

De l'autre côté de la pièce, Ida était assise dans son rocking-chair devant l'arrondi des bow-windows, un châle rouge en crochet autour des épaules, ses lunettes et ses boucles d'oreilles brillant sous les reflets du soleil de Waifer Avenue.

Tout comme Georgia, Ida donnait l'impression – par son calme, ses regards obliques – d'être toujours sur le départ et jamais tout à fait arrivée, mais son lieu à elle était entièrement différent. Il figurait sur la carte de l'entrée, avec l'Italie, en jaune, et British Airways pouvait l'y emmener. Ida et le Nigeria, séparés depuis maintenant seize ans, hormis une visite de quinze jours en 1969 avec bébé Bel et un passeport britannique tout neuf, n'avaient jamais voulu se lâcher l'un l'autre. Elle avait encore de la poussière rouge dans les yeux. Ça la gênait lorsqu'elle s'aventurait au-delà de Neasden Lane sans Aubrey et quand elle demandait son chemin à des passants, ils ne comprenaient jamais ce qu'elle disait. Elle ne sortait donc pas beaucoup. Parfois pour aller au supermarché acheter des cadeaux d'anniversaire, à pas très lents, coiffée de sa perruque à frange d'un brun presque noir, mais la plupart du temps elle restait à la maison tout emmitouflée, comme dans l'ombre, et parlait à Nne-Nne, qui souvent la faisait rire.

En général Ida était la dernière à finir de manger parce que sa nourriture était particulière. Pour commencer, elle préférait que tout soit très mitonné – frit, réduit en bouillie, avec davantage de haricots et de piments. Elle aimait pouvoir verser son rôti, sa tourte au bœuf et rognons, son riz au ragoût et ses saucisses-frites sur son assiette, avec les haricots. Et cela exigeait de passer du temps seule devant la cuisinière, à mélanger et assaisonner, pour finir parfois par manger à la table de la cuisine comme si elle avait oublié tous les autres dans la pièce d'à côté. Elle échangeait des fous rires avec Nne-Nne entre deux bouchées et si jamais quelqu'un entrait dans la pièce, le rire se taisait. Ensuite, parce que Ida avait souvent froid, ce qu'elle mangeait devait être chaud, de préférence brûlant. Elle réchauffait tout, y compris la salade, les gâteaux, le pain, le fromage, le chou râpé, le cheese-cake au cassis de chez Safeway (dont elle raffolait ; elle se mettait dans tous ses états quand Aubrey oubliait d'en acheter), les pommes, les biscuits et la glace, celle-ci jusqu'à ce qu'elle soit presque liquide mais pas tout à fait. Elle avait sa salière et sa poivrière à elle, qu'elle s'était fabriquées avec une aiguille à repriser dans des tubes de Vicks, l'unique substance médicinale en laquelle elle crût.

Les deux choses qu'Ida disait le plus souvent étaient : « Demande à ton père » et « Mets un peu de Vicks ».

Quand Diana était descendue du carrosse, Ida s'était arrêtée de manger. Son déjeuner refroidissait. Penchée en avant, la tête inclinée, elle regardait la mariée. Presque à destination, voile au complet, paillettes et fleurs intactes. Georgia et Bessi, qui observaient attentivement leur mère, jetèrent un coup d'œil à Aubrey, aux prises avec ses petits pois.

— Regarde, papa, dit Georgia.

Elle arrive, maintenant, et son prince lui tend la main. La terre a fait silence. Les voici, halo d'amour parfait, scintillant, indéfectible, dans la plus grande succursale de Dieu de tout le Royaume-Uni, prêts à recevoir Sa bénédiction divine. Diana lève ses yeux voluptueux et ils brillent derrière le voile, dans leur coffrage de mascara bleu foncé. Charles, médailles et boutons étincelants, le sémillant jeune marié, un des plus beaux partis au monde, n'arrête pas de tourner la tête vers Diana car il ne peut pas s'en empêcher. Elle lui répond par de timides sourires et se concentre pour devenir une princesse. Elle fait tout comme il faut. Un amour qui commence comme ça est appelé à durer.

— Y a du dessert ? demanda Aubrey, qui fit claquer ses lèvres et lissa sa serviette.

Il aimait les desserts. Tous les desserts. La génoise, le riz au lait, le *trifle*, la salade de fruits arrosée de *golden syrup*, la tarte à la mode de Bakewell (inventée à Bakewell, dans le Derbyshire, ville natale d'Aubrey et berceau du Nez de Parson). Plusieurs couches de dessert recouvraient son ventre. C'est ce qui arrive « passé quarante-cinq ans », comme Bel l'avait récemment expliqué aux petites. Les choses que vous aimez commencent à se voir sur votre corps et il devient de plus en plus difficile de s'en débarrasser. Pour cela il fallait faire deux cents abdos et cent pompes *tous les jours*, ce qu'Aubrey ne faisait pas, ce qui expliquait qu'il ait de la crème anglaise, du sirop et de la génoise sur le ventre, plus des petits vermicelles rouges dans les yeux. « Passé quarante-cinq ans » semblait abominable.

Georgia et Bessi estimaient que trente-six ans serait peut-être le meilleur moment d'arrêter (elles arrêteraient en même temps, avaient-elles décidé lors d'une séance particulièrement longue sur les Saccos, ça allait de soi – comme ces maris et femmes qui n'avaient pas besoin de divorcer, jusqu'à ce que la mort nous sépare).

Aujourd'hui, il y avait du riz au lait, accompagné de glace pour qui voulait, mais Ida fit comme si elle n'avait pas entendu la question d'Aubrey, ce qui était peu probable car sa voix, la seule voix masculine dans la maison des Hunter, était la plus forte. Ne sentait-il pas l'odeur ? Du riz qui a cuit à petit feu dans du lait pendant une heure et demie jusqu'à ce qu'une peau se forme sur toute la surface, ça a une odeur unique. Ce qu'il voulait vraiment dire, c'était : « Je suis prêt pour mon dessert, maintenant. Quand je suis prêt, le dessert est prêt. » Ida attrapa ses couverts et s'en retourna à son ragoût. Georgia et Bessi dirent : « Ça vient, papa », et Bessi se sentit un peu contrariée, regrettant qu'il ne soit pas plus patient. Bel se leva pour aller rechercher de la sauce, car la pièce bruissait de choses sur le point de se rompre et des ricanements accusateurs d'un mariage parfait.

Dans la vraie vie, les mariages étaient différents. Il n'y avait ni caméras de télévision ni archevêques. Les gens venaient comme ils étaient, avec leur barbe de trois jours, en costumes tout ce qu'il y a de moins neuf, et se comportaient comme à leur habitude. Ida avait épousé Aubrey dans une église pleine de courants d'air du Sudbury, au printemps 1965. Le pasteur n'arrivait pas à prononcer son nom et il y avait six invités, dont certains affectaient une moue méprisante, et aucun qu'elle connaisse. Les parents d'Aubrey, Judith et Wallace (également présents sur le manteau de la cheminée, l'air historique et poussiéreux), un de ses frères (l'autre était absent car il n'aimait pas les Africains, encore moins ceux qui entraient dans sa famille), un vieux camarade de classe du nom d'Arthur qui parlait en postillonnant, accompagné de sa nouvelle petite amie espagnole, Monica, et une vieille femme triste en manteau violet, au fond, qui était entrée en passant dans la rue. « Tokhokho », avait dit Ida au pasteur qui se battait avec les trois O en staccato, intrépides et parfaits. « Euh, oui, avait dit le pasteur, To-côcoh. » Il n'y arrivait pas. L'agacement faisait palpiter ses narines (il avait dû sauter son petit déjeuner et il n'aimait pas les mariages du dimanche après-midi parce qu'ils lui faisaient rater l'équitation). De toute façon, ça n'avait pas d'importance. Le nom était sur le point de disparaître, d'être largué en mer, à la dérive sur un radeau fait d'hiers.

Ida la jeune mariée était mince et délicatement musclée, et l'arrondi de ses épaules luisait. Une farandole de bracelets dansait sur ses avant-bras. Elle avait appliqué une touche d'indigo sur ses paupières, derrière les épais cils tournés vers le ciel, et noué ses cheveux dans une écharpe blanche striée de brun cuivré. Son corps était brun de partout et ses joues portaient de larges marques tribales noires. La robe – toute simple, blanc crème et sans manches, fendue d'un trait de couleur pêche à la taille – s'arrêtait au genou et ses mollets nus plongeaient dans une paire de minuscules chaussures blanches. Tout le long de la cérémonie, William, le frère mal rasé d'Aubrey, ne cessa de promener le regard, bouche bée, des mollets basanés de sa presque belle-sœur au cou de son petit frère qui avait viré au rouge rosé. Il n'avait jamais rien vu de pareil.

— Et alors... relança Aubrey, ce dessert ?

— Il est pas encore prêt, marmonna Ida.

— *Attends*, papa, dit Bessi. Maman n'a même pas fini !

— Et en plus ils vont lui poser la Question, ajouta Georgia.

Aubrey soupira et avala quelques gorgées de Liebfraumilch. Elles auraient toutes préféré qu'il s'abstienne.

Les jumelles espéraient que le Mariage rappellerait des souvenirs à Ida et Aubrey, leur rappellerait qu'ils s'aimaient, qu'Ida était vraiment très jolie et qu'Aubrey était quelquefois quelqu'un de gentil, quelquefois plein de fois. Elles voulaient que leurs parents contemplent longuement la photo d'eux sur le manteau de la cheminée, à côté de la famille poussiéreuse, debout main dans la main derrière les confettis (comme elle est jolie, oh comme elle est jolie) et qu'ils en reviennent le cœur battant, en se regardant les yeux dans les yeux avec un air de « Ah ! tu te souviens de notre jour à nous ! ». Parce que, alors, elles pourraient ajourner pour de bon la complexe décision du divorce, et Aubrey irait se coucher le soir en câlinant sa femme au lieu de tourner en rond dans la maison en faisant du bruit. Il y avait toujours, découvraient-elles, quelque chose qui interdisait d'envisager le divorce : les pommes, les nouveaux uniformes scolaires, le *critère* de Brent, à cause duquel il deviendrait difficile de trouver un endroit où habiter.

Mais jusqu'à présent Ida et Aubrey n'avaient pas échangé un seul regard, pas même un coup d'œil. En fait, ça semblait être la dernière chose qu'ils avaient envie de faire, en particulier maintenant, pendant la Question.

— Écoute, papa, écoute, maman, dit Georgia.

« Voulez-vous, Diana Frances Spencer, prendre pour

époux Charles Philip Arthur George ? » demanda l'archevêque.

Les photographes se ruent sur ses yeux. La cathédrale St Paul s'illumine, elle brûle sous les cantiques. Ils ont chanté « I vow to Thee, My Country », et elle abandonne tout ce qu'elle est derrière elle. Elle veut jeter un dernier regard en arrière, là où tout était ouvert, incertain et identifiable, mais les caméras avancent. Il n'y a plus le temps. Le temps est passé. Elle se réveillera demain matin sur un nuage de majesté, avec des dizaines de domestiques à ses pieds, des mosaïques et des anges au plafond et puis ce cher Charles qui ronflera à ses côtés.

Elle dit : « Je le veux. »

— Est-ce qu'ils vont s'embrasser maintenant ? demanda Kemy.

— Ouais, dans une minute, dit Bel.

— Avec la langue ?

Georgia et Bessi venaient de tirer le bréchet et Georgia avait gagné. Son vœu, c'était qu'Aubrey regarde Ida longuement et avec amour, ou alors une tranche napolitaine. Bessi fit un vœu, elle aussi (ce qui était à Georgia lui appartenait également). Elle souhaita être célèbre un jour mais seulement pendant deux semaines parce que, après, ça pourrait devenir agaçant. Deux semaines, c'était la durée de leurs vacances – jusqu'à présent Corfou, la Tunisie et les Canaries, sur des plages brûlantes (ce qui faisait un autre Contre).

— Ils s'embrassent, ricana Kemy. Regardez !

— Il ne s'y prend pas bien, dit Bel en regardant le baiser de côté, il ne bouge pas la tête.

Les caméras ne peuvent pas capturer l'intérieur d'un baiser. La tête de Charles demeure immobile et Diana le reçoit docilement. Ce n'est pas un baiser passionné. Il n'y a pas de main qui appuie tendrement au creux de ses reins, son dos ne se cambre pas vers lui et la rondeur de ses seins ne fond pas sur son thorax. Leurs lèvres se serrent la main. L'accord est scellé. Elle lui appartient et il appartient à sa mère. Des soupirs et des murmures ravis parcourent l'assistance qui se remet ensuite à chanter, entonnant l'hymne « Christ is made the Sure Foundation. »

Ida essayait de se souvenir de ce qu'elle avait ressenti à ce moment-là, après le baiser. Aubrey l'avait agrippée par les épaules comme s'il s'était entraîné à l'avance. Il avait regardé autour de lui d'abord, vers l'assemblée des fidèles, intimidé. Bon, allons-y. À gauche ou à droite ? À droite. Non, à gauche. Son visage avait piqué puis disparu. Quelqu'un avait toussé, son père, lequel était si serré dans son vieux costume vert qu'on avait l'impression qu'il allait d'une seconde à l'autre faire sauter les coutures et se transformer en créature surhumaine. Une longue quinte grondante et nicotinée et Aubrey avait conclu, en sueur, puis attrapé mollement la main d'Ida, et tous deux avaient tourné les yeux vers le pasteur et vers le nouveau pays de leur union conjugale.

C'est alors qu'Ida regarda enfin son mari. Georgia et Bessi se penchèrent en avant. Les yeux d'Ida se détachèrent de Diana et Charles, qui remontaient l'allée centrale, et traversèrent la moquette pour rejoindre le fauteuil d'Aubrey. Ils grimpèrent le long de ses jambes, franchirent le monticule du ventre qui réclamait son dessert, s'attardèrent brièvement à côté de lui, sur le manteau de la cheminée encombré des vieilles photos brumeuses et des bonshommes argentés, et parvinrent à son visage. Aubrey n'était plus beau et peut-être ne l'avait-il jamais été. Il avait des valises sous les yeux à force de longues nuits blanches, des sillons sur les lèvres à force de téter sur ses cigarettes et un teint pâle et brouillé à force de ne pas prendre plaisir à la vie (d'après Bel). Cela faisait longtemps qu'Ida ne l'avait pas regardé de si près et c'était troublant, comme sensation, en présence de leurs enfants, de constater qu'elle n'avait pas le plus petit semblant de désir dans son cœur.

Peut-être Aubrey se sentit-il observé par sa femme, car il jeta un coup d'œil en direction du rocking-chair et remonta jusqu'au visage d'Ida. Georgia et Bessi en furent encouragées, même si ça n'avait rien à voir avec le genre de regard qu'elles avaient espéré. Ce fut un moment court et décevant pendant lequel les yeux d'Aubrey dirent : « Putain, où est mon dessert ? »

Tandis que ceux d'Ida répondaient : « Va le chercher toi-même, pour qui tu te prends bordel ? » Ida y mit fin en retirant ses lunettes, qu'elle posa sur le rebord de la fenêtre. Elle se leva et lança : « Bel, viens m'aider à la cuisine », puis elle quitta la pièce.

Il y avait six différentes variétés de fleurs dans le bouquet de Diana : des gardénias, des freesias blancs, du muguet, des roses jaune d'or, des orchidées blanches et des stéphanotis. Charles et elle étaient à présent sur le balcon de Buckingham, après leur baiser, après un autre trajet de verre et un autre baiser. Ils agitaient la main devant les caméras et le bouquet paraissait lourd. Georgia l'examina minutieusement et trancha, vite fait, qu'il aurait dû être moins chargé parce que les fleurs, c'était pas censé être un fardeau. Si c'était elle, elle l'aurait fait moins chargé.

Du palais, ils allaient partir pour Hampshire. Ensuite ils s'envoleraient pour Gibraltar, point de départ d'une croisière de douze jours en Égypte sur le yacht royal, pour la romance et pour faire des enfants. Ida et Aubrey étaient redescendus sur leurs planètes respectives. Cinq mille kilomètres séparaient le rocking-chair du fauteuil chocolat. Georgia et Bessi sentaient qu'il faudrait peut-être plus qu'un mariage royal, un tapis rouge et l'archevêque de Canterbury pour réduire la distance.

Alors, en attendant, tout le monde mangeait du riz au lait. Comme il n'y avait pas de tranches napolitaines, ils prirent des barres glacées au chocolat, ce qui n'était pas mal non plus. L'association de la glace avec quelque chose de chaud signifiait qu'Ida n'avait pas besoin de réchauffer la sienne et qu'ils pouvaient tous prendre leur dessert en harmonie. Ils arrivèrent ensemble à ce moment où les coupes en verre taillé se retrouvaient vides, à part les petites flaques de glace qu'on récupérait en traçant des stries vanillées avec sa cuillère, de sorte que les Hunter formèrent un orchestre.

Après le dessert, Georgia sortit arroser le rosier. Elle n'eut pas besoin de dire : « Puis-je sortir de table s'il vous plaît merci de ce bon déjeuner. » Elle aimait bien quand elle n'avait pas à le dire.

Pendant que Georgia était dans le jardin, Bessi entra dans la cuisine. Elle avait encore faim parce qu'il n'y avait pas eu assez de pommes de terre rôties. Elle avait honte. Elle ouvrit le four et vit trois languettes de lard qui traînaient autour de la carcasse du poulet. Ce n'est pas du Ham, pensa-t-elle, c'est du lard. Elle saisit une des languettes roses et salées en espérant que Georgia ne l'apprendrait pas.

— Tu manges du Ham !

Kemy avait surgi sur le pas de la porte.

— Je vais le dire à Georgia.

— Oh, non ! supplia Bessi. S'il te plaît, lui dis pas ! Elle aura honte de moi !

— À condition que tu me fasses un sandwich au poulet.

Kemi avait encore faim, elle aussi.

Bessi réfléchit.

— D'accord, grommela-t-elle.

— Grillé, ajouta Kemy. Mais pas trop.

— Je vais te le faire.

— Et tu enlèves les bords.

— OK.

— Avec de la mayo.

Bessi hocha la tête, dépitée, et prépara le sandwich, en mettant de la mayonnaise, du sel et du poivre. Les sandwiches étaient très prisés dans cette maison. Elles avaient toutes hérité d'Aubrey son goût pour le sandwich aux frites et la plupart de leurs repas s'accompagnaient d'une assiette de pain, au cas où quelqu'un aurait envie d'un sandwich au riz ou aux haricots blancs- sauce tom'.

Kemy mangea son sandwich. À deux reprises pendant qu'elle la regardait mastiquer, Bessi lui dit :

— T'as pas intérêt à le répéter.

Cette nuit-là, les jumelles étaient allongées dans leur lit dans le noir. Sur les murs, les petites filles aux parapluies étaient parties se coucher. Le grenier était silencieux.

— Ça n'a pas marché, dit Georgia, parlant dans le noir.

— Non, répondit Bessi. Qu'est-ce qu'on va faire ?

— Je ne sais pas. On pourrait peut-être acheter un

torchon avec Diana et Charles dessus et le mettre à la cuisine.

— Oui, c'est une bonne idée. Tu es maligne.

— Il faudra qu'on demande de l'argent à papa.

— Oui...

— Bonne nuit, dit Georgia. Je vais voir Gladstone.

— Bonne nuit.

Bessi entendit Georgia s'endormir. Elle s'endormait toujours la première. Elle écouta la respiration de Georgia se faire plus profonde et plus bruyante.

Dans son rêve, Georgia allait à Gladstone Park. La nuit était douce. Elle levait la main et frappait à la porte de Gladstone.

« C'est encore moi, disait-elle. Vert pour Gladstone. »

Gladstone était en robe de chambre. Ses cheveux flottaient autour de sa tête comme une auréole. Il invita Georgia à s'asseoir dans l'élégant fauteuil et à lui raconter toute l'histoire devant un chocolat chaud. Elle se réchauffa les mains au contact de la tasse et demanda à Gladstone s'il avait regardé le mariage.

« Non, ma chérie, dit-il. Je n'ai pas la télévision.

— C'était un mariage merveilleux, poursuivit Georgia. On voulait que papa et maman se plaisent de nouveau, mais je ne crois pas que ça ait marché. Qu'est-ce qu'on va faire, maintenant ? »

Gladstone regardait le plafond en souriant.

« Ah ! Ma femme et moi avons fêté notre anniversaire de mariage ici même, en 89. Quel *breakfast* ! »

Ils parlèrent des roses. Il lui dit de veiller à ce que leur terre soit toujours bien humide. Parce qu'il avait planté des arbres, il était très calé pour ce qui était de faire pousser des choses. Georgia aimait la compagnie de Gladstone, et elle commençait à avoir l'impression qu'il n'y avait rien à faire du tout. Elle avait sommeil.

D'une voix pâteuse, elle dit : « Ça donne tout le temps l'impression qu'il manque quelqu'un, quand on est tous ensemble à table. Est-ce à cause de Ham ? »

Elle entendit la voix de Gladstone dans le lointain, qui disait : « Ma chère Georgia, l'avenir s'est déjà produit, exactement comme le passé. Et un jour tu verras qu'il n'y a pas de réponses, seulement les lieux que nous créons. »

3

La fuite

Un étage au-dessous du grenier, dans la chambre des parents, Ida tourna le dos à Aubrey. Elle laissa ses pensées voguer. Elle repartit vers sa maison et en chemin elle se souvint à nouveau du baiser, du visage d'Aubrey disparaissant dans le sien, du soleil, ensuite, quand ils étaient sortis. Un petit peu heureuse, peut-être, voilà comment elle s'était sentie à ce moment-là. Et perdue, aussi. Les nouveaux débuts, comme les nouveaux pays, donnent toujours le sentiment qu'on est perdu, qu'on est dans le noir. Vous montez dans un bateau après minuit et les vagues vous emmènent vers le large. Vous partez à la dérive. Pas d'horizon, nulle part, et le matin qui ne vient jamais. Jusqu'au moment où quelque chose se brise sans bruit à l'intérieur et vous éprouvez une sorte de soulagement. Alors les lumières s'allument et vous pouvez voir ce qui s'est passé.

C'est comme ça que tout avait débuté. Avant Aubrey, avant l'Angleterre, et même avant Lagos, l'aventure d'Ida commença deux heures après minuit, non dans un bateau mais sur une bicyclette. Elle avait quinze ans quand elle quitta Aruwa. Où la poussière du sol était rouge et brûlante, où l'arbre chanteur chantait au milieu du village, où l'air collait au corps. La nuit l'enserrait comme une couverture très sombre et Ida découvrait la solitude. Des diables étaient pendus aux étoiles, la tête en bas, et criaient : « Rentre chez toi ! Où t'enfuis-tu donc ! » Elle ralentit l'allure en arrivant devant l'arbre chanteur, au tronc gonflé par des générations de soleil et les lacérations annuelles d'une pluie féroce. Ses feuilles avaient une épaisseur étrange, un vert infini, et ses branches s'étiraient, s'étiraient éternellement. C'était là que vivaient les esprits et que se tissait la sagesse, là que les enfants grimpaient de branche en branche, en quête de magie. Elle-même y avait souvent grimpé, jusqu'au sommet, et s'était assise là-haut par de grandes journées bleues, à l'écoute des voix, des murmures. Ida s'avança dans le monde de l'arbre en courbant la tête et fit une prière d'adieu.

Dans son sac, elle avait une robe rouge rubis en coton, deux *lappas* et deux tee-shirts, une boîte de beurre de karité, quelques sous-vêtements et une petite poignée de *nairas* donnés par oncle Aka pour le car de Lagos. Elle portait les perles de sa mère au poignet. Tout le reste était sous sa peau.

Elle se mit à courir et les grillons poussèrent des cris stridents. « Arrête-toi à la pompe, avait dit oncle Aka, attends près de la pompe et il viendra. » Tandis qu'elle attendait, les genoux flageolants, les buissons se tordaient au vent et les rats de brousse trottinaient. Les cailloux de la route roulaient vers elle d'eux-mêmes. L'obscurité avait toujours été son amie, un lieu où marcher en toute sécurité, enveloppée de mystère, et le moucheté d'argent de l'univers la seule lumière dont elle eût besoin. Mais ce soir le ciel était contre elle. Des diables et des chauves-souris. Une lune maigre. Des phalènes, des moustiques et des cousins qui lui criblaient les chevilles. Une demi-heure s'écoula et personne ne vint. Pas de vélo, pas de Sami. « Il est très grand et très noir, avait dit Aka, il a dans les dix-neuf ans. Et il se fait plein fric avec sa bicyclette. » Sami, qui était du village voisin, était connu pour ramener des femmes du marché d'Ighetu avec des melons et des régimes de bananes plantains, ou conduire les vieux et les estropiés aux maisons de leurs parents quand il y avait des fiançailles ; à l'occasion, moyennant un tarif plus élevé, il se faisait complice de grandes évasions nocturnes comme celle d'Ida. Toujours à 2 heures du matin, au même point de rendez-vous, près de la pompe à eau à la lisière d'Aruwa.

Elle n'entendait personne. Elle se plaça au milieu de la route, tourna, prise de panique, faisant valser son sac, et passa ses options en revue.

Nne-Nne et Baba devaient dormir encore ; Baba sur le dos, sa bouche royale grande ouverte, et Nne-Nne dans l'espace restant. Elle pouvait rentrer, passer sur la pointe des pieds devant les jarres d'argile alignées contre le mur de pisé et la minuscule chambre sans porte où ils dormaient, et faire semblant de n'avoir jamais eu ce courage-ci. Déballer ses pauvres frusques et s'allonger dans le noir. La nuit passerait et pendant son sommeil elle remiserait ses rêves dans le coin où ils étaient rêvés, sur un tabouret à trois pieds dans une résille d'ombre, derrière les persiennes de bois closes. Au matin elle commencerait à se préparer pour épouser l'homme au visage ridé. Il y aurait des choses à faire. Baba, le grand tailleur d'Aruwa, la première personne du village à posséder une machine à coudre, devait commencer la robe. Elle se placerait à côté de la table basse bancale, les bras en l'air, et regarderait par la fenêtre pendant qu'il prendrait les mesures. Nne-Nne, sous la casquette de base-ball qu'elle portait tous les jours et qui dérobait ses pommettes aux yeux du monde, les noterait de son écriture rapide et soignée, adressant de temps à autre un hochement de tête soumis à Ida. Puis viendrait la longue marche jusqu'à Ighetu pour les courses, les visites, les rencontres des ultimes négociations et l'échange de capital. Le jour viendrait et ne repartirait plus jamais, comme l'amertume. Elle disparaîtrait en Thomas Afegba et rejoindrait les poulets, les chèvres et les plants de tomates de sa colonie de biens.

Ou bien elle pouvait marcher. Si Ida était vraiment la digne petite-fille de Cecelia Remi Ogeri Tokhokho, enterrée auprès de son mari sous la planche à lessiver de la cour, seule femme de l'histoire d'Aruwa à avoir rétréci le monde, à avoir réussi toute seule à Lagos et à être revenue vingt-trois ans plus tard à la tête d'une fortune acquise à la force du poignet, fumant le cigare, portant du brillant à lèvres écarlate et parlant fort, eh bien elle marcherait. Elle marcherait autant de jours qu'il le faudrait.

Cecelia avait laissé sa marque sur les projets d'avenir d'Ida. À treize ans, Ida avait donc demandé à ses parents si elle pouvait continuer l'école avec son frère pour pouvoir devenir « une grande femme d'affaires comme Mamie. » Nne-Nne, qui tissait devant la maison, avait pouffé de rire en levant la tête de son ouvrage et dit :

— Ida, ici c'est pas dans ville, dé.

— Je s'en fous ! Je vé apprendre, avait crié Ida, prenant Nne-Nne de court.

L'aplomb de cette gamine, s'était dit cette dernière, son insolence. Ida était plantée là devant elle, barrant le soleil, une main sur sa hanche maigre, la fusillant du regard, et une fois de plus Nne-Nne fut frappée par sa ressemblance avec Baba, son tempérament et sa fougue, et avec la mère de Baba avant lui. Nne-Nne imagina que Cecelia avait dû être exactement pareille, jeune fille. L'entêtement, les grandes idées : autant de choses qui ne pouvaient servir qu'à des fils. Nne-Nne avait toujours vécu à Aruwa. Elle s'était mariée à seize ans, les enfants avaient vite suivi et elle n'avait jamais remis en cause ce que Dieu lui avait donné. S'il y avait en elle un soupçon de curiosité pour les choses qu'elle n'avait ni vues ni faites, Ida le mettait en scène pour elle, avec ses colères et ses rêves fous, et Nne-Nne lui vouait pour cela une affection toute particulière. Tôt ou tard, elle en était bien certaine, Ida finirait par comprendre qu'ici, à Aruwa, la vie n'était pas plus grande que le village, et qu'au bout du compte les femmes devenaient leurs mères. C'était comme ça.

Nne-Nne avait essayé de se montrer compréhensive :

— Ida, mon enfant, il n'y a qu'une seule Cecelia.

Baba avait refusé, lui aussi ; le ventre pendant par-dessus le cordon de son pantalon, il avait grommelé, tout en tripotant l'antenne de la radio qu'il avait acquise récemment, dans la dot de sa fille aînée, Marion : « Pour fait quoi ? Ta maman peut t'apprendre n'importe quoi que tu dois connais. » La radio grinçait d'ondes en ondes, incapable de s'arrimer à quoi que ce soit de cohérent, et Baba semblait oublier qu'Ida se tenait là, en proie aux affres, debout dans le rai de lumière qui traversait la pièce. « Encore deux ans », supplia-t-elle en haussant la voix, et Baba rétorqua d'un : « Mon enfant ! Tu vé chercher problème ! »

À partir de ce moment, Ida avait attendu avec effroi l'heure d'un Thomas. Pendant que la radio aux humeurs changeantes parcourait en grésillant le Nigeria et le reste du monde, elle cuisinait, cousait et faisait le ménage, allait aux champs à pied par les routes et cueillait des légumes après la pluie. Elle parlait peu et prit l'habitude de froncer les sourcils. Assise sur le tabouret à trois pieds, elle pensait à Cecelia en rêvant de brillant à lèvres et de sauts de géant par-dessus des pays entiers. Elle faisait la lessive et tuait des poulets ; Nne-Nne lui apprit à préparer les *moi-moi* et le ragoût d'*egusi* comme il convenait de les préparer, avec résignation et conviction, en dosant à l'instinct les écrevisses et le piment de Cayenne.

Quand Thomas Afegba vint faire sa demande, elle était dans la cuisine en train d'étrangler un poulet. Il parlait à Nne-Nne et elle remarqua, à travers le rideau de perles, qu'il était grand et costaud, qu'il avait une grosse bouche et qu'il portait un *abada* de prix, noué serré autour de sa poitrine. Il n'avait ni jeunesse ni grâce, ni beauté ni tendresse – toutes lui faisaient défaut. Nne-Nne avait mis un de ses plus beaux lappas et retiré sa casquette de base-ball, ce qui n'était pas bon signe. Les seules occasions où elle portait ses beaux lappas et retirait sa casquette de base-ball étaient les mariages, les initiations, les réunions villageoises, les enterrements et les négociations préliminaires avec des prétendants pour ses filles. Dans les lueurs du soleil couchant qui caressait la machine à coudre de Baba, Thomas Afegba et Nne-Nne murmuraient tandis qu'Ida tordait le cou du poulet. Celui-ci glapissait et battait des ailes et Ida se demandait, folle de rage, ce que Baba allait prendre en échange d'elle. Une nouvelle radio, au son meilleur ? Une chèvre ou même un taureau ? Valait-elle la première télévision d'Aruwa ? Le poulet, à présent dans l'hystérie de sa lutte finale, se débattait dans la main d'Ida. Ses plumes s'envolaient. Elle le plaqua d'un coup sur la table et abattit le couteau, faisant jaillir une gerbe de sang qui lui éclaboussa le visage.

Une semaine plus tard, Baba passa un accord avec Thomas, auquel Ida n'avait toujours pas été présentée. Deux chèvres. Quatre cents nairas. Et une télévision portable importée d'Angleterre.

Comme elle put le constater, de près Thomas avait des entailles sur les joues, mais ce n'était pas le problème principal. Et il n'était pas totalement dépourvu de charme, non plus, dans le genre bourru vieillissant. Le problème, découvrit-elle lorsqu'il se pencha vers elle, était qu'il sentait les cacahuètes et le tabac, comme Baba, et comment voulez-vous que ce soit bien, ça, que votre mari ait la même odeur que votre père ? Lorsqu'elle leva les yeux pour regarder son visage d'inconnu, elle sentit le poids de son ombre et comprit que sous cette ombre aucune femme ni aucune nouvelle Cecelia ne pourrait grandir.

Elle le refusa. La fièvre au creux du ventre, le regard rivé derrière sa tempe, elle le refusa et intima à la main qu'il tenait dans la sienne d'être froide.

Thomas et Baba se serrèrent la main et, quand Thomas s'éloigna d'un pas nonchalant, Baba s'assit et reprit sa couture comme s'il n'y avait aucun mal à s'acheter une télévision en échange de sa fille. « Faut poser ton cœur tranquille, dit-il en lui tournant le dos, Thomas va s'occuper de toi bien bon. »

De rage elle détala en courant, et tomba sur le squelettique oncle Aka. Il sortait de chez lui coiffé d'un chapeau de paille sans calotte, en chemise blanche légère, un peu enivré par le vin de palme, la pluie douce sur le toit de sa maison et l'après-midi toute vide. Ida lui déboulait dessus et il était difficile de la déchiffrer. On aurait cru une folle, ou alors une tornade. Il lui dit :

— Mon enfant, on dirait il y a quelque chose qui va pas bien avec toi o.

Et Ida bafouilla, le visage inondé de larmes, de pluie et de refus :

— Tonton ! Je va pas marier lui là. Le temps que il va faire nuit, je vais couri couri partir.

Aka la serra dans ses bras et la fit entrer. Il l'assit sur une chaise et lui donna du vin.

— Thomas Afegba ? demanda-t-il. Tu veux parler l'homme costaud là qui vient de Inone ? Ton papa connaît lui-même ?

Car des rumeurs avaient également circulé (rumeurs qui parvenaient toujours jusqu'à Aka), disant qu'il frappait parfois, ce qui, sans avoir rien d'exceptionnel, passerait mal auprès d'une fille comme Ida, qui avait le feu en elle. L'heure était à l'action, une action sérieuse et immédiate.

— Tu as parti Lagos avant ? demanda Aka, l'œil rusé.

Ida cessa de sangloter :

— Non, tonton. Pas d'abord.

Ses options : Thomas et les rides ou Lagos, l'espoir et peut-être même l'amour. Ce n'était pas si loin, d'Aruwa à un rêve, et Ida avait de bonnes jambes. Elle se mit à marcher et entre les arbres obscurcis le fantôme de Cecelia la poussait de l'avant. Sa grand-mère chantait : « Va les trouver, petite, tes rêves sont par là, au bout de cette route, va les trouver, petite. » La pompe à eau ne fut bientôt plus qu'un récent souvenir. Ida passait d'un bond les nids-de-poules, crevasses et flaques de la seule route qu'elle ait jamais connue et pensait à la ville lumineuse et vibrante tout au bout. De grandes maisons solides, de la musique partout, une université. Un cinéma où un homme en costume de toile et cheveux assortis lui achèterait un Fanta qu'elle siroterait lentement, durant des scènes d'amour habiles et saxophonées, tandis qu'il observerait en coin l'éclat sépia de sa pommette haute.

Sami aperçut la silhouette solitaire sur la route et remarqua l'élan dans sa jupe. Cette façon de marcher ne pouvait être que celle d'une femme qui part seule pour Lagos en pleine nuit. Il pédala pour la rattraper en faisant gronder ses pneus sur les cailloux, la bicyclette ahanant de vieillesse, et lorsque Ida l'entendit, elle se retourna et lui décocha un sourire radieux en portant la main à la poitrine.

— Ma sœur tu es courageuse o, dit Sami. Monte.

Elle s'assit sur une planchette fixée au-dessus de la roue arrière et envoya sa jupe derrière ses genoux. Celle-ci se prit deux fois dans les rayons, ce qui agaça beaucoup Sami. Ida le tenait par la taille le plus légèrement possible et ils ne parlèrent pas beaucoup. Elle pensait à Nne-Nne, qui dormait dans ce petit espace. Elle regrettait de ne pas avoir pu la prévenir qu'elle partait, ni lui dire au revoir correctement. Elle caressa furtivement les perles à son poignet. La bicyclette rebondit et peina sous les longues cuisses de Sami, qui parcouraient la nuit pâlissante comme des pattes d'araignée, sur tout le trajet d'Ighetu, où le bus la prit à l'aurore.

Aubrey rêvait d'une évasion d'un autre type, non pas d'un avenir, mais du passé. Ida et lui se rencontrèrent quelque part au milieu, à Lagos, à cent soixante kilomètres d'Aruwa et quatre mille huit cents de Bakewell (car il fallait aller beaucoup plus loin pour fuir le passé). Dean Baxter, sa mère, son père, sa honte : tout ça avait fait naître chez Aubrey une fascination pour le mouvement. Il adorait les aéroports, les gares, les arrêts de bus, les parkings à autocars, et même les parkings à automobiles (à plusieurs niveaux, l'étage du haut) pour leur éternelle promesse de départ. Les bonshommes argentés sur le manteau de la cheminée qui n'allaient en fait jamais nulle part, le cheval argenté au galop, leurs oscillations, leur balancement, tout ça lui rappelait le réconfort des voyages et leur capacité à tout gommer. À nouveau lieu, nouveau visage.

Quand Aubrey était petit, trop petit pour faire sa valise et monter dans un train qui l'emporterait loin de Bakewell, peu importe où, il choisissait un coin au bord de la Wye et se cherchait un nouveau reflet sur les rides de l'eau grise. Il changeait son nom en Paul, David ou Anthony et traitait Dean Baxter de très exactement cent noms d'oiseaux. Mendigot, pour lui avoir volé son déjeuner. Sale cossard, pour lui avoir fait faire ses devoirs de maths sous la menace de lui défoncer les dents. Enfoiré de brute épaisse, pour lui avoir défoncé les dents, une de devant, une au fond à droite, quand Aubrey, dans un élan d'intrépidité, avait rendu à Dean deux pages de calculs d'une inexactitude criante, ce qui lui avait fait rater son contrôle mensuel de maths. Salaud, ouais, espèce de gros dégueulasse conservé dans son jus de connerie, pour l'avoir fait, d'un croche-pied, tomber à plat ventre en s'écorchant les mains un maximum, avec le cartable qui voltige, devant Miss Jacqueline Flynn, la seule fille de l'école pour laquelle Aubrey se fût autorisé à avoir un faible – une rousse flamboyante, parfumée et aisée, totalement hors de sa portée, sauf qu'elle était nouvelle et que tout était possible quand les choses étaient nouvelles.

Ordure puante. Crétin joufflu. Haleine de porc, crotte de chien, en route pour l'enfer. Cent était un joli nombre rond. Quand il en avait fini, Aubrey mesurait une tête de plus, il avait le nez plus fin et des cheveux qui n'étaient pas de la couleur du lait concentré, il rentrait à la maison en compagnie d'un inconnu qui lui plaisait et il recommençait. Il se multipliait tant qu'il s'oubliait. Ses pensées étaient un fouillis de chiffres, d'algèbre parfaite, de soustractions, de divisions, de multiplications et de conversions de pouces en centimètres, de yards en mètres, de miles en kilomètres, qui lui bombardaient les sens, ne laissant pas la moindre place au sentiment cru et brutal de son insuffisance. Il évitait les miroirs et les miroirs l'évitaient.

Sans sa mère qui ne manquait jamais de lui rappeler avec un dévouement inconditionnel, avec un amour pernicieux, tout ce qui lui faisait défaut, il aurait pu se fuir éternellement. Lorsque Judith Hunter poussait un de ses petits rires chevrotants, à fleur de bouche, et disait : « Mon Aubrey ne paie peut-être pas de mine, n'empêche que c'est bel et bien mon Einstein », il grimaçait et comptait les pommes de terre en faisant semblant de ne pas être là.

Tatie Mave et Oncle Cyril venaient pour le déjeuner du dimanche et Wallace Hunter, le mastodonte en tête de table dont l'impressionnante musculature s'était tellement peu transmise à Aubrey qu'il s'interrogeait parfois sur la fidélité de sa femme au moment de la conception de ce fils-là, tailladait son bœuf du Yorkshire, manches retroussées, en faisant trembler les pieds de la table sous sa mastication de rhinocéros affamé, ne s'arrêtant que pour respirer ou se moquer de sa femme.

— Einstein ? braillait-il. Je parie qu'Einstein est fauché comme les blés et impuissant par-dessus le marché !

Toute la maisonnée était secouée par les rires, Harold et William, les frères aînés d'Aubrey, se joignant à la partie avec leurs biceps et leurs triceps saillants, la bouche pleine de pommes de terre rôties, tandis qu'Aubrey, assis à côté de sa mère, transpirait.

— Voyons, chéri, disait-elle, tu sais bien que ce n'est pas vrai, ne te moque pas.

Là-dessus elle tapotait la main d'Aubrey sous la table et dodelinait de la tête, se tamponnait la bouche avec une serviette et coulait un regard humble en direction de sa sœur.

Mais Wallace aimait pousser le bouchon. Il aimait exploiter une plaisanterie, une pique, une humiliation à vie jusqu'au bout du bout de leurs possibilités. (Nous sommes des Hunter, disait la devise familiale accrochée au mur, nous chassons[1].)

— Tu le connais, alors ? Il est venu à Bakewell, hein, c'est ça ? tonnait-il en lançant un clin d'œil à Harold et William, un clin d'œil façon faut-pas-leur-lâcher-la-bride-fistons qu'Aubrey méprisait et admirait à la fois pour le naturel avec lequel il imposait sa férule. Tu me cacherais pas quelque chose, des fois, Jude ?

Les chaises grinçaient. Les trois gros baraqués tenaient leurs gros ventres et Cyril et Mave baissaient les yeux en espérant que Judith ne se soit pas donné la peine de préparer un dessert.

---

1. « Hunter » signifie chasseur en anglais. (*N.d.T.*)

Harold... Willy..., tentait Judith, les pétrissant, les suppliant du regard.

Elle portait un gilet de laine lilas qu'elle réservait pour ce type d'occasions, assorti d'une vieille paire de boucles d'oreille en perles que sa grand-mère (en sépia sur le buffet) lui avait donnée la veille de son mariage ; à présent, entre le lilas, la rougeur contrariée de ses joues et ses yeux d'algues, elle avait l'air d'un hématome tout frais.

— Non, chéri, bien sûr que je ne connais pas Einstein personnellement, *idiot* ! – rire chevrotant à l'attention de Mave – Oh, ce qu'il est *idiot* ! Ce que je voulais dire, c'est que... enfin – une petite tape sur le genou d'Aubrey – je suis sûre que mon Aubrey est parfaitement capable de... enfin... tu sais...

Wallace n'y mettait pas du sien :

— Non, chérie, je n'ai aucune idée de ce que tu racontes.

— Enfin... tu sais...

— Bon, bon, alors, bon sang ! Tu la craches, ta Valda ?

— De se débrouiller, chéri, de se débrouiller *au lit*, tu sais ! *Franchement*, Wallace.

À ce stade, Aubrey se mettait à tousser et sentait son ventre se décrocher. Encore sept pommes de terre et treize choux de Bruxelles.

— Tante Mave, disait-il en couvrant le bruit, leur plus belle saucière en porcelaine tintant sur sa soucoupe entre ses mains, des patates ?

Judith avait de bonnes intentions et il l'aimait. C'était le seul autre être humain auquel il avait l'impression de ressembler. Chacun recevait de l'autre du réconfort et un certificat d'existence. À 9 h 20 les soirs d'hiver, Judith glissait une bouillotte sous les couvertures d'Aubrey, pour ses os et les douleurs de la solitude. Le samedi après-midi, son tiroir était garni avec soin, joliment, de chaussettes propres, maillots de corps et slips kangourou. Et le dimanche, des tulipes roses fraîchement achetées au kiosque à fleurs devant le cimetière venaient décorer le rebord de sa fenêtre.

Aubrey était la fille que Judith n'avait jamais eue.

Il était fragile et il avait besoin d'attention, oh, c'était presque un *bébé*, son garçon.

« La maman est l'unique refuge sûr de l'enfant », disait souvent Judith à qui voulait bien l'entendre, citant *Le Cœur d'une Mère* d'Hilda Beaty. C'était elle qui restait avec lui au long de ces soirées qui n'en finissaient pas, en sirotant du sherry et tricotant devant la télé, alors qu'Harold et William étaient sortis « faire de la romance », comme elle disait, avec Linda et Jean du 14 ; elle qui caressa sa tête blanc laiteux en disant « Elles ne te méritent pas, mon chéri », la fois où Aubrey se plaignit (une seule fois, il ne recommença jamais) que les filles ne s'intéressaient pas à lui et qu'il n'avait pas d'autre choix le samedi soir, quand le monde décrétait qu'il fallait sortir faire la fête, que de suivre ce postillonneur grande gueule d'Arthur dans un bar plein de filles girondes, où des vieux fous cuvaient dans les coins. « Mais tu trouveras une fille charmante un jour, lui assura-t-elle. Sois patient. Nous devons faire face à ces choses-là avec force d'âme et – elle gloussa – un doigt de sherry. »

Comme il avait besoin d'elle. Comme elle était disponible. Et puis, un jour, il partit.

Elle lui lança, par-dessus son Ovomaltine : « Tu ne l'auras jamais, mon chéri », quand il postula au travail qui le ferait partir de Bakewell, sortir des griffes de sa mère, de sous la botte de son père, et aller loin, aussi loin des nounours au mur, des tulipes roses du dimanche et des slips à la bonne odeur de propre que pouvait l'emmener un timbre. « Comment veux-tu qu'ils embauchent une petite chose timide comme toi à *Londres*, voyons, gros bêta », poursuivit-elle.

Le mot « Londres » paraissait trop lourd pour sa langue. Car les villes, en particulier les capitales, n'étaient pas des endroits où vivre, pas pour son Aubrey. Ils le mangeraient tout cru, avec de la sauce HP et des frites, et alors, que ferait-elle ? Les villes étaient peuplées de brutes. Elles étaient grossières, oui, *grossières*, et plus froides qu'un hiver dans le Derbyshire. Elle était allée à Londres une fois dans sa vie, pendant sa lune de miel avec Wallace ; elle s'était fait bousculer dans la zone piétonne de la gare Victoria, par des passants, et s'était étalée sur le dos, les bas à l'air.

« De toute façon – elle met trois cuillerées de sucre dans l'Ovomaltine –, qu'est-ce que tu reproches au bureau de poste ? C'est parfait pour toi. Ils auront toujours besoin de quelqu'un qui a le sens des chiffres, pas vrai mon chéri ? Mon grand garçon à moi ! Allez maintenant, viens prendre ton chocolat. »

Aubrey avait vingt-neuf ans. Il perdait ses cheveux. Il arrivait à l'âge où le désespoir pouvait soit s'emparer de l'esprit, soit se muer en détermination. Ce fut cette dernière qui lui dicta les mots suivants : *Je suis précis et expérimenté dans mon travail et j'ai le sens du détail et des chiffres. J'aborde toutes mes missions dans un esprit d'égale loyauté et je suis plus que disposé à acquérir de nouvelles compétences qui m'amèneraient à prendre davantage de responsabilités.* Puis il lécha le timbre. L'Ovomaltine avait refroidi. Judith Hunter attendait seule au rez-de-chaussée dans la pénombre, les pointes de ses aiguilles à tricoter se croisaient à une vitesse inhabituelle.

Son écriture plut à Alders Financial. Dans le milieu de la banque, il n'était pas facile de trouver un fort en chiffres qui sache écrire. Et c'était un type élégant, qui avait toujours une cravate bien nouée (bien qu'un peu trop serrée peut-être) et des chaussures cirées. Pour commencer, on l'affecta à la gestion des comptes professionnels et Aubrey emménagea dans une chambre de Pimlico, où, pour la première fois les nuits d'hiver, il connut le désagrément crissant et circonscrit des draps froids. Il passait presque toutes ses soirées à lire des romans d'espionnage et la presse bancaire, dans le rond de lumière d'un lampadaire. Au bureau, terrifié à l'idée de commettre la moindre erreur, il se montrait irréprochable, infaillible ; il perdait très peu de temps à bavarder avec des collègues et gaspillait très peu d'argent à manger dans des restaurants trop chers. Il fut promu, vite, d'abord comme expert-comptable, puis finalement comme responsable des clients pétroliers qui figuraient en tête de liste des entreprises prioritaires chez Adler. Ils le mutèrent loin, beaucoup, beaucoup plus loin qu'aucun timbre qu'il eût jamais imaginé.

— Le Nigeria ? Mais c'est où, ça, mon chéri ? demanda-t-elle d'une voix qui semblait plus vieille.

— C'est en Afrique, maman, dit Aubrey, debout dans une cabine de Victoria Street, où un méchant courant d'air transperçait ses chaussettes.

— En Afrique ? Qu'est-ce que tu veux aller faire là-bas ? C'est plein de mouches, tu sais. Elles tombent toutes dans ton assiette.

— Maman...

— Tu vas mourir de faim. Ils meurent tous de faim là-bas, Aubrey, mon chéri. Je suis sûre de l'avoir entendu aux nouvelles un jour, les petits enfants, ils meurent tous de malnutrition, les pauvres mioches. Et toutes ces mouches ! Il y a des moustiques, aussi, tu sais. Ils piquent.

— Maman, je...

— Oh, tu es sûr, mon chéri ? C'est tellement loin. C'est à quelle distance ? Et pourquoi es-tu resté si longtemps sans téléphoner ?

— Je t'ai appelée, il y a quinze jours.

— Avant tu appelais toutes les semaines. Avant tu appelais tous les *jours*.

— Je n'ai jamais appelé tous les...

— Est-ce qu'on s'occupe de toi correctement là-bas, mon chéri ? Est-ce qu'il y a quelqu'un qui te fait la cuisine ? Oh, j'imagine que tu sais un peu cuisiner, hein, tu peux te faire des toasts aux haricots et de la purée. Mais pour ta lessive ? Tu peux toujours me l'envoyer, tu sais, je demanderai à ton père de te la renvoyer, je suis sûre que ça ne coûtera pas si cher, honnêtement ça ne me gêne pas, je n'ai pas tant de choses à faire maintenant que...

— Maman, je suis capable de faire ma lessive ! lança Aubrey d'un ton sec.

Un silence boudeur se faufila le long de la ligne et vint lui égratigner les oreilles.

— Excuse-moi.

Il chercha quelque chose à compter. Il y avait onze trous dans le cadran du téléphone.

— Ne coupe pas la parole à ta mère, Aubrey. Qu'est-ce qui arrive à mon grand garçon, hein ? Tu ne m'avais jamais parlé comme ça avant... à ta chère vieille maman. Aubrey, tu es toujours là ?

— Oui – il défit sa cravate d'un coup sec –, mais je n'ai pas vraiment le temps de bavarder, en fait.

— Ça fait *quinze jours* que tu n'as pas parlé à ta mère et tu n'as pas *le temps* de bavarder ?

Aubrey imagina ses doigts en train de tripoter fébrilement le bouton du haut de sa robe d'intérieur. Il n'eut pas le cran de lui dire pour combien de temps il partait. Ça pouvait être un an aussi bien que cinq. Quand il vint dire au revoir, debout dans l'entrée en manteau d'hiver, avec de nouvelles lunettes aux verres doucement teintés, qui faisaient écran entre ses yeux et elle, il lui dit six mois, peut-être, et ça passa déjà assez mal comme ça. Judith éclata en sanglots et se traîna à la cuisine pour se resservir un sherry.

L'excitation lui tournait la tête. Ce qu'il y avait de mieux dans ce voyage, c'était, et de loin : 1) cette mélodie, Vol BA556 pour Lagos, embarquement immédiat, 2) le simple fait libérateur de prendre l'avion, 3) le repas de dînette en plastique tout mignon, dont le dessert n'était pas le moindre attrait.

Lagos était l'endroit le plus bruyant qui soit sur terre. La circulation, les marchés, les tempêtes de poussière et les cris. La musique qui fusait par les fenêtres ouvertes. Des marchands se promenaient dans la poussière et bloquaient la circulation, des plateaux sur leur tête, pour vendre des briquets, des piles cassées et des cacahuètes. Des corps et leurs sacs à main s'accrochaient aux bus avec acharnement. Des hommes en chemise ouverte passaient devant des gratte-ciel trapus et de guingois, qui grondaient sur leurs bases. Des gosses déboulaient des ruelles et aux coins de rue et c'était le chaos. C'était la chaleur.

Elle avait dix-sept ans et lui en avait à présent trente-deux. Un cinéma miteux de Lake Street, avec des bancs de bois, qui passait *West Side Story.* Aubrey n'était pas pareil que les autres types. Il avait trop de vêtements sur lui... et une cravate ! Il était blanc, avec des cheveux trop blancs pour être blonds, et il avait l'air de quelqu'un qui était toujours seul ; seul comme l'était Ida, déchirée entre sa maison qui lui manquait et le noble exemple de Cecelia. Aubrey Hunter et Ida Tokhokho se rencontrèrent dans l'obscurité, juste au moment où Tony et Maria se repéraient sur la piste de danse entre les Jets et les Sharks, juste avant qu'ils ne flottent l'un vers l'autre dans des bulles de rêve, puis s'embrassent presque.

Ida et son amie Betty n'avaient pas d'argent et mouraient d'envie d'une boisson fraîche. La transpiration coulait de leurs aisselles à leurs hanches. Leurs bouches se desséchaient tandis que sur le banc d'à côté, Aubrey, calé au dossier, une bière tiède à la main, regardait Ida à la dérobée et buvait par lampées. « Demande notre ami là il n'a qu'à payer nous boisson, kè, dit Betty. Ma bouche c'est sec tu vas dire désert. » Lorsque Ida était arrivée à Lagos, hagarde et malheureuse, Betty l'avait aidée à trouver la rue de l'oncle Joseph, dont Aka lui avait fait écrire le nom sur l'envers de son ourlet. Pendant tout le trajet de bus, Betty avait parlé non-stop du nouveau salon de coiffure de son frère à Lagos en disant qu'elle allait l'aider à le monter. Ce qu'elle avait fait. Elle avait droit à des coiffures gratuites quand elle voulait, la dernière en date consistant en des extensions lie-de-vin qui lui tombaient jusqu'à la taille. Ida prenait des cours du soir pour terminer sa scolarité et dans la journée elle recousait les vêtements défraîchis des voisins. Elle n'avait pas parlé à Nne-Nne ni au reste de sa famille depuis son départ d'Aruwa.

Sans lever la tête, Ida se tourna et vit qu'Aubrey l'observait.

— Toi-même faut demander lui, dit-elle à Betty qui rétorqua en chuchotant :

— C'est pas moi qui lui plais, c'est toi o. Faut demander lui main'nant.

Pendant qu'elles murmuraient, blotties l'une contre l'autre comme des poussins à peine sortis de l'œuf, Aubrey s'approcha en crapahutant. Il avait l'impression d'escalader une vague et il la voyait qui l'attendait à l'autre bout du tunnel d'eau. Ses mains devinrent collantes. Il but une gorgée puis prononça, par-dessus la musique : « Aimeriez-vous quelque chose à boire, quelque chose à boire ? » Betty fut soulagée. Ida sourit (quel sourire ! pensa-t-il) et répondit : « Oui, s'il vous plaît, nous avons soif », et il adora ce besoin, cette soif, et l'idée qu'il pouvait l'étancher. Il lui acheta un Fanta et à Betty une bière, dans des bouteilles dégoulinantes d'eau glacée. Ida buvait à petites gorgées. Il regardait. Plus tard il la raccompagna chez elle en voiture dans le soir qui tombait, un seul trait de nuit teintant le ciel d'indigo. Lagos continuait, parfaitement réveillée et vibrante de réverbères, de grillons et de voitures qui foncent. Avant de repartir, Aubrey lui demanda quelle était sa couleur préférée – rouge, dit-elle – et s'il pouvait revenir le lendemain.

Si l'amour signifie étancher une solitude, remplacer un rêve ou remplir un vide, ils tombèrent l'un pour l'autre tête la première et les yeux fermés, touchant leurs poitrines si dissemblables et leurs cheveux si dissemblables dans le bungalow à air conditionné d'Aubrey. Il lui dit : « En général je ne sais pas y faire avec les gens, mais toi tu es gentille. » Elle lui montra les marchés aux puces où des lanternes pendaient aux échoppes de bambou et ils se promenèrent dans les allées en mangeant des *akaras*. « Ma mère, dit-elle, elle fait les meilleurs akaras du Nigeria, crois-moi. » Ils ne se tenaient jamais par la main ni ne se touchaient en public ; Aubrey préférait exprimer son affection croissante par des cadeaux. Il lui acheta une garde-robe rouge au grand complet et lui promit, si elle rentrait en Angleterre avec lui, de lui offrir une machine à coudre.

Ils se marièrent en moins d'un an, encore étrangers l'un à l'autre, sans se rendre compte des nœuds cachés à l'intérieur qui n'attendaient qu'une certaine dose de temps et d'indifférence pour se délier. Il la ramena dans une maison bordée de haies près d'un fleuve et d'une autoroute, avec un perron vitré de verre gaufré rouge et un grenier. Aubrey était heureux d'être loin du vacarme de Lagos, et parfois il avait l'impression qu'il pouvait encore l'entendre de Neasden.

La première réaction d'Ida à l'Angleterre se résuma à un état de choc prolongé. Elle était choquée par le froid et la froideur qui l'accompagnait. Le long de Waifer Avenue ou dans les rues embrumées de la ville, quand ils se rendaient à Kilburn en voiture, elle regardait avec de grands yeux les gens se croiser sans aucune étincelle de curiosité, marcher si vite, se hâter de contourner les réverbères et les arbres pour éviter tout contact. Au pays, les gens se demandaient entre eux : « C'est comment ton corps ? Où étais-tu passé ? Je ne t'ai pas vu. » Ici personne ne posait de questions. Les gens étaient silencieux, leurs joies et leurs peines étaient privées. Elle racontait tout à Nne-Nne (à sa flamme, dans son esprit), lui disait comme c'était bizarre ici, combien la maison lui manquait. Elle s'imaginait mentalement les pommettes qui brillaient à la lumière du soleil et la vieille casquette de base-ball, et elle murmurait : « Ici personne ne sait comment je m'appelle ni d'où je viens. »

En face du miroir de l'entrée, placée de façon qu'on la voie quand on se regardait dans la glace, Ida avait accroché une tête d'ébène sculptée représentant une vieille femme-esprit à cornes. « Ça nous donnera de la sagesse, dit-elle à Aubrey, et des enfants pleins de sagesse. » Aubrey n'était pas entièrement convaincu. Il trouvait que ça faisait sale, qu'on aurait dit un truc dégoté chez un chiffonnier. Il tapissa le mur principal de la salle à manger d'aquarelles miniatures dépeignant la campagne anglaise : la mer de jade à Land's End, un saule pleureur dans un champ de boutons d'or, l'embouchure embrumée de la Wye. « Voilà ce que j'appelle une jolie vue », dit-il.

Ida ajouta d'autres têtes un peu partout dans la maison, sur des étagères et des rebords de fenêtre. Du haut de l'escalier, un masque noir sans yeux à l'effrayante crinière de paille « les protégeait », d'après Ida, du mal qui était partout – « Pour l'amour du ciel ! » pensa Aubrey. Enfin, pour le salon, Aubrey choisit avec un soin tout particulier une très grande tapisserie des vallons du Derbyshire. Ils s'affrontaient en silence, par géographie interposée.

En 1967 naquit Bel. Isabel. Elle les surprit tous deux en leur révélant les canyons d'amour qu'un enfant peut ouvrir d'un coup. Elle avait le caractère d'Ida et les yeux verts de Judith. « Mes yeux, vous vous rendez compte ! Oh, c'est une mignonne, celle-là, alors ! » dit Judith quand elle accourut de Bakewell pour le baptême (les autres ne pouvaient pas venir). Ida n'avait rencontré la mère d'Aubrey que deux fois jusqu'alors, une fois au mariage puis quelques mois plus tard, lorsqu'elle était venue passer un week-end et qu'elle avait donné des cours de cuisine à sa belle-fille, couvrant la préparation du rôti du dimanche (avec son Yorkshire pudding en garniture) et du Shepherd's pie. « Faut veiller au bonheur de nos hommes, hein », avait dit Judith, lentement car elles avaient du mal à comprendre leurs accents respectifs. Ida trouvait Judith fatigante, même au téléphone, quand elle appelait pour s'assurer qu'Ida s'occupait bien d'Aubrey et répéter qu'elle serait heureuse de lui donner d'autres cours de cuisine quand elle le voudrait. Ida dit à Aubrey : « Ta maman est trop façon, c'est pas bien », ce sur quoi Aubrey vola à la défense de Judith, un peu hystériquement, estima Ida.

Quand Ida voyait Judith, sa propre mère lui manquait encore davantage. Le jour du baptême de Bel, en la regardant s'agiter au-dessus du berceau avec ses boucles d'oreilles démodées, elle souhaita que ce soit Nne-Nne qui se trouve là, à sa place. Et elle le souhaita si fort qu'elle le vit. Nne-Nne en lappa et foulard de tête orange, dans cette maison solitaire de Neasden, penchée sur le berceau de sa nouvelle petite-fille. « Bienvenue, ma douce enfant, dit Nne-Nne, dans nos cœurs et dans notre maison. »

C'était grâce à Bel et Nne-Nne qu'Ida gardait le moral au long de ces journées qui s'étiraient sur des kilomètres, des journées dont la fin ramenait maintenant Aubrey à la maison avec une odeur amère au coin de l'haleine. Aubrey avait fini par comprendre qu'une partie de lui-même était étrangère au monde et à tout ce qu'il contenait et qu'il était donc suprêmement incapable de réussir sa vie d'être humain. Il était un merveilleux échec, prisonnier de l'amour de Judith et du mépris de Wallace. Il se plaignait à Ida de ses collègues qui travaillaient n'importe comment, de Bel qui pleurait tout le temps, de son Yorkshire pudding qui n'était pas satisfaisant. Dans certains moments de solitude, il regardait le bébé dormir et il était terrifié par sa fragilité ; les murmures et les rires mystérieux d'Ida en vinrent à le perturber de plus en plus. *Nous devons faire face à ces choses-là avec force d'âme et un doigt de sherry.*

Il lui arrivait de rentrer tard à la maison et de s'asseoir avec un verre à portée de main, qu'il remplissait régulièrement. Une fois, il réveilla Ida en pleine nuit et lui dit, planté au bout du lit, l'air perdu et menaçant, que le frigo était sale et qu'il faudrait qu'elle le nettoie le lendemain. Puis il redescendit. Le lendemain matin, il était endormi dans son fauteuil et il y avait un mot sur le frigo. Disant : *Nettoie le frigo. Et le sol est sale aussi.* Il partit travailler plus tard que d'habitude, ce jour-là. Elle lui prépara une tasse de thé avant qu'il s'en aille. Il ne fit pas allusion au frigo.

Il n'était pas fréquent, ça n'arrivait presque jamais, qu'ils se disent « Je t'aime ». Au lieu de quoi, après le dîner, alors qu'elle faisait du repassage, il pouvait arriver qu'Aubrey, une encyclopédie sur les genoux, s'avance brusquement dans son fauteuil et s'écrie : « Mon Dieu ! Tu savais que la baleine bleue a une langue qui pèse plus lourd qu'un éléphant et qu'elle peut se passer de nourriture pendant six mois ? Ben ça alors ! »

Les lumières étaient allumées. Il n'y avait pas de princes ni d'anges au plafond. Mais quelque part, il l'aimait. Il lui acheta une machine à coudre garantie trois ans au John Lewis. Une Singer, comme celle de Baba. Et il organisa de courtes vacances à Lagos pour elle et Bel, où Ida connut des retrouvailles brèves et empruntées avec Baba et Nne-Nne dans la maison de l'oncle Joseph. Baba lui en voulait encore ; Nne-Nne avait encore de la peine, même si elle était secrètement folle de joie de revoir Ida. Les au revoir furent difficiles, et quand Ida retourna à Neasden, aux nuages, à la morosité et à Aubrey, sa nostalgie acquit une nouvelle intensité ; les bains devinrent son refuge. Des années passèrent. Quand son corps enfla sous les jumelles, elle se mit à tremper des heures dans son bain. Elle parlait à Bel de l'arbre chanteur et des millions d'étoiles d'Aruwa et elle écrivait des lettres brouillonnes et tristes au pays, qu'elle ne postait jamais car il entrait une part de honte dans son malheur. Elle ne recevait pas de lettres en réponse. Nne-Nne n'en avait jamais écrit de sa vie et Baba, supposait Ida, n'avait rien à lui dire. Le soir, pour ne pas céder au désespoir, Ida s'asseyait devant la machine à coudre dans la salle à manger et travaillait à sa robe de chambre magique.

Elle avait trois morceaux de tissu : un Kente blanc et cuivré qu'elle avait rapporté avec elle de Lagos, une explosion d'étoiles sur fond noir achetée dans un magasin de tissus d'Harlesden et le troisième, un dessin de Nne-Nne, du bleu électrique et de l'ambré fusionnant comme au cœur du champagne.

En cousant un morceau à l'autre en un patchwork cyclique, elle tomba sur une route. Pas une route inconnue, avec des phares de danger, mais une route qui la ramenait chez elle, qui lui rappelait qui elle était et d'où elle venait. Au cœur du champagne, Ida voyait la pompe à eau et les buissons qui s'agitaient sous le vent. Elle retrouvait les ciels de chez elle dans son mètre d'univers ; une écorce ancienne chantait de vieilles chansons dans le cuivré. En cousant, Ida s'imaginait qu'elle était l'aiguille, qu'elle parcourait les pentes d'Aruwa, retraversait le village, à pas légers et réguliers comme une pluie lente sur le sable. Bel avait alors six ans et faisait déjà des rêves. Elle qualifia la robe de chambre de « magique » parce qu'elle faisait rayonner sa mère, et sans doute voler.

4

Sekon

Y aurait-il la télévision ? Y aurait-il *Dallas* ? Pourraient-elles regarder Sue Ellen se réveiller le matin toute maquillée et y aurait-il de la musique ? Vendait-on des nectarines au Nigeria ? Y aurait-il un grenier et pouvaient-elles emporter les Saccos parce que trois ans c'était long, plus long qu'aucun endroit où elles soient jamais allées, et qu'il y aurait forcément des décisions à prendre ? Allaient-ils rentrer un jour ? Est-ce qu'ils émigrationnaient ? Ida se comportait comme si c'était le cas. Elle n'arrêtait pas de faire des achats, jour après jour. Elle n'était pas à la maison quand les jumelles et Kemy rentraient de l'école (y aurait-il l'école ? y aurait-il des uniformes ?) et Bel devait leur servir de mère et distributrice de sandwiches grillés jusqu'au retour d'Ida, laquelle arrivait chargée de sacs plastique qui se déchiraient sous leur poids. Elle achetait en gros. Des choses ordinaires de la vie quotidienne, par exemple du shampooing et du bain moussant, des savonnettes, des vêtements et des jouets, comme si c'était sa dernière chance de se les procurer. On ne vendait pas de savon, là-bas, ni de shampooing ? Un samedi, elle poussa même jusqu'au sud de la Tamise avec Bel, à Brixton, et acheta du tissu, des faux cheveux et du beurre de cacao. Le centre commercial de Brent Cross, étincelant, tout emmailloté dans ses décorations de Noël, devint une expédition hebdomadaire. Et Aubrey se plaignait pour l'argent, disant qu'il ne le fabriquait pas et que ce n'était pas parce qu'Alders couvrait tous les frais qu'Ida devait se comporter comme si son mari était un roi du pétrole et qu'ils vivaient dans un ranch.

Est-ce qu'il y aurait Noël ? Ne pouvaient-ils pas partir après Noël ? Noël était censé être froid et enneigé, pas torride, or il faisait une chaleur torride au Nigeria. La plupart des vêtements qu'ils emportaient et qu'Ida achetait (les plus sympas jusqu'à présent : deux robes identiques à rayures et bretelles à nœuds, turquoise et blanc pour Georgia, rose fluo et blanc pour Bessi) étaient des vêtements d'été, alors qu'on arrivait presque en hiver. Elles s'étaient même fait couper les cheveux, en plus, et Georgia bouillait encore de colère tant ça s'était mal passé. Le salon de coiffure de Neasden était tenu par un couple d'Irlandais dont les deux filles assuraient les coupes. Elles n'avaient aucune formation officielle. Elles ne pouvaient pas relever les défis que posent les afros. Pour égaliser une coupe à l'afro, il faut avoir une certaine compréhension de la rondeur, qu'il convient d'appliquer aux ciseaux. Mandy, la fille aînée, donna des petits coups de ciseaux dans la chevelure de Bessi pendant très longtemps, l'air perplexe, chassant d'un côté à l'autre de son visage les mèches de son carré châtain, et pour finir, en fait de rafraîchir simplement l'afro de Bessi comme Ida le lui avait demandé, elle la transforma complètement en la réduisant de dix centimètres, ce qui déclencha le chagrin torrentiel de

Bessi devant le miroir du salon de coiffure, face au reflet de son visage de plus en plus détrempé. Ida et Aubrey compatirent. Ida traita Mandy de bonne à rien (l'approche du Nigeria la rendait plus hardie, voire querelleuse) et Aubrey refusa de payer. Georgia compatit elle aussi : « T'inquiète pas, Bess – avec une petite tape affectueuse –, t'es toujours jolie » – jusqu'au moment où quelqu'un suggéra que l'unique solution était de sacrifier également ses cheveux à elle. Elles étaient jumelles. Elles devaient avoir l'air de jumelles. Il fallait faire couper les cheveux de Georgia à la même longueur. Mais pas par Mandy, par sa sœur, l'autre, Emma, qui rata la coupe, la rata encore plus que celle de Bessi. Elle retira douze bons centimètres et Georgia éprouva de l'amertume, même envers Bessi, sans doute pour la première fois de sa vie.

Georgia et Bessi ne voyaient pas l'intérêt d'avoir l'air exactement pareilles puisque c'était déjà dans leurs visages, ou presque, même si les traits de Georgia étaient plus pleins, qu'elle avait les lèvres rouge rubis et des yeux plus rêveurs, plus grands et d'un marron plus soutenu, avec des cils qui touchaient le ciel. Ces différences étaient quasiment invisibles pour les gens de l'extérieur. Elles étaient pareilles, comme des poupées. Elles étaient l'être-deux dans l'être-un. À leurs débuts à l'école primaire, une de leurs camarades de classe, Reena, leur avait demandé de se mettre côte à côte contre le mur de la cour, sans bouger, le temps qu'elle compte les différences. Il y en avait cinq. Reena les avait notées et mises sur le panneau d'affichage :

1. La bouche à Georgia elle est plus grande.
2. Georgia a des grandes oreilles, pas Bessi.
3. Les yeux de Bessi ils sont plus petits.

4. Georgia fait un centimètre et demi de plus et elle est un peu plus grosse.
5. Georgia a un grain de beauté près de la bouche – elle est plus jolie.

À la cantine, les autres les coinçaient pour vérifier, montrer du doigt, chercher d'autres différences. Les dents de Bessi n'étaient-elles pas légèrement plus de travers et le visage de Georgia plus rond ? Et Georgia, ne dirait-on pas qu'elle marche les pieds en dehors, comme un pingouin ou une danseuse, tandis que Bessi pointe les siens vers l'intérieur, comme si elle avait les genoux cagneux ?

Les véritables différences, celles qui comptaient le plus, étaient à l'intérieur, sous les vêtements, dans l'âme. Il y avait la lumière et il y avait l'ombre.

Porter des couleurs différentes signifiait qu'elles pouvaient être des personnes entières à l'intérieur parce que ça permettait aux gens de voir que Georgia était Georgia, en turquoise, et que Bessi était Bessi, en rose. Il y avait des pensées roses et des pensées turquoise, avec des rayures blanches. Cela voulait dire tellement plus qu'un point de fil rouge au col, ce qui était la façon dont Ida et les professeurs distinguaient leurs vieilles doudounes vertes quand elles avaient six ans, avant qu'ils ne découvrent que la couleur pouvait transformer une moitié en un entier. Une moitié de vert en un pays entier de rose. Une demi-question (car parfois même leurs parents n'arrivaient pas à les distinguer) en une question turquoise entière.

— Qui s'occupera des roses quand on sera partis ? demanda Georgia dans la voiture, sur le chemin de Brent Cross où ils allaient racheter du shampooing et des bougies pour les coupures d'électricité. Les roses ont besoin d'eau, alors s'il ne pleut pas ?

Le départ n'était plus que dans trois semaines et les questions fusaient en permanence, maintenant, à l'improviste et s'adressant à n'importe qui, même à Judith, au téléphone, qui les mettait sans cesse en garde contre les moustiques et le paludisme, ajoutant que leur père était complètement irresponsable de les traîner si loin pour les exposer aux périls de l'Afrique. Aubrey dit à Georgia qu'il demanderait à M. Kaczala, le voisin, d'arroser les roses. Il lui suffirait de passer le bout de son tuyau par-dessus la clôture.

— Tous les jours, dit Georgia. Dis-lui qu'il faut qu'il le fasse *tous les jours*, sinon elles mourront.

— Et les pommes, ajouta Bessi, qui commençait à paniquer, les pommes, elles ont besoin d'eau elles aussi et le tuyau d'arrosage de M. Poland...

— Kaczala, corrigea Bel.

— ... ne pourra pas aller aussi loin, si ? Et qui va les ramasser ?

— Les locataires pourront s'occuper de ça, dit Aubrey en resserrant sa cravate. Ne faites pas tant d'histoires.

Bessi tiqua. Les petites, en particulier les jumelles, n'étaient pas heureuses à la pensée des locataires. Qui étaient ces gens ? Pourquoi ne pouvaient-ils pas habiter dans la maison de quelqu'un d'autre ? Et s'ils refusaient de la rendre ? Et s'ils cassaient des choses et fichaient tout en l'air, ou mettaient le feu par accident et qu'il ne reste plus rien à leur retour que des planches, des cendres et des trous ?

— Moi, personne ne dort dans ma chambre, déclara Kemy quand Aubrey leur parla des locataires, un soir à table.

Il avait peut-être eu une nouvelle promotion, dit-il, n'empêche que ce n'était pas gratuit de nourrir une famille et de payer les factures, comme elles le verraient par elles-mêmes un jour.

Kemy, en plus, était fâchée de rater l'excursion de l'école à la fabrique de biscuits au chocolat au printemps prochain. Elle voulait s'enivrer et se défoncer au chocolat, comme les jumelles la fois où elles y étaient allées ; maintenant elle allait rater ça, elle n'était pas contente du tout, alors les locataires, c'était la goutte d'eau qui faisait déborder le vase.

Pour les jumelles, cela constituait une violation encore plus grave.

— Et nous ! s'exclamèrent-elles en chœur. Personne ne dort dans notre chambre *à nous* non plus.

Car le grenier était leur maison, il était plein de secrets et de seuils. Il leur appartenait. Penser que des étrangers dormiraient au 26a et le traiteraient comme leur maison, c'était comme imaginer quelqu'un qui emménagerait dans votre ventre, dans votre tête, dans vos rêves.

— Bien sûr que si, avait dit Aubrey, sans comprendre le caractère intrusif de l'affaire.

Les locataires étaient une famille nombreuse. Six enfants, les parents et une grand-mère. La grand-mère logerait au grenier avec la fille la plus jeune (apparemment elles étaient inséparables, et la grand-mère aimait avoir sa propre salle de bains) ; il y aurait deux autres filles dans la chambre de Kemy et trois garçons dans celle de Bel.

— Mais *naaan* ! Ils peuvent pas ! cria Bessi. C'est *notre chambre*.

— *Ouais* ! renchérit Georgia.

— Eh ben alors, lança sèchement Aubrey, vous voulez payer l'emprunt pendant notre absence ?

Les jumelles ne comprenaient pas ce que c'était qu'un emprunt mais elles savaient que c'était cher et qu'il fallait travailler, qu'il fallait avoir plus de huit ans pour travailler (et même plus de neuf, elles auraient neuf ans en janvier), sauf si on devenait voleur comme Oliver Twist, ce qui était absolument impossible parce qu'elles avaient des parents.

Toute l'affaire commençait à leur échapper. Elles perdaient leur maison. Elles perdaient Noël. Elles allaient vers l'été alors qu'on était en hiver. Elles allaient à rebrousse-poil de leurs vies. Pendant trois ans, Georgia ne pourrait pas aller à côté de la tombe de Ham et lui adresser des vœux, ni arroser des roses (y avait-il des roses au Nigeria ?) et Bessi ne pourrait pas conduire l'armée aux pommes par le sentier du jardin (et des pommes ?). Elles grandiraient et deviendraient des étrangères. « Est-ce qu'on sera des Nigérianes ? » demanda Bessi à sa mère, tout en s'asseyant à côté de Kemy sur une valise dont Ida essayait de tirer la fermeture Éclair. La valise était trop chargée. Ida avait dévalisé les magasins. Tout ce qui était susceptible de couler était sous sac plastique et Ida était prête. Elle avait écrit une courte lettre à Baba et Nne-Nne pour annoncer qu'elle viendrait bientôt leur rendre visite et elle ne voulait pas y aller les mains vides. Elle s'interrompit pour répondre à la question de Bessi.

— Qu'est-ce que tu veux dire ? Vous êtes nigérianes, maintenant.

— Mais à moitié seulement, fit remarquer Bessi. Si on vit là-bas, est-ce qu'on sera *entièrement* nigérianes ?

La valise était presque fermée et Ida se penchait en avant, usant de tout son poids pour tirer la glissière.

Elle avait le ventre plein d'endroits mous et vides laissés par les enfants.

— Rien ne changera, dit-elle. C'est chez vous. Puis elle ajouta, car Bessi s'apprêtait à poser une autre question : Tu ferais mieux de demander à ton papa.

Aubrey n'était pas souvent là. Il travaillait tout le temps pour « régler les derniers détails », alors Bessi alla demander à Bel, qui faisait d'autres valises dans sa chambre avec Georgia :

— Dis, qu'est-ce qui va se passer quand on arrivera là-bas ? Est-ce qu'il y aura un grenier ?

Bessi s'assit près de Georgia au bord du lit. Elles levèrent toutes les deux les yeux vers Bel et la regardèrent plier des vêtements en attendant sa réponse. En les voyant attendre, Bel eut la vive impression d'avoir déjà vu cette image, ces deux visages aux yeux levés.

— Je ne pense pas qu'il y aura un grenier, dit-elle. Mais attendons d'arriver là-bas pour voir.

Le soir qui précéda leur départ, Georgia et Bessi – plus Kemy, qui fut autorisée à se joindre à elles parce que c'était un grand au revoir – se placèrent à la fenêtre du grenier et regardèrent l'arbre vert. La lune était allongée dans un hamac d'argent, derrière l'arbre. Elles avaient la même sensation au creux de leurs ventres, le frisson d'un voyage proche, le sentiment que ce soir marquait la fin d'ici et que demain serait un inconnu, un rêve qui n'était pas un rêve, un autre soleil et une autre lune, des arbres différents, des lits différents. Quelque part dans l'obscurité, le monde se transformerait. Leur maison serait emportée par les tourbillons d'une tornade, puis ralentirait, et elles partiraient à la dérive. Elles étaient pleines d'espoir et de chagrin. Et d'effervescence.

Elles se tinrent toutes les trois par la main et Georgia

pria. « Cher Dieu, fais que l'avion nous emmène là-bas en toute sécurité et s'il Te plaît surveille la maison et fais que les locataires nous la rendent. Et fais qu'il pleuve, au cas où M. Poland oublie. » Elles avaient déjà écrit et signé leurs instructions aux locataires sur une feuille de papier, avec l'aide de Bel, et l'avaient punaisée sur la porte du placard :

Ramassez les pommes en septembre
Arrosez les roses si M. Poland (Kaczala) oublie
Ne vous asseyez pas sur les Saccos
Ne faites pas de saletés
Ne faites pas de feu.

Elles balayèrent du regard les cheminées de Neasden et prirent mentalement note des choses qu'elles abritaient. Là-bas derrière la clôture du fond du jardin, la cour de récré de l'école, où elles couraient à l'heure du déjeuner, et criaient, et se mettaient contre le mur pour les différences. À gauche tout au fond, le Welsh Harp, la rivière, la clairière sur la rive avec la corde qui pendait d'un arbre au-dessus des sables mouvants, où il fallait être courageux pour se balancer. L'arbre vert qui était assez haut pour couvrir la lune et trop loin pour qu'on le trouve.

Et l'odeur des biscuits au chocolat, avec le chocolat encore tiède dessus.

L'excédent de bagages s'éleva à 146,50 £. Aubrey ne fut pas impressionné. Il avait mal au dos d'avoir soulevé les valises, qui étaient au nombre de sept. Il sortit son portefeuille en disant à Ida : « Bon sang, ma fille ! », « Pour l'amour du ciel ! » et « Nom de Dieu ! », et tout le monde se tint coi, y compris la dame polie derrière le comptoir. Mais, ensuite, il eut l'air de ne plus y penser. Car Aubrey avait de l'effervescence dans la tête, lui aussi ; c'était plus fort que lui dans ce genre d'environnement. Tous ces départs, les chariots et leurs roulettes, les taxis qui donnaient le coup d'envoi des voyages, ces merveilleux avions pleins d'ardeur qui dressaient le nez vers le ciel. Les lieux, pensait-il, cette multitude de lieux ! L'au revoir d'Aubrey s'était résumé à un examen des bonshommes argentés à la lumière de la lampe, à une impulsion légère du bout du doigt pour faire tourner l'hélicoptère, puis à une dernière promenade dans le jardin avec une cigarette (les petites avaient vu la lueur de la braise depuis le grenier).

Ils avaient quitté la maison le lendemain matin à 5 heures, dans le noir, selon la tradition des commencements.

Les jumelles portaient leurs anoraks aux couleurs différentes et aux cordons rouges, et elles avaient toutes les deux des afros courtes et bosselées. Dans le royaume des textures, les afros des Hunter naviguaient entre les gènes d'Aubrey et ceux d'Ida : à une extrémité, celle de Kemy douce et légère, à l'autre, celle de Bel dense et rêche. Les jumelles étaient quelque part au milieu. Georgia, pieds en dehors, arborait une nouvelle barrette ornée d'une marguerite en plastique, qu'elle avait mise juste derrière son oreille, et Bessi, pieds en dedans, s'était fait les ongles avec du vernis Glitter Girl. Ida exigea qu'elles tiennent Kemy par la main dans la foule et les files d'attente, pendant les annonces et tout le long du froid tunnel spatial qui reliait l'aéroport à l'avion, jusqu'à ce qu'elles soient à bord. Kemy refusa de ranger son bagage à main, un sac à dos Miss Piggy chevelu, dans le compartiment à bagages, et se mit à pleurer quand Bel essaya de le lui retirer.

— Y a Sindy dedans ! cria-t-elle.

Les passagers qui attendaient derrière les dévisageaient.

— Laisse-le-lui, dit Ida. Viens, assieds-toi.

Et elle donna à Kemy la place près du hublot dans une rangée de trois sièges, elle prenant celui du milieu et Aubrey celui du couloir, pensant déjà au déjeuner. Dans la rangée adjacente du vol BA712, Bel, responsable des jumelles, se plaça au bout tandis que Bessi laissait le hublot à Georgia à la condition d'échanger au retour.

— N'oublie pas, dit-elle. Bel, tu peux t'en souvenir pour nous, toi aussi ? C'est Bessi qui aura le hublot dans l'avion de 1984. D'accord ? N'oublie pas.

Aubrey leur ordonna de lire la brochure des consignes en cas d'accident, comme lui-même le faisait toujours. Elles contemplèrent les images de gilets de sauvetage qui n'avaient pas l'air de pouvoir les aider si elles tombaient de l'avion et regardèrent la femme à l'avant de la cabine agiter les bras.

Six heures, c'était l'avion le plus long qu'elles aient jamais pris ; même la Tunisie n'était pas si loin. Georgia avait peur qu'ils ne tombent en panne d'essence et qu'il n'y ait nulle part où s'arrêter. Là-haut il n'y avait que des nuages, qui ne pouvaient pas supporter le poids d'un avion ni d'une station essence, parce que ce n'était rien que du blanc. Elle cessa de s'inquiéter une fois qu'ils furent dans le ciel. Ça, c'était le meilleur bout : lorsque l'avion avait quitté la terre et grimpé en glissant de plus en plus haut, traversant carrément les nuages, lorsque les voyants des ceintures de sécurité s'étant éteints, ils avaient commencé à voguer. Le ciel se changeait en océan, les languettes et rouleaux de nuages formaient ses îles changeantes. Chaque fois qu'elles étaient là-haut, Georgia se voyait avec Bessi, allongées toutes les deux sur les herbes duveteuses, prenant un bain de ciel. Elles étaient en bikini et il y avait des glaces à l'eau Dr Orange pour quand il ferait trop chaud. Elles avaient une île entière chacune et passaient leur temps à s'endormir, à lire des livres qui tournaient leurs pages tout seuls ou à plonger dans le bleu pur exempt de sel. C'est tellement calme, ici, pensa Georgia, on doit être très près de Dieu, de là où il pense.

Après le ciel, le deuxième meilleur bout quand on prenait l'avion, c'était le déjeuner. La surprise, les questions lancées dans l'agitation des hôtesses de l'air qui sillonnaient le couloir avec leur éternel rouge à lèvres. Ce sera du poulet ? Ou du bœuf ? Qu'y aura-t-il sous ces rectangles de plastique couverts d'aluminium embué ? Quand le déjeuner arriva, Aubrey se pencha en avant pour contempler l'ensemble. Il se dégourdit les doigts. Bœuf en sauce, carottes bouillies et purée de pommes de terre. Crackers et fromage sur la gauche. Un petit pain et une plaquette de beurre. Du *sponge pudding* dans le coin (du sponge pudding !) et une petite tasse blanche trapue pour le café. Quatre plats. « Formidable », dit-il. Il mangea tout et Bel aussi, parce qu'elle n'était pas difficile. Ida ne mangea pas le fromage parce qu'il sortait tout droit du frigo, ni le dessert. Bessi laissa le fromage, elle aussi. Il fallait qu'elle fasse attention. Elle commençait à faire des allergies, jusqu'à présent aux épinards, qui lui rendaient l'intérieur de la lèvre inférieure grumeleux (la faute de la couveuse).

Georgia laissa son dessert. Les gâteaux faisaient grossir. Et elle était la plus grosse.

Kemy, elle, dormait, ses cheveux en broussaille tombant sur les genoux de sa mère par-dessus l'accoudoir. Ida dit de ne pas la réveiller, qu'un sommeil interrompu dans les airs portait malchance.

— C'est des sottises, la contra Aubrey. D'où tu sors ça ?

— Non, c'est vrai, intervint Bel, qui en apprenait de plus en plus par Ida sur les vérités qu'on appelait superstitions. Mange avec ta main droite pour éviter le poison. Ne dors pas là où un miroir peut te voir. Fais un tour sur toi-même si un chat, quel qu'il soit, croise ton chemin la nuit.

Toutes les deux s'asseyaient sur le lit d'Ida en fin d'après-midi et parcouraient le monde mystique. Bel était la seule personne à savoir de quoi Ida parlait avec Nne-Nne et elle ne le répétait jamais. Et l'année dernière, une semaine avant qu'Aubrey décroche une prime inattendue de deux mille livres au travail, les paumes de Bel l'avaient démangée pendant trois jours.

Kemy rata donc le déjeuner. Lorsqu'elle se réveilla, ça la mit en rage.

— J'ai faim, geignit-elle. Je veux déjeuner. Je veux un déjeuner *d'avion* et un sandwich d'avion. Pourquoi vous m'avez pas réveillée ?

— C'est pour ton bien, dit Bel. C'est maman qui l'a dit.

Kemy continua de râler.

— Tiens, voilà, dit Aubrey, qui leva les yeux. Tu vois ?

Ida rassembla les restes de tout le monde – son dessert, le fromage de Bessi, un des crackers de Georgia, un bout de tomate dans du jus de viande – et les mit sur un plateau pour Kemy, qui n'en demeura pas moins indignée. Elle voulait un déjeuner en règle. Aubrey dut demander un nouveau plateau-repas complet pour pouvoir faire sa sieste postprandiale tranquillement. Quand le plateau arriva, Kemy se fit un sandwich de bœuf et de purée de pommes de terre et s'estima satisfaite.

Après, ils passèrent *Grease* et John Travolta les emmena au Nigeria en pantalon stretch.

La chaleur du Sud du Nigeria était différente de celle d'un été à Londres ou d'une plage méditerranéenne. C'était une chose extrême, bestiale. Une chose qui ne croyait ni aux saisons ni aux intermèdes de fraîcheur, en dehors des mois de décembre et janvier – qui n'avaient rien de frais, en fait –, juste deux mois d'une humidité moindre, malgré une chaleur encore assez épaisse pour soulever les gens au sortir des avions comme sur des tapis volants, voire les faire s'évanouir. Au long de la journée, au long de l'année, il y avait simplement différents niveaux d'extrême. Chaud à l'aube, impitoyable à midi. De fortes pluies de mars à novembre, avec des arcs-en-ciel gonflés de soleil qui attendaient en coulisses. L'air était thermique et leur premier instinct en émergeant de l'avion fut de se déshabiller, de défaire les fermetures à glissière et de se débarrasser d'une secousse violente des vestes, de les tenir à la main, de les nouer à la taille plutôt que de les porter sur le dos, et puis de capituler devant le soleil palpitant de 4 heures de l'après-midi. Les cheveux de Miss Piggy traînaient par terre quand ils pénétrèrent à pas fatigués dans le hall moite et débordant de cris de l'aéroport. Les racines des afros rancunières se gorgèrent d'humidité. Aubrey se tamponnait le visage avec son mouchoir et l'eyeliner de Bel coulait sur ses joues.

Ida affichait un sourire brillant et embué de larmes, sans fin.

Un homme qui lui rappela Sami les attendait. Troy, leur chauffeur svelte à la stature imposante, vêtu de blanc de la gorge aux orteils, aux seuls avant-bras dénudés et à la très belle pomme d'Adam ronde. Il avait du plaqué or dans la bouche et un élégant sourire assorti. D'une voix douce, il dit : « Bienvenue, bienvenue », et aussitôt Bel, quatorze ans et des yeux de panda, tomba amoureuse.

Troy les sauva d'une bande de porteurs pirates qui agrippaient les valises pour se faire un peu d'argent. Ils le suivirent au carrosse : une Mercedes blonde garée à l'ombre d'un cocotier. Elle avait des rayons argentés sur ses flancs, une danseuse à la pointe du capot, et ses phares étaient des orbites de glace pilée, ardents et lisses. Troy la nettoyait deux fois par semaine, centimètre par centimètre, avec de l'eau tiède et une peau de chamois, jusqu'à ce qu'elle étincelle. Si elle avait été en verre, elle aurait été digne de conduire Diana à St Paul.

Ils roulèrent pendant deux heures, cherchant du regard des pommiers et des roses, posant des questions (« C'est loin ? » À quelle heure il fait nuit ? » « C'est quoi ça ? Ça ? Et ça ? ») jusqu'à ce que le tourbillon leur tourne la tête et les endorme. Bel resta réveillée, le regard sur la courbe du cou de Troy et le dessin de sa pomme d'Adam. Ils roulaient vers le sud-est, laissant Ikeja derrière eux pour se rapprocher du centre de Lagos, par l'autoroute qui traversait des prairies herbeuses, des terres incultes et de brefs passages de savane, vers la côte qui s'étirait sur huit cents kilomètres, entre le Bénin à l'ouest et le Cameroun à l'est. Derrière les plages où les hautes vagues dessinaient des boucles sur l'horizon s'étendait une bande de lagunes et de mangroves. Des martins-pêcheurs géants au bec jaune y faisaient des voyages solitaires entre les troncs hauts de quinze mètres. Des étourneaux luisants aux yeux orange et à la tête violette y cherchaient des figues sauvages et s'échappaient en jacassant vers le désert. Plus à l'est encore se regroupaient les voies d'eau du delta du Niger, là où les villes glissent sur leurs eaux usées et regardent les grands navires emporter le pétrole dans l'Atlantique. Lagos se déployait sur un réseau d'îles, de terres du continent et de ponts. La circulation ralentit quand ils contournèrent le centre commerçant de la ville, avec ses autobus jaune vif, ses gratte-ciel étincelants brillants et ses vendeurs qui arpentaient les files de voitures, puis un dernier pont traversa la lagune pour relier Sekon.

Sekon était une banlieue calme à l'est de l'île de Victoria, composée de maisons basses et de rangées de palmiers somnolents. Les maisons étaient très en retrait des routes rouges et sans trottoir, et les distances qui les séparaient étaient immenses, surtout la nuit, rappelant une époque plus vide. Les lampadaires ne se rencontraient qu'une fois par rue.

Troy avait mis la climatisation pendant une conversation avec Aubrey sur l'industrie béninoise du caoutchouc, dans laquelle Troy investissait. L'air glacé réglé au maximum recréait l'hiver dans la voiture. Georgia et Bessi se réveillèrent gelées, sur des graviers devant une nouvelle maison inconnue. Elles débordaient de *Qu'est-ce que c'est ?*

— C'est là ? demanda Georgia.

— On est arrivés ? fit Bessi.

Les jumelles avaient le tournis. Froid et chaud et le tournis. Ça sentait les oranges. On aurait dit que Dieu avait transformé la carte qui était dans l'entrée de

Waifer Avenue en réalité liquide et qu'Il les plongeait tête la première dans le Nigeria. Georgia avait même un petit peu peur, quand elle regardait autour d'elle, et restait tout près de Bel. La maison était grande, avec un toit blanc et plat et du lierre rouge sur un côté. Un vieux chien pissait contre un cèdre au milieu d'une pelouse ronde où des arroseurs disposés sur le bord envoyaient des jets d'eau en forme de coquilles. Sur le côté de la maison, il y avait une rangée de minuscules bungalows aux portes bleues. « On peut avoir un bungalow, Bessi et moi ? » demanda Georgia. Quelqu'un poussa un grognement, un homme en maillot de corps à trous qui aidait Troy à extirper les valises du coffre. Ils les emportèrent dans la maison tandis que, sur le seuil, une très petite femme aux jambes arquées, en uniforme d'infirmière, leur tenait la porte.

Troy leur présenta le chien, Beetle, et l'homme au maillot de corps à trous, Sedrick, le gardien. Son travail consistait à rester assis dans une petite guérite près du portail et à ouvrir et fermer ce dernier. Le reste du temps, il délogeait des fibres de canne à sucre coincées entre ses dents, un pied contre le mur devant lui, ou fumait adossé au cèdre. Ses yeux étaient jaunes et tombants à force de regarder.

Quand ils s'avancèrent vers le palais, le gravier gronda sous leurs pieds. À l'intérieur, il y avait un escalier en marbre noir moucheté de blanc, avec de fines chevilles de fer qui rattachaient les marches les unes aux autres. C'était un endroit où les chutes seraient cruelles. En haut de l'escalier, un couloir bordé de chambres s'enfonçait d'un côté. De l'autre, de longs panneaux vitrés montaient en pente vers le ciel. Il y avait de nouvelles chambres, de nouveaux lits, et elles sombrèrent dans de profonds sommeils entre des draps légers, Kemy avec Bel et G+B dans une chambre triangulaire.

Pendant trois ans, chaque aube torride fut annoncée par de jeunes coqs et des prières. Sur les toits plats du pays, dans des mosquées en forme de cloche aux fenêtres ensoleillées, des fidèles pieds nus dans des linceuls blancs tombaient à genoux, sur les mains, et posaient la tête au sol. Le vent du matin cueillait les chants et les emportait vers le sud, vers l'océan, déposant des bénédictions sur le petit déjeuner, les douches fraîches et les œufs brouillés aux oignons, poivrons rouges et sauce Maggie, comme les faisait Festus. Festus le Baraqué, qui gouvernait la cuisine en chemise vert militaire et qui était marié à Nounou Delfi en uniforme d'infirmière. Ils partageaient un bungalow et se disputaient leur territoire derrière les portes. Nounou Delfi disait à Festus : « On met pas Maggie dans œuf, tu vois pas, ils sont anglais ? Faut faire la chose simple, patron », ce à quoi Festus répondait : « Dela, ils adorent les œufs, te mêle pas du manger. C'est dans manger que je gagne mon larzent, les enfants avec la place propre c'est ça ton bénéfice, d'accord ? » Alors Nounou Delfi lui tirait le nez et détalait avec sa pile de chiffons propres. Elle nettoyait furieusement, sous le canapé blanc, d'un bout à l'autre de l'acajou du bureau (où il y avait un Sacco, un seul) et aussi les êtres humains. Une fois par semaine, les jumelles et Kemy devaient se mettre debout dans la baignoire et se laisser récurer jusqu'à ce qu'elles brillent, jusqu'à ce qu'elles saignent, presque. On pouvait voir le sévère froncement de sourcils avec lequel Nounou Delfi abordait la nudité se refléter sur leurs torses.

Il était inévitable qu'Ida finisse par se joindre à leurs disputes car elle était incapable d'accepter le concept selon lequel elle devait se tenir à l'écart de la cuisine. Qu'est-ce que ça voulait dire ? Festus lui répétait sans cesse : « Ne vous inquiétez pas, tout va bien », ce qui était une façon polie de lui dire : « Piétinez pas mes plates-bandes », et ça ne lui plaisait pas. Elle avait été élevée dans les entrailles des activités de la cuisine, pétrie de la philosophie de Nne-Nne (transmise par des générations d'ancêtres à Aruwa) selon laquelle une femme connaît le mieux sa famille, l'aime le mieux, vit le mieux sa vie, par et dans la cuisine. Et que cela ait plu à Ida ou non, ça s'était en partie gravé en elle, de sorte que c'était assise à côté du frigo ou d'une bouilloire qui chauffe, ou lorsqu'elle produisait de merveilleuses odeurs avec de nouvelles combinaisons de secrets, qu'elle se sentait le plus chez elle. Souvent, en rentrant de sa pause de l'après-midi, Festus la trouvait en train de débiter des bananes plantains et de jeter les morceaux dans une poêle d'huile de palme qui grésillait à côté d'une casserole de riz, et ça le mettait hors de lui. Il s'en plaignait à Delfi, qui lui répondait : « Tu vois, je t'avais averti de pas mettre trop d'épices, ils aiment pas ça ! Tu écouteras pas. » Quand Festus finit par affronter Ida en lui disant simplement : « C'est mon boulot de faire la cuisine », Ida rétorqua : « Mais tu vois, c'est le mien aussi. » La seule solution était de préparer les repas ensemble. Ils se disputaient jusqu'au moment où ils tombaient presque d'accord sur les proportions, la noix de coco et le piment, les menus et quoi manger jeudi, et la supériorité de l'igname sur le manioc dans la préparation de l'*eba*, plat qui fut servi le premier jour de Noël, avec du ragoût de poulet, des pommes de terre rôties et des légumes.

— Y a pas de sauce ? fit Aubrey.

— Le ragoût, c'est la sauce, dit Ida.

Ce fut un repas lugubre. Il n'y avait pas de sapin dans le coin de la pièce et pas de ruban aux cadeaux. Au beau milieu d'une pomme de terre, Kemy éclata en sanglots, laissa tomber sa fourchette et déclara :

— Je veux rentrer à la maison. Je veux regarder le Top 50 !

Aubrey en fut étrangement touché. Il fit semblant de pleurer et dit :

— Le discours ! Le discours de ma reine me manque ! Ouin !

Et Kemy se mit à rire. Pour le dessert, Ida apporta un Christmas pudding surprise (elle en avait acheté trois, un par an) et les petites eurent droit à quelques gorgées de cognac pour le faire descendre.

Georgia adorait l'eba, mais pas en trop grande quantité parce que ça faisait grossir. Pour les neuf ans des jumelles en janvier il y eut plein d'eba (de la purée, comme Aubrey s'était mis à l'appeler, mais c'était meilleur parce qu'on pouvait le tremper dans le ragoût avec ses doigts). Comme ils n'avaient pas encore d'amis à Sekon, en dehors d'un ou deux ennuyeux collègues d'Aubrey qui habitaient le pâté de maisons d'à côté, les seuls invités de la fête furent les domestiques. Festus, Nounou Delfi et Ida s'installèrent dans des chaises longues à l'ombre des orangers tandis qu'Aubrey restait à l'intérieur à cause de la chaleur. Sedrick regardait le tout de loin. Ce fut la première d'une série de fêtes. Georgia et Bessi étaient déguisées en fées à froufrous avec des baguettes magiques et Kemy en ange avec des ailes faites de fil de fer et de pans de draps déchirés. Bel, que Nounou Delfi avait surnommée « Mystic Bel » à cause de ses yeux verts ensorcelants, faisait Dieu, en pantalon serré et chemise rouge cerise à grand col. Elle se promenait dans le jardin en essayant de donner des ordres à tout le monde.

— Tu ne ressembles pas à Dieu, dit Kemy.

— Qu'est-ce que tu en sais ? Dieu peut mettre ce qu'il veut. Va me chercher un Coca.

Une des ailes de Kemy se décrochait, comme le font parfois les ailes des anges, aussi traversa-t-elle le jardin penchée de côté pour aller chercher le Coca. Le jardin faisait deux fois la taille de celui de Neasden et il était vivant. Ses créatures étaient animées d'un genre d'audace qui aurait terrifié Ham. Les phalènes étaient des oiseaux. Les oiseaux étaient des chauve-souris tigrées. Les araignées étaient plus grandes qu'incroyables, avec des pattes musclées et des yeux de colère, et parfois, même sous le cruel balai d'Ida, elles refusaient de mourir.

Elles se pavanaient sur l'herbe radieuse avec leurs sacs à main, leurs lunettes de soleil et leurs pattes crasseuses et se promenaient partout dans la maison, faisaient la sieste derrière les portes et sous les oreillers. Les lézards valsaient sur les murs, des lézards bleus à écailles, et sautaient sur les pieds des gens. Il y avait des libellules dont on entendait les ailes vibrionnantes avant de les voir, des coccinelles noir et jaune avec des cils, des taons qui suçaient le sang et laissaient des cratères brillants sur la peau.

Et des cafards. Le dinosaure des insectes.

Dieu attendait son Coca, regardant dédaigneusement Georgia et Bessi qui exauçaient les vœux des gens d'un coup de baguette sur le nez. C'est à ce moment, alors que Bessi accordait des vacances cinq étoiles en

Amérique au nez de Nounou Delfi, qu'un dinosaure volant géant vint se poser juste en dessous de la clavicule de Bessi. Il resta là un instant terrible, hors du temps, silencieux. Immobile, dardant vers elle le sombre regard de ses tentacules qui s'agitaient, et Bessi hurla.

Une bête pareille, pensa Dieu, et si près du cœur.

Pour Bessi, il y avait deux choses pires au monde. La première était que Georgia meure sans elle. La seconde, c'étaient les monstres. Or ça, c'était un monstre et il était sur sa poitrine. Georgia se mit à hurler elle aussi et Kemy se rua hors de la maison en hurlant à son tour parce qu'elle crut que les jumelles se faisaient assassiner. Elle venait par ailleurs de voir un serpent sortir de la machine à laver, jaune comme du laiton avec des taches marron, mais elle ne put le dire à personne à cause du bruit et de l'horreur. Aubrey sortit du salon, le journal pendant au bout de son bras, et grogna : « Qu'est-ce qui se passe, nom d'un chien ? » Ida et Nounou Delfi secouèrent Bessi par les épaules pour essayer de faire tomber le cafard, mais il s'accrochait comme si les pointes de ses grosses pattes avaient trempé dans la colle. Festus essaya, il avait la poigne plus brutale, mais le cafard tint bon. Bessi commençait à avoir mal à la tête et son visage tournait au cramoisi.

Alors Sedrick, qui était jusque-là resté près des massifs d'hibiscus à la lisière du jardin, s'approcha d'elle. Il écrasa sa cigarette en chemin, avançant très lentement, son attention concentrée sur le cafard qui scintillait au soleil. Lorsqu'il arriva devant Bessi, il se pencha et amena son nez presque au contact du monstre. Il sentit des odeurs de petite fille, sans parfum, de la sueur propre. Sedrick leva la main et visa la poitrine de Bessi. Il en décolla le cafard et le prit dans sa paume. Les ailes larges et brunes tressaillirent. Les gamines hurlaient toujours. Sedrick et le cafard donnaient l'impression d'être frères.

Alors, comme s'il était innocent, le cafard s'envola.

Au début, tout ça c'était beaucoup trop. Les créatures et la nostalgie. Noël torride et pas de roses dans le jardin. Tous les inconnus. Cet homme nu et triste qui passait parfois devant le portail l'après-midi et qui regardait à l'intérieur de la maison (c'était la première fois qu'elles voyaient en vrai à quoi un homme ressemblait sous ses vêtements et c'était hideux). Le grenier manquait à Georgia et Bessi et elles se posaient des questions sur les locataires. La grand-mère et la petite fille suivaient-elles leurs directives ? Touchaient-elles aux Saccos ?

La nuit, les premières semaines, les jumelles se rencontraient au milieu de rêves nostalgiques et rentraient à la maison ensemble pour vérifier. Elles traversaient les ciels indigo à saute-nuages par-dessus la Méditerranée, main dans la main, en mettant le cap sur Neasden, se glissaient par la porte d'entrée, grimpaient les deux étages et regagnaient leur chambre. Les lieux n'avaient pas l'air saccagés. La grand-mère, dans le bon lit de Bessi, ronflait doucement, et la fille, qui s'appelait Lynn, dormait dans celui de Georgia, près de la fenêtre. Une nuit, Lynn rêva qu'elle ouvrait les yeux et que devant elle des sœurs jumelles inquiètes en robes d'été (une rose, une bleue, à rayures) la regardaient, debout à côté de son lit. L'une d'elles, la plus grande, lui disait *N'oublie pas les roses*. Le rêve fit ouvrir les yeux à Lynn, qui s'attendait à les voir, mais elles étaient déjà parties. Elles étaient sorties par la fenêtre et avaient descendu Waifer Avenue déserte jusqu'au

Welsh Harp, s'étaient promenées le long de la rivière et dans la clairière avec la corde qui pendait. Elles s'étaient balancées à tour de rôle, sans tomber, et la corde avait poussé des grincements tortueux sous leur poids.

Le plus souvent, Georgia s'esquivait pour aller dire bonjour à Gladstone et Bessi continuait à se balancer. Georgia frappait à la porte. Gladstone la faisait entrer et lui offrait du chocolat chaud. Il lui couvrait les épaules d'un châle et l'écoutait lui raconter le Nigeria, les araignées, le cafard sur la poitrine de Bessi, la pluie et les arcs-en-ciel. « Ça m'a l'air d'une merveilleuse aventure, ma chérie, mais fais bien attention dans le monde. » En général elle s'endormait quelques minutes, bercée par la voix de Gladstone, puis se réveillait tout agitée en se souvenant de Bessi qui l'attendait. Il était temps de partir, de retourner à la chaleur, aux grillons et aux chants du matin blanc.

Ces voyages devinrent de moins en moins fréquents. Car la maison avait une façon de muer, de changer de forme et de température. Elle était sans domicile fixe. Elle pouvait exister n'importe où car son unique substance était le familier. Si elle était brisée par de longs voyages ou des tornades, elle refaisait surface, se réinventait avec un nouveau décor, de nouvelles caractéristiques pour son matin, son midi et son crépuscule, et des habitudes anciennes. Nounou Delfi chantant « Amazing Grace » quand elles se réveillaient, le minibus qui les emmenait à une école qui n'avait qu'un couloir et les ramenait à midi quand la journée de cours était finie ; le verre d'Aubrey qu'une main posait sur une table au milieu de la nuit ; les longs dimanches pluvieux passés sur le palier d'en haut, à regarder par les vitres.

Le matin, Aubrey partait au travail pratiquement comme à Londres, un attaché-case à la main, une cravate et du Old Spice autour du cou. Peut-être parce qu'il n'était pas seul à Lagos cette fois-ci, mais un homme d'expérience, avec des responsabilités, une épouse et une famille, il se comportait avec plus d'assurance, se montrait plus sociable. Mr Reed, un de ses collègues, et sa femme américaine, Mrs Reed, les avaient invités Ida et lui à prendre l'apéritif dans leur maison de l'île de Victoria et, en remerciement, Aubrey les avait invités à dîner. Le dîner s'était transformé en un grand raout, avec davantage d'invités et de tranches d'ananas sur des plats en aluminium, et même du Val Doonican à minuit. Aubrey ne criait pas autant qu'à Waifer Avenue, et son alcool nocturne était moins impressionnant. Les lendemains matin, quand la maison avait dormi d'un sommeil profond pendant qu'il faisait le tour du jardin avec son verre ou s'attardait dans le bureau sous la lampe, il se levait tôt avec la chaleur et dès 6 heures il était prêt à affronter la circulation. Ida, qui n'avait pas de poches sous les yeux, lui souhaitait une bonne journée. Troy le conduisait de l'autre côté du pont, dans le chaos de l'île de Lagos. Et parfois Bel, faisant semblant d'être malade pour sécher l'école, venait avec eux afin de tenir compagnie à Troy, en petite jupe de jean et soutien-gorge rembourré sous son maillot de corps – avec du rouge à lèvres souligné d'un trait de crayon pour mettre sa bouche boudeuse en valeur.

Bel avait eu quinze ans en août. Elle arrivait au pied de l'escalier de marbre, un bracelet de perles en forme de cœur à son poignet, devant Troy debout dans l'encadrement de la porte, ses clés à la main, et le matin qui faisait voleter sa chemise offrait au regard de Bel un petit fragment noir charbon de son abdomen. Sur tout le trajet du centre-ville, alors qu'ils louvoyaient entre les bus bondés, les nids-de-poule et les animaux écrasés sur la chaussée, Bel était assise derrière lui, toussant de temps à autre, attendant le moment où son père descendrait devant le grand portail d'Alders et disparaîtrait dans le monde du pétrole et de l'argent, et où ils se retrouveraient seuls, rien qu'eux deux, Isabel Hunter et Troy, dans une Mercedes blonde, avec la climatisation. Elle lui posait des questions. « Alors, tu habites où ? » (Dans un des bungalows mais il avait aussi un appartement en ville.) « Qu'est-ce que tu fais de ton jour de congé ? » (Qui était le dimanche, ils n'allaient donc jamais nulle part le dimanche). « Est-ce que tu as une petite amie ? » (Il en avait deux, cet étalon.) « Quel âge t'as ? » (Vingt-six ans.) « Je peux venir avec toi ?

— Où ça ? demandait-il.

— N'importe où.

Il la laissait s'asseoir à l'avant sur le siège passager et il arrivait parfois, quand il changeait de vitesse, que sa main lui effleure la jambe. D'autres fois, il ne rentrait pas directement à la maison mais l'emmenait au bord de l'Atlantique et ils se promenaient dans les dunes de Bar Beach. Bel s'asseyait sur son rocher préféré et regardait l'océan en prenant une expression mystique et mûre, espérant qu'il la verrait ainsi. Mystic Bel. Il lui posa une seule question :

— Ça s'écrit comme ça, Bel ?

— Oui, c'est juste, dit-elle en souriant. C'est ça.

Trois lettres audacieuses, tracées sur le sable.

Quand ils rentraient à l'heure du déjeuner, les petites dansaient sur le gravier et Kemy criait des choses qu'ils faisaient mine d'ignorer. « Bel a le béguin pour Troy ! On le sait ! On le sait ! Bel a le béguin pour Troy ! »

En général, Kemy avait dans ses bras Bumbo, l'autre chien, le frère aîné de Beetle, qu'elle avait adopté. Bumbo louchait, il était en permanence enrhumé et mourait de vieillesse. Il y avait aussi deux chats, Magika et Netty, qui aimaient bien s'accoupler et qui venaient d'engendrer quatre chatons de la taille de Ham, dont deux avaient été donnés aux voisins. Georgia aimait particulièrement les chatons, qu'elle laissait gigoter au creux de ses mains.

En voyant la façon dont Bel regardait Troy, Georgia se demandait s'ils étaient vraiment amoureux et quel effet ça faisait. Ce n'était pas comme d'être mariés, parce que Ida ne regardait pas Aubrey comme ça. Alors est-ce que ça ressemblait à être jumelle ?

Après l'incident du cafard, les jumelles se prirent d'une fascination pour Sedrick. Elles passaient beaucoup de temps à traîner aux abords de sa cabane, en veillant à ne pas trop s'approcher au cas où il aurait des cafards dans la main. La lumière ne pénétrait pas dans la cabane, malgré la petite fenêtre. Elle n'était pas orientée vers le soleil. Sous la fenêtre, il y avait une étagère qui ne contenait qu'un petit canif, pour éplucher la canne à sucre.

Sedrick n'était pas amoureux. Georgia le savait. Parce qu'il ne souriait pas beaucoup et qu'il n'allait jamais nulle part, sauf au bout de la rue pour acheter trois cigarettes. Une fois où il était sorti, elle avait mis un œillet d'Inde sur l'étagère à côté du canif, pour voir si ça changerait quelque chose, mais non. D'être seule dans sa cabane, rien que cet instant, lui avait donné l'impression qu'il y avait quelqu'un derrière elle qui risquait de l'enfermer.

Les jumelles posaient des questions à Sedrick : Quel

âge t'as ? (Au moins trente ans, mais il ne voulait pas le dire.) Est-ce que t'as une petite amie ? (Sans doute pas, d'après Georgia, mais il ne voulait pas le dire.) Est-ce qu'il lui arrivait de s'ennuyer à force de rester assis et si oui qu'est-ce qu'il faisait dans ces cas-là et pouvait-on attraper une maladie en tenant des cafards dans sa main ?

— Non, dit Sedrick. Seulement si vous l'écrasez dans votre main, le sang est venimeux.

Avait-il déjà écrasé un cafard dans sa main, était-il tombé malade, comment ça faisait et combien de temps il fallait pour guérir ?

— Pas moi, dit-il, mais je l'ai vu, j'ai vu un homme mourir.

— *Vraiment ?* s'exclamèrent Georgia et Bessi, stupéfaites.

— Oui. Et d'autres. À la guerre.

— Je suis au courant pour la guerre, dit Bessi. Ils nous en ont parlé à l'école. Ils nous ont dit qu'un million de personnes étaient mortes, c'est ça ?

— Un million, confirma Sedrick.

Lorsque Sedrick était dans sa cabane, Georgia et Bessi couraient souvent ouvrir le portail et, comme il était paresseux, ça ne le gênait pas. Parfois aussi, elles lui tombaient dessus par surprise quand il se promenait autour de la maison avec Beetle.

— Pourquoi tu ne portes pas de chaussettes ? lui demanda Bessi. Tu as les chevilles sèches et on les voit.

Georgia lui proposa de la vaseline.

— Nounou Delfi nous fait mettre de la vaseline sur nos pieds tous les jours et ça les empêche d'être secs.

— ... ou bien on pourrait voler une paire de chaussettes à papa ?

Sedrick grommela quelque chose sur la chaleur. Il ne

voulait pas de chaussettes ni de vaseline. Il voulait avoir la paix et des occasions de mater de jeunes cuisses, dont il se délectait chaque fois qu'elles déboulaient.

Au milieu des bungalows, entre le sien et celui de Troy, il y avait une petite cabine de douche et Bel s'y lava un jour, pendant que les petites prenaient leur bain. Sedrick, qui passait par là, regarda par une fente dans la porte et vit le dos luisant et mouillé des cuisses sépia de Bel ainsi que le renflement d'un jeune sein. Il fut incapable de se détacher. Il resta campé là, penché devant la porte, la bouche ouverte, et n'entendit pas Ida qui arrivait avec le déjeuner de Troy, un bol de soupe d'*okra* (du bouillon de bave, comme l'appelait Aubrey, parce que ça ressemblait à de la morve).

Ida le repéra et, scandalisée, lui sauta dessus avec la soupe et lui renversa le bol sur la tête, lui engluant le visage d'un liquide visqueux et brûlant, plein de piment et de paprika. La bouillie d'oignons et de tomates dégoulina sur ses tempes. Ida l'insulta, le maudit et le pourchassa autour du cèdre en lui jetant des brindilles jusqu'à ce qu'il la supplie d'arrêter.

— Ne vous approchez pas de lui, dit-elle aux jumelles. C'est un singe et un chien.

Parfois, Sedrick regardait Kemy et les jumelles jouer aux Jeux olympiques de la Roue dans le jardin. Le jugement s'établissait en fonction de celle qui pouvait en faire le plus grand nombre d'affilée, qui était la plus précise et qui pouvait se retourner au milieu d'une roue pour terminer en rondade, ce qui valait une médaille d'or. Elles le laissaient faire l'arbitre quand Bel n'était pas là et, la plupart du temps, il décrétait que Georgia était la meilleure.

Ils ne quittèrent Sekon qu'une seule fois pendant leur émigration, pour un séjour de quinze jours à Aruwa. Cela nécessita beaucoup de préparatifs et d'avertissements et ne se fit qu'en 1983. Ida envoya un message par l'intermédiaire de Troy qui dit à son oncle qui connaissait Joseph qui dit à Aka qui dit à Baba qu'elle allait enfin venir leur rendre visite. Baba et Nne-Nne n'avaient pas le téléphone. Ni de téléviseur portable non plus. Et Ida ne leur avait pas parlé depuis 1969, si on ne compte pas ses conversations quotidiennes avec Nne-Nne dans sa tête.

La rumeur se répandit dans Aruwa que la fille fugueuse des Tokhokho allait venir, avec son mari blanc et ses enfants jaunes, et ça déclencha tout un cirque. On tordit le cou de nombreux poulets et on abattit une chèvre. Au marché, les étals de *gari* et d'okra, de tubercules de gingembre et de patates douces furent dévalisés. On balaya le devant des maisons avec des balais de paille, et l'arbre chanteur rectifia sa posture.

— Je peux emmener Bumbo ? demanda Kemy pendant qu'on chargeait Brent Cross dans la voiture.

— Non, tu ne peux pas, dit Bel. Il pue.

Les jumelles pouffèrent de rire. Elles avaient dix ans maintenant, deux chiffres au lieu d'un. Ida disait que Bessi était le zéro et Georgia le un parce qu'elle était l'aînée.

On était en avril. Le soleil les avait changées en café et sur leur peau le blanc était éblouissant. Elles avaient l'air comme astiquées. « Est-ce qu'on est d'authentiques Nigérianes, maintenant ? » avait demandé Bessi à Ida après s'être regardée dans le miroir, à la fin d'une après-midi passée dans le jardin à surveiller la croissance des goyaves.

Les goyaves avaient remplacé les pommes. Les

hibiscus avaient remplacé les roses. Ida répondit que Bessi pouvait être aussi nigériane qu'elle le souhaitait.

Elle dit :

— La moitié de ton sang est authentique nigérian, et le sang compte plus que la peau.

Cela plut à Bessi, qui le répéta à Georgia.

— Maman a dit qu'on pouvait être aussi nigérianes qu'on voulait parce que le sang compte plus que la peau. Alors jusqu'à quel point allons-nous être nigérianes ?

Cette question nécessitait un Sacco. Il disparaissait souvent dans la chambre triangulaire quand il y avait des décisions à prendre, les dernières en date étant si elles devaient se faire passer l'une pour l'autre à l'école pendant une journée (réponse : dans trois semaines) et si elles devaient dire à Nounou Delfi que Georgia avait cassé une assiette au cours d'un festin de minuit (réponse : non). Bessi alla donc chercher le Sacco dans le bureau pendant que Georgia créait le décor : un hibiscus dans un bocal, un drap léger pour Bessi. Assises dos à dos, elles se plongèrent dans une profonde réflexion. Cette décision prit longtemps mais quand même pas autant que le divorce. Les yeux fermés, les lèvres concentrées, Bessi parla la première :

— Pas complètement, pour qu'on puisse rentrer à la maison en 1984.

— Oui, dit Georgia. Mais un peu beaucoup parce que ça fait encore long, plus d'un an et demi.

Bessi tomba d'accord.

— Il va falloir qu'on apprenne l'edo, alors, conclut-elle.

Sur le chemin d'Aruwa, les jumelles s'entraînèrent à dire « Bonjour » et « Comment ça va ? » en edo. Georgia avait un ruban dans son afro, pas Bessi ; il y avait des pensées avec ruban et des pensées sans. Ils étaient tous en pantalon à cause des moustiques, sauf Ida qui portait un ensemble lappa et foulard de tête taillés dans le tissu champagne de Nne-Nne. Elle rayonnait à la pensée de revoir ses parents, son visage avait repris un air de jeunesse. Elle pensait à Cecelia et brûlait d'envie de fumer.

Les signes de vie s'espacèrent. Les voitures s'effacèrent, se muant en bicyclettes lentes et rouillées et des champs de maïs apparurent sous le soleil brûlant. Quand la voiture s'arrêta à la lisière d'Aruwa, le ciel s'effaça lui aussi. Cela commença par deux petits garçons qui se précipitèrent sur la Mercedes et plaquèrent le visage aux fenêtres. D'autres visages se joignirent aux leurs, et des mains. Les vitres devinrent peau. Des paumes de main, des lignes de vie et des langues cachaient le soleil et les enfants criaient « Oyibo ! Oyibo ! » ce qui signifiait « Blanc » et portait sérieusement atteinte à leur capacité à être nigérianes, même si elles savaient dire « Bonjour » et « Comment ça va ».

Troy sortit de la voiture en jouant des coudes. Certains enfants détalèrent, d'autres s'écartèrent et les laissèrent passer, menés par un garçon en chemise hawaïenne qui arborait un immense sourire beige. S'étirant comme une troupe de forains somnolente dans la chaleur de la poussière rouge, les Hunter entrèrent dans le village, Ida en tête et Aubrey fermant la marche, entourés d'enfants qui sautaient et babillaient. Ils arrivèrent devant l'arbre chanteur. Ida ralentit le pas. Elle s'en approcha, se plaça sous l'épais feuillage vert et s'appuya contre l'écorce millénaire. Elle ferma les yeux, sans craindre qu'on la regarde. Lorsqu'elle repartit de son pas lent vers la maison, elle se mit à pleurer. Car Nne-Nne, son visage, sa mère, était debout devant elle, en lappa flambant neuf, et prononçait son nom. Ida et Nne-Nne s'embrassèrent longuement, l'équivalent de quatorze ans de conversations dans leur tête, et Ida s'en évanouit presque de joie.

Baba et Nne-Nne s'étaient enfin remis de sa fuite. Nne-Nne plus vite que Baba, à qui il avait fallu cinq ans au total, dont une guerre du silence avec Aka, une surdose de vin de palme et de nombreuses longues veillées de discussions avec les ancêtres, pour voir le bon côté de sa perte. Une fille qui avait une maison en Angleterre représentait davantage en termes de statut qu'un téléviseur portable en termes de distraction. « Ida, sa maison est à côté la reine, disait-il aux gens. Oui, à Buckingham Street. »

Peut-être n'avait-il pas deux chèvres supplémentaires, mais il avait plus d'occasions de voyager (même s'il était vrai qu'il ne dépasserait sans doute jamais Lagos) ainsi que des enfants oyibo exotiques, des petits-fils dorés dans un pays lointain.

Mais où étaient-ils, ces fils ? Quatre filles, compta-t-il, toutes en pantalon ! Il prit Aubrey à part pendant que tout le monde s'enfournait dans le salon et lui demanda :

— Tu veux dire... pas de fils pour Baba ?

Aubrey, en saharienne, ne sut répondre à cela autrement que l'aurait fait son propre père, par une boutade.

— J'ai bien peur que non, dit-il, quatre lardons et pas une seule pomme d'Adam à l'horizon !

Baba ne trouva pas ça drôle, mais il fut impressionné par la coupe de la veste de son gendre.

Le salon rétrécit une fois tout le monde entassé à l'intérieur. La Singer de Baba avait été reléguée dans un coin avec ses piles de tissu et la vieille radio remplacée par un nouveau modèle, plus grand, avec des boutons vert vif et un lecteur de cassettes, qui trônait sur une table couverte d'une nappe en plastique. Le reste de la pièce était occupé par un ensemble éclectique de chaises, de tabourets et de coussins qui semblaient avoir été empruntés aux voisins pour la visite. Nne-Nne faisait le tour au pas de charge, en tapotant les surfaces.

— Asseyez-vous ! répétait-elle. Asseyez-vous !

Il faisait de plus en plus chaud dans le salon à mesure qu'il se remplissait, et la sueur s'amassait au creux des clavicules et sur les lèvres supérieures. Aubrey se défit de sa veste. Baba en examina les coutures. Des odeurs de viande entraient en flottant par le rideau de perles.

Les filles, remarquant que Nne-Nne n'était pas une femme à qui on désobéissait, s'assirent sur des coussins, Bel sur une chaise en rêvant qu'elle était avec Troy. Elles jouèrent avec leurs doigts pendant que Nne-Nne et Baba reculaient pour les inspecter. La porte était restée ouverte ; dans l'embrasure s'agglutinaient des enfants qui les dévisageaient.

— Ah, jumeaux là, dit Nne-Nne. Heh !

Elle leur pinça vigoureusement le menton et les examina.

— Non... elles ne sont pas pareilles.

Elle prit le visage de Georgia dans sa main et le secoua.

— Ça là son forme dépasse l'autre.

(Georgia en fut consternée.)

Puis elle secoua le visage de Bessi.

— Ça là est plus petite.

C'était dans ce genre de situations que Kemy désirait le plus être une jumelle. Partout où ils allaient, c'était sur elles que se focalisait l'attention de tout le monde. Kemy regarda le plafond et il lui rappela celui du jardin d'hiver, à la maison. Elle le pointa du doigt et demanda d'une voix sérieuse :

— Votre plafond est-il en tôle adulée ?

— Ondulée, corrigea Bel.

Baba rit.

— On a fait un nouveau toit, Ida, dit-il. Fer c'est mieux que roseaux le temps que la pluie pleut mal mal.

Là-dessus, Baba leur raconta qu'ils avaient vécu sans toit, avec une simple feuille de plastique, le temps qu'on le remplace, et qu'une partie de son équipement avait été trempée lors de grosses averses soudaines. Georgia s'imagina la chose, vous êtes allongée dans votre lit la nuit, les étoiles au-dessus de vous, et la pluie vous tombe sur la figure. Elle se demanda s'il avait plu la nuit où Ida avait quitté Aruwa.

Un jour, Ida leur avait raconté à toutes les quatre comment elle avait quitté le village. Elles étaient seules avec elle dans la cuisine de Waifer Avenue, Bel, Kemy et les jumelles. Elle leur avait raconté comment elle était sortie de son lit au milieu de la nuit et avait traversé la concession en courant. Elle avait décrit les étoiles au-dessus d'elle quand elle attendait sur la route que Sami vienne en bicyclette et la tristesse qu'elle avait éprouvée à quitter sa mère. À présent Georgia voyait tout ça dans sa tête, Ida qui sort de la maison sur la pointe des pieds, avec son sac, et puis les millions d'étoiles dehors, qui l'attendent. Elle imagina que ce serait quelque chose de très difficile à faire, se sauver et tout laisser derrière soi sans se retourner.

Nne-Nne avait passé un bras autour des épaules d'Ida. Elles examinaient toujours les jumelles et semblaient discourir en silence, bien que Baba se soit lancé dans un récit animé sur les mauvaises récoltes provoquées par la sécheresse quelques années auparavant.

Bessi commençait à être mal à l'aise. Elle détestait les comparaisons qui tiraient en longueur comme celle-ci.

Nne-Nne dit alors :

— C'est très spécial d'être jumeaux, vous connais ça ? Est-ce que votre maman vous a parlé histoires là ?

— *Non*, la coupa Ida, avec une pointe de reproche dans la voix. Tu leur fais peur !

— Ah mais écoute Ida. Faut faire leur cœur n'a qu'à être dur maintenant, d'accord ?

— Quoi ? dit Bessi.

— Qui ? dit Georgia.

— Ouais, quoi ? ajouta Kemy.

Baba s'était tu. Ses yeux lançaient des éclairs. Il se frotta les mains.

— On leur tuait !

Les jumelles se regardèrent et décidèrent qu'elles voulaient rentrer à Neasden. Kemy passa son bras sous celui de Georgia.

— Faut poser votre cœur tranquille, dit Baba. Ça fait longtemps.

Il était debout, les bras croisés, et voulait des fils. Baba était le meilleur conteur d'Aruwa et il trouvait que c'était souvent du gâchis de raconter ses histoires à des filles parce qu'un rien leur faisait peur.

Ida ouvrit les sacs à glissière et entreprit d'en sortir les courses – le shampooing, le beurre de cacao, les jouets et les vêtements. Il y eut des soupirs et des murmures excités à la porte. « Ça c'est pour Marion et les enfants, ça c'est pour toi, ça c'est pour oncle... » Une fois tout déballé, Nne-Nne et Ida s'éclipsèrent à la cuisine et revinrent avec des montagnes de nourriture. De l'igname au beurre, du ragoût de chèvre, du riz jollof avec des tonnes de piment de Cayenne qui provoquèrent une éruption de boutons chez Bessi, une quinte de toux chez Kemy et chez Aubrey une montée de sueur qu'il tamponna avec son mouchoir, le visage cramoisi, enfoncé dans la cuvette d'un vieux fauteuil. Nne-Nne passa fièrement des ailes de poulet et lorsque Bel essaya de décliner d'un « Non merci », Nne-Nne la toisa de pied en cap comme si elle était végétarienne et lui fourra le plat sous le nez. « Prends manger ! » dit-elle. Et Bel mangea.

Ils mangèrent tous. Ils mangèrent avec des soupirs rentrés, jusqu'à ce que leur peau paraisse sur le point d'éclater et eux qu'ils se sentent presque incapables de parler, et le seul refus que Nne-Nne voulut bien accepter fut la déclaration d'allergie à l'œuf de Bessi, qui signifiait qu'elle ne pouvait pas manger de moi-moi aux écrevisses.

— Parole ! plaida-t-elle devant l'air soupçonneux de Nne-Nne. Hein maman ? Ça me donne mal à la bouche et des bosses sur toute la figure qui ne partent pas avant deux jours ! Pas vrai Georgie ?

— Ouais, s'empressa de dire Georgia. Elle ne peut pas manger d'œufs. Jamais. Même pas brouillés comme les fait Festus.

— ... ni de fromage, renchérit Kemy.

— ... ni d'épinards ! poursuivit Georgia. Ça lui donne des démangeaisons aux dents.

— ... ni de bananes non plus, ajouta Bessi au cas où il y en aurait au menu. (Depuis peu, Kemy et Georgia avaient trouvé un nouveau jeu qui consistait à lui courir après dans la maison avec des peaux de banane et elle en avait marre.)

Quand tout le monde eut fini de manger, Nne-Nne regarda d'un air désapprobateur la nourriture qui restait dans les assiettes. Elle et Ida étaient assises ensemble à table, leurs jambes épaisses frottant contre la nappe.

Elles bavardaient à voix basse en s'éventant. Dans l'encadrement de la porte les paires d'yeux agglutinées les dévisageaient toujours.

Kemy réfléchissait depuis un moment à ce que Baba avait dit plus tôt sur les jumelles. Elle voulait savoir ce que ça signifiait et si c'était une bonne histoire ou une mauvaise. Était-ce une meilleure histoire, se demandait-elle, que celle de sa mère quittant le village à bicyclette ?

Elle prit la parole et adressa sa question à Baba.

— Est-ce que quelqu'un a été tué ?

— Kemy ! fit Ida. Arrête !

Baba fut impressionné. Il pointa Kemy du doigt en riant.

— Ça là son cœur est dur déjà dé, tu vois ! Elle me plaît o !

Il se redressa dans sa chaise à côté de la machine à coudre et dit :

— Tu es sûre que tu vé connais ?

Kemy regarda les jumelles puis Ida, qui ne dit rien. Les jumelles se regardèrent. Bel poussa un soupir de Pourquoi pas. Toutes les quatre hochèrent la tête.

— Bien !

Baba remua sur sa chaise.

Il y a longtemps, leur dit-il, les gens croyaient que les jumeaux étaient les enfants des sorcières qui vivaient dans la forêt.

— Est-ce qu'elles avaient des balais ? demanda Kemy.

— Bien sûr ! dit Baba.

Elles sillonnaient les cimes des arbres sur leurs balais. Elles mangeaient des oiseaux et se faisaient des jupes avec leurs plumes. Et quand elles atteignaient le summum de leur malfaisance, elles donnaient naissance à des jumeaux.

— Qui étaient les pères ? demanda Bel.

— Le diable, dit Baba. Maintenant écoutez.

Voilà ce que les gens croyaient. Les jumeaux étaient une malédiction.

— Les enfants des *diables*, dit Baba, qui cracha car il était partisan du recours aux effets spéciaux. Et il fallait les éliminer. Alors voici ce qu'ils faisaient. Ils prenaient le second jumeau...

C'est moi ! pensa Bessi.

— ... et le *brûlaient*.

Quatre hoquets de surprise. Bel jeta un coup d'œil à Ida.

— Mais ça fait longtemps, intervint Aubrey, très longtemps, souvenez-vous.

Et Ida ajouta :

— Ce n'est pas vrai, même si elle savait que c'était vrai. Les histoires que racontait Baba étaient toujours vraies.

Ils brûlaient le second jumeau avec les autres enfants de sorcières, le reste des maudits. À savoir les aveugles, les estropiés, les sourds, les muets et les malades. Et si jamais le père des jumeaux était pêcheur...

— Votre père n'est pas pêcheur, soupira Aubrey.

— ... ce qu'ils faisaient c'est qu'ils prenaient ce second jumeau et ils le *noyaient*, dans fleuve là !

Baba était excité, maintenant. Dans l'encadrement de la porte, les enfants ricanaient en regardant les petites filles jaunes se tortiller.

Baba poursuivit en respirant bruyamment. Il leur parla d'une femme qui avait eu deux jumelles qui étaient meilleures amies depuis le tout début, avant même d'être dans le ventre de leur mère, quand elles étaient des esprits. Elles s'appelaient Onia et Ode. Onia était la première. Ode était la seconde – ils lui mirent le feu.

Quand Ode fut brûlée (c'était un cas où le père

n'était pas pêcheur), Onia tomba malade et refusa catégoriquement de manger tant que l'esprit d'Ode ne serait pas entré dans son corps. Le fantôme vint et Onia se remit à téter le sein de sa mère maudite. Mais Ode ne pouvait rester qu'un an car c'était le temps qu'il fallait pour que l'âme soit prête à quitter la terre. Après cela, il n'y aurait plus le choix.

Au cours de cette année, Onia eut beaucoup de mauvaises pensées. Elle rêvait qu'en grandissant elle brûlerait le village entier et la forêt tout autour du village.

— Ensuite, une fois l'année terminée, dit Baba, Ode la quitta – pour toujours.

Georgia et Bessi avaient maintenant les yeux aussi grands que ceux de Kemy. Et l'estomac noué.

— Alors... est-ce qu'elle l'a fait ? demanda Georgia, parce que Onia, c'était elle.

— Fait quoi ? dit Baba, qui voulait vérifier qu'elles suivaient.

— Onia a-t-elle brûlé le village et la forêt ?

— Bien sûr ! Elle est devenue sorcière. Elle a détruit le village tout entier et les terres qui l'entouraient, *tout* ! Et son ventre était stérile. Ça a terminé comme ça. Après ça ils ont décidé que c'était pas une bonne idée de séparer les jumeaux, ni de les tuer. Il peut se passer des choses terribles, vous voyez !

Oh, quel ramassis d'âneries ! pensa Aubrey.

Le jour commençait à baisser et des ombres avaient envahi le salon. Les yeux de Kemy n'étaient plus que d'immenses cercles humides et Georgia et Bessi se tenaient raides comme des épouvantails sur leurs coussins. Dans leurs têtes passaient des scènes criantes de vérité de forêts en flammes, de sorcières en jupes de plumes d'oiseaux et de jumeaux et jumelles innocents à qui on mettait le feu. Georgia s'était rapprochée de

Bessi. Elle s'accrochait à son bras comme si elle risquait d'être enlevée à tout moment. Ida réprimanda Baba pour avoir effrayé les enfants. « Elles n'ont pas l'habitude de ces histoires, dit-elle. Ça fait leur commence peur. »

Le lendemain, il y aurait d'autres fêtes et d'autres visites dans la famille élargie d'Ida. Cette pensée épuisait Aubrey, qui commença à piquer du nez. Nne-Nne alluma la lampe et Ida et elle se resserrèrent autour de la table en riant entre elles. De temps en temps, Nne-Nne montrait une des enfants du doigt comme pour clarifier quelque chose. Lorsque les ronflements d'Aubrey commencèrent à emplir la pièce, leurs voix se réduisirent à des murmures et Ida devint très grave.

Se rendant compte qu'il ne pouvait espérer pareil bavardage avec Aubrey et qu'il ne raconterait plus d'histoires à ces fillettes trouillardes qui tremblaient dans leur peau, Baba finit par se lever et s'étira. Il grommela quelque chose à l'attention de Nne-Nne, qui s'en aperçut à peine, et disparut dans l'obscurité pour un dernier verre.

Il faisait trop chaud. Il fit trop chaud toute la nuit. Les jumelles, traumatisées, voulurent à tout prix dormir par terre dans le salon en se tenant par la main, sous la protection de Bel au cas où quelqu'un serait pris de l'envie de faire quelque chose à Bessi. Elles ne dormirent pas bien. Ode et Onia étaient dans la pièce, l'une à l'intérieur de l'autre. Et il régnait l'obscurité la plus profonde qu'elles aient jamais connue, pas une lumière à des kilomètres à la ronde pendant ces longues heures, rien que les bruits du dehors, les chauves-souris et les chiens, plus ce bruit de feu lointain.

À leur réveil, Bel n'était plus là. Georgia risqua un regard dans le matin et la vit qui revenait vers la maison en souriant.

Elle avait passé la nuit dans la Mercedes avec Troy,

près d'un champ de tomates. Elle l'avait laissé lui toucher la poitrine, la palper. Un grand souffle l'avait envahie et elle s'était sentie flageolante, toute chaude à l'intérieur.

Tous les mois, il y avait des coupures d'électricité. Ils allumaient des bougies et attendaient que Sedrick lance le générateur. Et, quand l'électricité revenait, elles dansaient. À la maison de Sekon, il y avait la place de danser. Sur le sapin ciré du salon et sous le lustre dégoulinant. Bel mettait des disques et elles inventaient des numéros de danse pendant que des musiciens de soul en costume blanc chantaient derrière leurs micros à l'intérieur des haut-parleurs. Pendant les vacances scolaires, quand Aubrey était au travail, Troy se joignait à elles. Bel s'asseyait et il venait vers elle et lui demandait : « Tu veux guincher ? »

Bel se levait, rayonnante, et les petites, qui grandissaient, se mettaient à danser autour d'eux en chantant :

C'est seulement pour te voir
que mes yeux s'ouvrent tous les jours
il pourrait pleuvoir pour toujours
si ça signifiait que tu allais rester
la vérité c'est que ton amour m'a fait voler au ciel
mais le sol n'est pas joli comme toi

Et, deux fois par an, il y avait les réceptions. Les cocktails langoureux d'Aubrey, avec coucher de soleil glissant sur fond de paillettes. Les gens d'Alders venaient ainsi que leurs amis, les Reed, les Bombata et M. Bolan du pâté de maisons voisin, et aussi des inconnus, qui prenaient parfois Ida pour une employée de maison, de sorte qu'elle préférait rester à la cuisine avec Festus et s'occuper de la nourriture. Les jumelles et Kemy faisaient passer les canapés, arborant les bijoux d'Ida et le rouge à lèvres de Bel, tandis qu'Aubrey buvait trop de gin tonics.

Pendant la dernière réception au Nigeria, alors que la chaleur pressait le ventre contre la porte, Troy et Bel firent l'amour – fondant, onctueux – dans le bungalow voisin de la cabine de douche. Elle avait seize ans, maintenant, et elle avait le droit. Après, ils s'allongèrent et écoutèrent d'une oreille les cris et les rires en provenance de la maison. Georgia passa en cherchant les nouveaux chatons, mais Bel ne l'entendit pas.

Georgia se faisait du souci pour Bessi, qui était malade. On était mercredi et peut-être était-ce pour cette raison que Nounou Delfi lui avait donné par erreur une croquette de poisson contenant de l'œuf, en tout cas Bessi était au lit, le visage couvert de bosses. Pour la distraire, Georgia avait surveillé la soirée du haut du palier en lui racontant ce qui se passait.

— Mme Reed danse. Je crois qu'elle est saoule.

Bessi gloussa dans son lit de malade.

— Il y a une jolie dame qui est assise sur le canapé et M. Bolan n'arrête pas de regarder dans son décolleté.

— Mme Reed vient de se renverser son verre sur elle. Je crois que papa est saoul, lui aussi.

Bessi s'endormit et Georgia l'observa un moment en se demandant quand les bosses partiraient. Puis, elle regarda la nuit par la fenêtre et pensa à Ham. Elle pensait souvent à lui la nuit – c'était un moment où les créatures mortes pouvaient revenir dire bonjour et vous demander comment vous alliez. Quand elle tenait les chatons dans ses mains, c'était presque comme avant la mort de Ham.

Magika entra dans la pièce.

— Où sont les bébés ? demanda Georgia.

Magika bâilla.

Georgia mit ses mocassins, enfila un gilet extra-large par-dessus son pyjama et descendit l'escalier aux marches dures sur la pointe des pieds. Mme Reed était assise au bout du canapé blanc, en larmes. Une femme en robe à paillettes dansait sur la musique de Val Doonican, un bras en l'air. Aubrey sirotait du gin en parlant avec un homme en chemise orange. La porte était ouverte. Elle s'éclipsa pour rejoindre les grillons, sans que personne ne s'en aperçoive.

Lors des réceptions, Sedrick devait rester dans sa cabane jusqu'à ce que tous les invités soient partis pour fermer le portail derrière eux. Il avait de la canne à sucre fraîche pour s'occuper. Ses yeux étaient jaunes à force de regarder, et ses dents jaunies par la canne à sucre. Quand Georgia déboula dans l'obscurité, un cafard grimpa sur le mur à côté de lui.

Georgia fit le tour de la maison, ses mains le long du lierre. Elle longea le bungalow de Troy et trouva un des chatons assis à l'entrée du jardin. Elle le souleva. Il était chaud et lourd dans sa main.

Le jardin était beau, la nuit. Les fleurs changeaient de couleur et les orangers murmuraient. Les massifs d'hibiscus prenaient l'éclat rouge de la forêt. Georgia entrevit le vert vif d'une sauterelle faisant un bond de géant dans l'herbe. De tous les endroits au monde, à part le grenier et à côté de Bessi, c'était dans un jardin que Georgia se sentait le plus à sa place. C'était là qu'elle vivrait, pensait-elle, si jamais elle se trouvait en panne de grenier, car on ne savait jamais. Elle dresserait une tente faite dans une matière solide et s'y reposerait. Et, le matin, elle ouvrirait sa porte au milieu des fleurs.

De la maison venaient des lumières et des murmures. Georgia, pourtant, se sentait totalement seule dans le jardin. Il n'y avait qu'elle et la chaleur au creux de sa main. Jusqu'au moment où des bruits de pas dérangèrent l'herbe.

Elle tourna la tête : Sedrick se tenait à quelques pas d'elle, un bâton de canne à sucre à la main.

— Qu'est-ce que tu fais là ? demanda-t-il avec un demi-sourire.

Il se pencha de côté et la regarda.

— Je me suis assise pour jouer avec les chatons. Et toi, qu'est-ce que tu fais ?

— Je te regarde, dit Sedrick. Mignonne.

Quand Ida l'avait traité de singe et de chien, Georgia et Bessi avaient ri. « Maman a dit que t'étais un singe ! avaient-elles plaisanté. Tu devrais avoir *honte* ! T'es un chien ! »

Georgia s'en souvenait à présent.

— Bessi est malade, dit-elle. Elle a mangé de l'œuf.

Tenant toujours le chaton, elle se leva. Le chaton sauta hors de ses bras et s'éloigna.

— Tu veux de la canne à sucre ? proposa Sedrick.

Georgia prit un morceau et dit merci.

— Je vais me coucher maintenant. Bessi est peut-être réveillée.

— Tu veux jouer à la roue ? Je parie que tu peux en faire sept. Je te regarderai.

— Je peux facilement en faire sept. C'est facile, de toute façon.

Elle mordit un bout de canne à sucre.

— Vas-y, alors. Fais-le pour l'or, lui dit Sedrick en reculant.

— Mais alors il faudra que tu en fasses une après, dit Georgia.

— D'accord. Vas-y.

— Je parie que tu ne peux pas.

Georgia commença par une seule roue. Sedrick ne savait pas faire la roue. Ce serait drôle de raconter à Bessi et Kemy de quoi il avait l'air quand il essayait.

C'était un bon jardin pour faire la roue. Elle décrivit une forme parfaite. Puis elle enchaîna avec une série impeccable de sept roues, ce qui l'amena jusqu'aux massifs et lui donna le tournis. Arrivée là, elle vit Sedrick à côté d'elle (elle trouva bizarre qu'il se soit déplacé aussi vite, aussi silencieusement – avait-il fait la roue jusque-là ?)

Sedrick l'embrassa brutalement sur la bouche. Georgia dit : « Oh, non merci » et elle eut l'impression que ses pieds se transformaient en herbe, comme s'ils avaient poussé ici même, et ne pouvaient aller nulle part tant qu'ils ne seraient pas arrachés. Sedrick la prit par la taille.

— Viens, mignonne, dit-il.

Il sentait la canne à sucre rancie. Son large torse poilu dépassait par les trous de son maillot de corps. De nouveau il la brusqua avec ses lèvres, s'agenouilla (qu'est-ce qu'il fait ? qu'est-ce que *c'est* ?) et passa sa main rêche sur l'arrière de sa jambe, la toute jeune cuisse d'une fille, le début d'un endroit fait pour le plaisir.

Plus tôt dans la semaine, des hommes juju (c'était comme ça que Nounou Delfi les appelait) s'étaient présentés au portail, le buste couvert de cendres, des couteaux à la main. Ils avaient réclamé de l'argent sous la menace de tuer tout le monde. Sedrick était resté dans sa cabane, porte fermée, pendant que Nounou Delfi et Ida se débarrassaient d'eux en leur tendant des nairas entre les barreaux.

Georgia conclut alors, à cet instant, qu'en réalité Sedrick devait être un homme juju, et pas du tout un gardien. Un homme juju. Il avait vu un homme mourir. Il avait vu beaucoup d'hommes mourir. Et elle n'avait pas d'argent.

— Mais je n'ai pas d'argent ! cria-t-elle.

Sedrick n'écoutait pas. Il avait baissé le pyjama de Georgia et essayait de sortir un de ses pieds du pantalon pour pouvoir ensuite lui disposer les jambes en forme de roue. La peau de Georgia s'était pétrifiée ; sous sa peau aussi. Il y avait des bruits de chatons près d'eux dans les massifs d'hibiscus.

— Je peux demander de l'argent à Papa ! dit Georgia avec désespoir. Mais il faut que tu arrêtes !

— Allez, mignonne.

Bessi était-elle en train de mourir ? Elles avaient décidé de mourir ensemble. Était-ce maintenant ?

Sedrick arracha les pieds d'herbe de Georgia du sol et Georgia hurla. Dans la maison, dans son sommeil, Bessi sentit son visage tressaillir, une fois.

Sedrick plaqua la main sur la bouche de Georgia. Il fallait beaucoup de coordination. Tenir les jambes en position de roue, couvrir la bouche, défaire sa ceinture. Elle gigotait dans tous les sens.

Oui, pas de doute, c'est ça, pensa Georgia. Une pensée affolée. Elle vit les phares. Elle entendit le moteur. Oh, Bessi, sois là quand j'arriverai, sois là quand je mourrai !

Dans l'herbe, le chaton se tortillait. Là-bas, tout au bout du hurlement, quelqu'un avança dans le jardin. Sedrick entendit des pas dans l'herbe et commença à remballer sa marchandise. Il lui lâcha la bouche. La roue s'effondra. Georgia remonta son pyjama avec des mains en bois aux battements de jouet mécanique. Son cœur avait bondi hors de sa poitrine. Elle le remit à l'intérieur. Les pas se rapprochaient.

— Hé, dit Bel. Qu'est-ce qui se passe ? Qui est-ce ?

Sedrick s'enfonça dans les buissons.

— Georgia ? dit Bel. C'est toi ?

Georgia ne répondit pas. Elle sentait des files de cafards monter et descendre le long de ses jambes. Elle courut de toutes ses forces vers la maison. Les invités commençaient à partir et en atteignant la porte elle percuta M. Bolan de plein fouet. Il la regarda avec des yeux pleins de vin rouge, la cravate défaite, et dit :

— J'espère que ta mère ne sait pas que tu n'es pas dans ton lit !

Là-dessus il éclata d'un rire tonitruant.

Georgia grimpa les marches de l'escalier de marbre deux à deux et pénétra dans les ombres du triangle. Bessi était allongée, un drap sur le visage. Georgia cria son nom, se rua sur le lit et arracha le drap. Bessi se réveilla et Georgia lui demanda si elle était encore en vie.

— Oui, dit Bessi. Et toi ? Tu as l'air bizarre.

Lorsque Bessi avait ouvert les yeux, Georgia avait éprouvé une joie monstrueuse.

— Sedrick est un homme juju, dit-elle en haletant. C'est un singe et un chien mais, avant tout, c'est un homme juju. Pour de vrai !

Bessi avait des bosses tout autour des yeux. Elle regarda Georgia à travers les bosses et attendit.

— Comment tu le sais ? dit-elle. Tu as l'air bizarre.

Georgia essaya de réfléchir à une façon de raconter les roues et les pieds d'herbe, les massifs sombres comme la forêt malveillante, les mains de Sedrick et la ceinture de Sedrick qui s'ouvrait, avec des mots qui puissent se dire. C'était la toute première fois, dans cet univers de l'être-deux dans l'être-un, que quelque chose semblait impossible à dire.

— Est-ce qu'il a un couteau ? demanda Bessi, qui n'était pas complètement sortie de son rêve où elle se baladait au marché aux puces avec Billy Ocean.

Quand Georgia lui avait demandé si elle était toujours en vie, Billy Ocean était sur le point de lui mettre un morceau de suya dans la bouche. À présent il attendait, au bord du visage de Georgia, le cube de viande grillée entre les doigts.

— Oui, fit Georgia, comme si elle était ailleurs. Je l'ai vu. Dans sa cabane.

— Est-ce qu'il va nous tuer ?

— Je ne sais pas.

— Ben de toute façon, on ne devrait pas lui parler, dit Bessi, au cas où.

Georgia avait l'esprit tout embrouillé. Il y avait une chose dont elle n'arrivait pas à se souvenir. Quelle impression ça lui avait fait au juste, *exactement*, de tenir le chaton entre ses mains quand elle était assise dans le jardin ? Elle n'arrivait pas à s'en souvenir. On aurait dit, tout d'un coup, qu'un tas de choses faisaient barrage.

— Tu vas bien, Georgie ? demanda Bessi.

— Oui. Je veux dormir.

— Dormons, alors.

— Est-ce que je peux dormir avec toi ce soir ?

Bessi se poussa. Georgia s'allongea, toute raide. Elle passa un bras lourd autour de la taille de Bessi. Elle ne pleura pas, elle ne dormit pas et elle ne raconta pas à Ida ni à personne qu'elle était sortie de son lit.

Dans les derniers mois de leur émigration, il se passa deux choses. Kemy vit le serpent surgir une nouvelle fois de sous le canapé du salon. Elle courut chercher Festus et Festus sut exactement quoi faire. Il prit un couteau, un poignard (c'était la seule arme à utiliser en pareille situation), attrapa le serpent par le milieu comme un monstrueux sac à main et le coupa en deux sur le plan de travail de la cuisine. Il débita toute la longueur en tronçons et le lendemain Troy en mangea un morceau au petit déjeuner, un tronçon de reptile mort, mariné, badigeonné d'huile de palme et frit dans une grande friture, avec sa peau. Bel en fut horrifiée et très émoustillée.

Sedrick en prit lui aussi et il demanda à Georgia et Bessi, qui ne lui parlaient plus, si elles en voulaient un morceau. Bessi dit : « Non, va-t'en, singe », et Georgia fut incapable de le regarder. Elle était tombée à la troisième place des Jeux olympiques de la Roue avant d'abandonner complètement, et quand Bessi lui demandait ce qui n'allait pas, comme elle était incapable de le dire, Georgia répondait : « Rien. » Bessi savait que ce n'était pas rien mais elle n'arrivait pas à trouver ce que c'était. Elle disait à Georgia : « Tu peux me dire tout ce que tu as envie de me dire, tu sais. Absolument tout », ce à quoi Georgia hochait la tête et détournait les yeux.

L'autre chose qui se produisit, c'est que les doigts de Georgia devinrent glissants. Elle se mit à faire tomber des assiettes, des tasses et des cadres de photos. Un saladier plein de pommes de terre en chemin pour la table de la salle à manger. Un verre dans la cuisine, et un éclat se planta à l'arrière de sa cheville. Pour arrêter le saignement, elle plongea le pied dans une cuvette d'eau froide et claire, et l'eau se tinta immédiatement de rouge. « C'est bien Georgia, ça », dit Ida. Elle le dit ensuite chaque fois que quelque chose se cassait. « C'est bien Georgia, ça. »

Les mains de Georgia étaient contagieuses. La maladresse se répandit au corps de Bessi, et à celui de

Kemy aussi. Bessi sauta à saute-mouton par-dessus une chaise dans le cabinet de travail et se coupa le menton contre le bureau, ce qui lui laissa une cicatrice. Kemy glissa au bord du palier du premier étage, dégringola dans les marches cruelles et s'ouvrit la tête. Ida courut dans toute la maison en criant « Kemy va mourir ! Mon bébé, ma plus jeune, ma Kemy va mourir ! » Et, à Kemy qui avait perdu connaissance, il fallut faire six points de suture sur le sommet de la tête. « J'ai failli mourir, dit-elle à plusieurs reprises quand on lui retira les points. Vous avez de la chance que je sois encore en vie. »

Le jour du dernier Noël, en geste d'adieu, Aubrey invita Festus, Nounou Delfi, Troy et Sedrick à se joindre à eux pour le déjeuner. Il n'y avait pas de Christmas pudding parce qu'ils avaient épuisé leur stock, et Georgia n'eut pas le droit de porter quoi que ce soit de lourd ou de chaud à cause de ses doigts. Nounou Delfi, Festus et Troy s'assirent à table. Sedrick s'essuya les mains sur son pantalon crasseux et s'approcha d'une chaise libre, en face de Bessi. Bel regarda instinctivement Georgia, dont les yeux plongèrent sur les genoux, et les narines d'Ida eurent un tressaillement désapprobateur. Elle se tourna vers Bel, le peep-show de la douche présent à la mémoire, puis reporta le regard sur Sedrick. Et d'un ton sec, elle dit : « Sedrick doit surveiller le portail. » Aubrey essaya d'intervenir mais Ida lui coupa la parole : « Va surveiller le portail. » Sedrick battit en retraite, s'éloignant de la table. Il sortit et retourna à sa cabane sans soleil.

Au milieu de toute cette casse et ces chutes, Bel fut la seule à ne pas se faire mal. Mais elle pleura tout le long du trajet de retour en avion à cause de Troy. Georgia était assise à côté d'elle et Bessi à la fenêtre, regardant les nuages. Georgia ignora les cieux. À la place, elle s'occupa de Bel. Elle lui tapotait la main en disant : « T'inquiète pas, Bel. Tout va bien. Sois pas triste. »

Le dernier dimanche au Nigeria, il plut, comme d'habitude. Georgia et Bessi firent ce qu'elles faisaient toujours le dimanche à Sekon, le visage levé comme dans la vision que Bel avait eue d'elles. Elles s'assirent sur le palier du premier étage et regardèrent tomber la pluie à travers le mur de verre. En regardant, Georgia songea que le ciel avait l'air très vide, comme les orangers dans le jardin en ce moment, des arbres tristes qui pendaient ; et pas seulement le mercredi, tous les jours.

La pluie frappait le verre juste au-dessus de leurs visages. L'angle donnait l'impression que les cieux allaient tomber dans leurs bouches. Elles s'endormirent quelques instants.

Dans leur sommeil, elles attendirent l'arc-en-ciel. C'était une des meilleures choses à Sekon. Elles savaient qu'il viendrait. Bessi, tout en somnolant, s'imaginait en train de marcher entre le rayon vert et le rayon jaune pour aller vers l'or au bout, tenant un sac à main en peau de serpent. Georgia se voyait parcourant le rouge en s'éloignant de l'or, gardant difficilement son équilibre.

Elles rouvrirent les yeux. Il était là. Le début de l'arc-en-ciel. La renaissance de la couleur.

— C'est joli, hein, dit Bessi. Il va me manquer, ce bout-là, quand on sera rentrées à la maison.

Georgia avait senti les couleurs et la pluie, mais rien d'ici ne lui manquerait. Et quelque chose était perdu. Le « maintenant » des choses. C'était pas joli.

— Je ne vois pas ce que tu veux dire, Bess, dit Georgia. Pas tout à fait.

LE DEUXIÈME BOUT

5

Filles de neige

La neige avait commencé par tomber doucement. Elle s'était déposée sur le sol comme de la poudre, disparaissant dans les eaux du Welsh Harp et criblant silencieusement les carreaux de Neasden. Puis elle s'était faite plus drue. Des rafales de vent noir écrasaient les lourds flocons contre les portails des jardins et les toits des voitures, contre les trottoirs éclairés par des réverbères et les chênes dépouillés des jardins de Gladstone. Les matins s'étaient épaissis de blanc et le flot des voitures qui rentraient par l'A406 avançait lentement, en décrivant des virages prudents et ensommeillés.

La maison était vide à leur arrivée. Les locataires avaient laissé le double des clés dans une enveloppe sur le perron vitré, ainsi qu'une tache de bière en forme de roue de paon sur le plafond du salon. Tremblants de froid, les Hunter se tinrent sous le lustre et regardèrent la tache. Ils avaient le visage desséché par l'absence soudaine de soleil. Le vol en avion avait voilé leurs yeux.

Georgia s'éclipsa dans le jardin. Lorsque Bessi

remarqua son absence, elle remonta la piste des portes ouvertes jusqu'au jardin d'hiver et vit sa jumelle debout dans la neige. Elle portait les bottes en caoutchouc de Bel et Bessi savait que son visage avait cette nouvelle expression, celle qui regardait des choses invisibles présentes dans l'air.

Bessi mit les bottes en caoutchouc d'Aubrey et la neige céda sous ses pas. Elle alla se placer à côté de Georgia et dit :

— Si on allait voir le grenier ?

— Oui, dit Georgia, qui esquissa un sourire.

Elles aidèrent Aubrey à monter les valises. Il avait mal au dos de nouveau et grogna : « Putain fait chier » quand les doigts glissants de Georgia lâchèrent une des poignées. Il avait besoin d'une tasse de thé avec un sandwich saucisse-tomate, et aussi de s'asseoir en surélevant les pieds après ce long voyage. Pendant qu'ils crapahutaient tous dans l'escalier, Kemy demanda aux jumelles si elle pouvait monter au grenier elle aussi. Bessi lui dit d'attendre. « Il faut qu'on voit si tout est pareil. »

G+B était toujours marqué à la craie sur la porte mais s'était un peu effacé depuis 1981. BESSI BON LIT aussi. Bessi remarqua qu'au-dessus de son nom quelqu'un avait écrit GRANNY. Elle avait oublié à quoi ressemblait Granny parce qu'elle ne l'avait vue qu'en rêve mais cela la mit très en colère contre elle. C'était son bon lit à elle, le sien et celui de personne d'autre, pour qui se prenait-elle ?

— Cette Granny a mis son nom au-dessus du mien, dit-elle à Georgia. Regarde. C'est malpoli, hein.

Georgia renifla les Saccos. L'odeur de fraise s'était atténuée, elle aussi, et Georgia ne savait pas si toutes ces choses s'étaient émoussées à cause de la présence d'étrangers, du passage du temps ou d'autre chose. Mais il ne faisait pas de doute qu'on s'était assis sur les Saccos.

— Elles se sont assises sur les Saccos, en plus, dit-elle à Bessi.

— J'avais dit à papa que c'était une mauvaise idée de prendre des locataires. Tu vois, regarde.

Les deux filles qui avaient occupé la chambre de Kemy, Tina et Alice, avaient elles aussi écrit leurs noms au feutre vert sur le mur de Kemy, à côté de son poster de Michael Jackson. Kemy était scandalisée. Elle y voyait un affront à Michael Jackson lui-même. Elle l'embrassa sur la joue et lui présenta ses excuses pour avoir permis cela, puis elle demanda à Bel de l'aider à déplacer le poster légèrement sur la gauche afin de couvrir les inscriptions.

Dans la chambre de Bel, située juste à côté de celle de Kemy, les trois garçons avaient laissé une drôle d'odeur derrière eux, mélange de sous-vêtements, de transpiration et de chewing-gum. Bel dut garder les fenêtres ouvertes pendant trois jours et trois nuits. Elle pleura tout du long puis encore quatre jours de plus parce qu'elle voulait que Troy passe la chercher avec la Mercedes, voulait revoir sa chemise blanche voleter dans la brise tiède et sentir le contact de ses mains épaisses (il avait de bonnes mains, des mains claires, elle les avait lues : elles annonçaient trois enfants, deux mariages et soixante-dix ans d'ici la fin) quand elles lui frottaient la taille et le milieu du dos à cet endroit qu'on ne peut pas atteindre quand ça démange.

La chambre d'Aubrey et d'Ida était restée pratiquement intacte, à l'exception du lit devenu grinçant. En dehors de ça, elle respirait toujours la même atmosphère d'hier, comme si les deux personnes qui y avaient dormi, cet être-deux, s'était dissipé. Les penderies de chaque côté de la chambre firent un son creux quand ils les ouvrirent ; le fauteuil rouge aux pieds éraflés, où Nne-Nne venait parfois s'asseoir quand Aubrey était au travail, avait été éloigné du lit et rapproché de la fenêtre. Ida le remit à sa place.

Le reste de la maison s'était mis à grincer lui aussi.

— Ils ont dû faire des fêtes, dit Kemy, qui était impatiente d'avoir dix ans, deux chiffres, parce que les gens alors seraient obligés de l'écouter. Ils ont dû jouer à chat dans les escaliers et les couloirs. Tu vois un peu ce qu'ils ont fait, les locataires, papa ! Je te l'avais bien dit, hein, que c'était une erreur d'en prendre, ils nous ont rendu une maison qui grince, avec de la bière au plafond. Tu devrais recevoir une demnité.

— Ça s'appelle une indemnité et ça ne se donne pas pour des grincements, dit Bel.

— Quelques grincements n'ont jamais fait de mal à personne, trancha Aubrey. Vous vous habituerez.

Ben c'est facile à dire, pour lui, pensèrent-elles toutes.

Il y avait une nouvelle vie sous la neige. Elle allait au-delà des pommes et des roses. Il y était question de fronts bombés et de survie, de journées au collège les filles d'un côté et les garçons de l'autre. À la mi-janvier, Georgia et Bessi eurent douze ans – assez grandes pour embrasser des garçons aux lèvres humides par-dessus les portillons de jardin, assez jeunes pour pouffer de rire après. Un nouveau personnage fit son entrée au grenier : la Puberté, qui grondait et grimaçait dans un coin au relent de renfermé, pas très loin des Saccos, griffes tendues, dégoulinante de bactéries. La nuit, elle se dressait au-dessus de leurs lits, le dos rond et le souffle humide, guettant le moment où leurs corps seraient assez chauds pour le sang et les furoncles, rançon des gâteaux trop sucrés (les mini-génoises fourrées « Mr Kipling » du dimanche) et de la friture (les fish and chips du jeudi). Georgia avait beau sentir sa présence, lorsqu'elle ouvrait les yeux au milieu de la nuit, elle ne voyait rien que la trace évanescente d'une grimace.

Elles étaient nouvelles sur d'anciens territoires. Le collège Watley pour filles se trouvait sur une colline et à l'époque victorienne, il n'existait pas. En ce temps-là, il y avait seulement de vastes champs verts que sillonnaient des balles de golf. Aujourd'hui, suite au cratère de Brent, les toilettes de l'école fuyaient et des courants d'air s'infiltraient par les fenêtres aux rebords écaillés. Le collège Watley pour garçons, juste à côté, partageait la même entrée. Le premier jour où Georgia et Bessi gravirent la pente et passèrent devant les petits groupes dans leurs uniformes neufs et raides, chaussées de chaussures noires, encore bronzées et la tête basse, le silence se fit.

— Ce sont les jumelles, dit Reena à ses copines. Je me souviens d'elles au primaire. Elles étaient parties vivre au Niger. Et maintenant elles sont rentrées.

Reena était devenue un garçon manqué pakistanais d'un mètre soixante-douze, souriant et doté d'une mémoire photographique. Non seulement elle se souvenait des jumelles à l'école primaire, mais aussi au jardin d'enfants, quand elles avaient quatre ans et portaient des doudounes de la même couleur, cousues d'un point de rouge au col. Forte de la curiosité générale éveillée par leur cosmopolitisme apparent, leur être-deux et leur bizarrerie, elle décida de leur servir de guide touristique à Watley. Elle leur montra la clôture séparant l'école des garçons de celle des filles, avec le trou au bout, la zone d'herbe jaunie derrière les WC mobiles où les gens qui avaient commencé à fumer fumaient (« Mais pas moi, leur dit-elle, fumer, ça donne une haleine dégoûtante ») et la statue délabrée de Charles Watley qui, en 1905, avait ouvert l'école avec la promesse, était-il écrit sur le piédestal, de « tendre la main de l'érudition et de l'éducation au bon peuple de Neasden ». De vieux chewing-gums maculaient l'inscription et des graffitis couraient sur le pantalon de Watley.

— Comment c'était au Niger, alors ? demanda Reena, sur le chemin des terrains de net-ball.

— On n'était pas au Niger, dit Bessi. On était au Nigeria. On avait des domestiques.

— Ouahou ! Ben dis donc !

— Et un jour j'ai eu un cafard *vraiment gros* qui s'est posé sur ma poitrine, juste là. Sedrick, notre garde du corps, si tu veux, l'a attrapé avec sa main sans gants ni rien du tout. Et les cafards, ça peut te *tuer*.

— Ouahou ! Géant, les mecs ! s'exclama Reena avec un sourire énorme.

Georgia n'avait rien envie de dire. Elle ferma son visage. Bessi raconta à Reena la grande maison blanche, le serpent et les Jeux olympiques de la Roue. Reena tournait franchement la tête vers Bessi, à présent, et Georgia se mit à examiner les mèches auburn dans ses cheveux noirs.

Elles étaient toutes les trois dans la même classe, la Livingstone, qui avait le bleu pour couleur. Au début, Georgia et Bessi s'asseyaient l'une à côté de l'autre, et Reena à côté de Georgia, mais au bout d'un moment Reena exigea de se mettre au milieu. Elle aimait être placée au milieu des jumelles (ça lui donnait une certaine stature, comme un savant qui a découvert une créature étrange avec laquelle il sait communiquer). À partir du moment où elle eut la place du milieu, Reena se mit à chuchoter à l'oreille de Bessi pendant les cours et quelquefois elles s'écrivaient toutes les deux des petits mots que Georgia ne pouvait pas lire parce que sa vue commençait à se voiler. Elle devait se frotter les yeux et cligner très fort pour voir ce qui était marqué au tableau et elle en arrivait au stade où elle ne pouvait plus lire de livres ou faire ses devoirs qu'en pleine lumière du soleil. Ce qui n'était pas pratique parce que : 1) Georgia se découvrait une passion pour les livres sur les animaux, la faune et la flore ainsi qu'un intérêt pour les théories de l'évolution (disponibles le plus souvent en petits caractères), 2) elle aimait rendre ses devoirs à l'heure parce que c'était mieux.

C'était un problème de plus en plus préoccupant. Si elle parlait à quelqu'un de ses yeux, surtout à un adulte, ce quelqu'un risquait – ne risquait pas, il le ferait, elle le savait – de l'emmener chez l'opticien et l'opticien dirait qu'elle avait besoin de lunettes.

Il lui en ferait une paire et Aubrey les paierait comptant et, si elle ne les portait pas, il dirait : « Mets tes lunettes, elles ont coûté un bon paquet. » Alors elle serait obligée de les mettre. Obligée d'aller en classe avec des lorgnons, comme ses parents, comme les retraités, comme Fatima qui n'avait pas l'air d'avoir d'amis. Les gens diraient des trucs du genre : « Georgia n'est pas plus jolie que Bessi, maintenant, parce qu'elle a des lunettes. » Les lunettes lui feraient de gros yeux, gros comme le reste de sa personne. Et les gens se moqueraient.

Seulement si elle n'en parlait à *personne*, elle risquait de devenir aveugle et sinon, ce qui était sûr, c'était qu'elle aurait de mauvaises notes et peut-être même se ferait-elle *renvoyer* pour n'avoir pas fait ses devoirs.

Elle ne l'avait pas dit à Bessi. Et ce qui rendait la chose encore plus impossible, c'était que, à cause d'Aubrey et de Wallace avant lui, les fronts de Georgia et Bessi grandissaient plus vite que le reste de leur personne, celui de Georgia bombant vers l'arrière et vers le haut et celui de Bessi vers le haut et vers l'arrière. Les petits groupes de Watley le remarquèrent presque immédiatement. On les appelait Grosse Tête, Elephant Girl, Tête de Ballon, et on leur posait des questions du genre : « Je peux poser mon sandwich [mon livre, mon sac] sur ton rebord une minute ? » Même Reena, sans aller aussi loin, aimait bien les appeler « Le Front 1 » (Bessi) et « Le Front 2 » (Georgia). Georgia savait que Bessi la regardait parfois pendant les cours en se disant : « Si elle avait un petit front, j'en baverais pas autant », et Georgia se disait la même chose, mais juste dans une couleur différente (sa veste était verte, celle de Bessi bleu et blanc).

Le pire, c'était le coup du « Spam ». Elles le voyaient toujours venir. Quelqu'un s'approchait en douce, la main prête à viser, le plus souvent une fille de la bande à Big Sian qui détestait les jumelles parce qu'elles plaisaient aux garçons (Jonathan « Tikka » Brown, par exemple, avait récemment fait cadeau à Bessi d'une grenouille en feutrine rembourrée de haricots, et Lee Maxwell avait demandé à Georgia de sortir avec lui, ce à quoi elle avait répondu non merci.)

La coupable claquait alors sa paume grasse sur le front de la victime en criant : SPAAMMM !

Dans un premier temps, la paume refusait de partir. Son empreinte demeurait, brûlante, piquante. Deux ans plus tard, cette situation forcerait les jumelles à adopter une coiffure particulière, version afro de la « flick », qui ramassait et enroulait des mèches de cheveux partant du sommet du front, dessinait un cercle puis piquait pour masquer, en l'occurrence, le renflement qui s'amorçait au-dessus de leurs sourcils. Leur version s'élaborait de la façon suivante :

1. Peigner les cheveux avec un peigne afro en veillant à éliminer suffisamment de particules blanches laissées par le gel séché de la veille.
2. Mouiller les cheveux et noyer de gel.
3. Séparer soigneusement une bonne partie des cheveux du front, les attacher temporairement, et tirer le reste en queue de cheval (garder une serviette autour du cou jusqu'au dernier moment avant de partir de la maison, pour ne pas tacher le col plus qu'il n'est inévitable).
4. Prendre la touffe frontale réservée et bien la peigner avec davantage de gel.
5. Tirer la touffe vers le haut, lui donner un tour de poignet calculé mais brusque, puis l'abaisser de façon que les extrémités arrondies viennent caresser le sourcil gauche.
6. Laisser durcir.

L'afro-flick allait s'avérer loyale. Elle ne s'agitait pas au vent ni ne frisait à la chaleur. Et même si ses résidus de gel n'étaient pas tendres pour le cuir chevelu, qui se vengeait souvent par de petites montagnes de colère bactérienne, les jumelles adoptèrent cette coiffure pendant toute leur adolescence. Elle repoussait les claques à Spam. Elle les sauvait d'elles-mêmes.

Georgia cligna des yeux pendant tout le printemps. Quand le soleil brillait, elle fermait ses yeux endoloris et les rapprochait du feu, absorbant la chaleur dans l'espoir d'être guérie. Elle faisait tous ses devoirs et toutes ses lectures au jardin ou dans la cour de récréation et, en classe, elle s'asseyait toujours près de la fenêtre. Quand Bessi lui demanda pourquoi elle avait changé de place, Georgia dit : « J'ai besoin de la lumière. Ça m'aide à écouter. » Bessi alla s'asseoir à côté d'elle et Reena se mit à côté de Bessi, pour finir par regagner sa place au milieu, entre les deux.

À cause du Spam, les jumelles se couvraient la tête le plus souvent possible. Des bonnets de laine par temps de neige, des bandeaux en cours de gym, des casquettes sous le soleil. En cours d'économie domestique le couvre-chef était obligatoire et il y avait peu de lecture. Pour Georgia en particulier, c'était l'heure la plus parfaite de la semaine. Bessi et elle la passaient seules, absorbées l'une dans l'autre, manche contre manche, réfléchissant au-dessus des bols. Georgia veillait à tout attraper à deux mains car elle avait cassé une assiette à un des premiers cours et même si le professeur avait dit que ce n'était pas grave, elle s'en était voulu.

Elles confectionnaient des génoises avec de la confiture dedans, des tourtes aux légumes épicées, des gâteaux secs et des bonshommes en pain d'épice. Et ce fut là, en cours d'économie domestique, que Georgia et Bessi firent une découverte importante, qui concernait les flocons d'avoine et le miel, et ce qui se passait quand ils s'unissaient pour se transformer en *flapjacks*.

Les flapjacks, c'était l'avenir. Prenez vos flocons d'avoine et votre miel, ajoutez du beurre ou de la margarine, sucrez et chauffez, mélangez jusqu'à l'obtention d'une pâte collante et grumeleuse. Aplatissez le mélange sur une plaque à pâtisserie et passez vingt-cinq minutes au four. Le meilleur moment pour la dégustation se situait entre tiède et froid, quand la pâte était encore amalgamée, avant qu'on la découpe. Les flapjacks, c'était mieux que les bonbons parce qu'on pouvait les faire soi-même et, autre caractéristique particulièrement appréciée de Georgia, parce qu'on pouvait contrôler leur richesse en calories.

L'élément capital d'un flapjack était sa garniture, sa personnalité. L'abricot était plus amer que la cerise, il avait un goût de noisette plus prononcé. La cerise additionnée de noix de coco était plus riche que la cerise toute seule. Les raisins secs étaient ennuyeux mais c'était une valeur sûre. Les pêches et les nectarines n'avaient pas encore été testées.

— Les pêches sont aqueuses, dit Georgia à Bessi pendant qu'elles expérimentaient la fraise, en tablier et toque blanche, au milieu des grands fours d'acier. Ça ne marchera peut-être pas.

— On pourrait essayer avec des pêches séchées, dit Bessi, en ajoutant des amandes, peut-être.

Ananas et noix de cajou, ça marchait. Mais pas les poires. Les fourrages de confiture, cassis et framboise par exemple, réussissaient très bien. C'était un sentiment de triomphe et de pure satisfaction que de mordre dans un flapjack dont vous aviez créé la personnalité, l'âme elle-même. Georgia et Bessi essayaient de ne pas manger trop de leurs créations, cependant. Elles préféraient goûter d'autres marques avec l'argent qu'elles gagnaient depuis qu'elles avaient commencé à livrer des journaux et se réveillaient, sonnées, à 6 heures du matin.

Car au cours de leurs voyages dans les saveurs, elles découvraient que leur intérêt pour les flapjacks allait bien au-delà du cours d'économie domestique. Il était question d'affaires.

Georgia fut la première à le suggérer, au grenier, pendant les vacances d'été, alors que Kemy venait de goûter cannelle-myrtille et de déclarer que c'était tout bon, Eve. « C'est tout bon, Eve », était une phrase tirée du film *Bienvenue Mr Chance*, avec Peter Sellers dans le rôle d'un jardinier au cœur simple qui a acquis au contact de la flore une aptitude naturelle à l'utopie politique – lorsqu'il approuvait les choses il disait « C'est tout bon, Eve », à l'objet de son amour, Eve, et à la fin du film il marchait sur l'eau. Georgia aimait ce film et se sentait des affinités particulières avec le jardinier. Elle disait tout le temps « C'est tout bon, Eve ». Bessi s'y était mise elle aussi et Kemy n'avait pas tardé à suivre.

Aujourd'hui il faisait très chaud dehors, presque aussi chaud qu'un matin à Sekon, et encore plus chaud au grenier. Les fenêtres étaient ouvertes et M. Kaczala tondait sa pelouse coiffé d'un chapeau de paille.

— J'ai réfléchi, dit Georgia.

— À quoi ? demanda Bessi. Elle était penchée à la fenêtre et jetait des emballages de bonbons à Kemy, en bas dans le jardin ; le vent les happait et les emportait à la dérive.

— Aux flapjacks.

— Moi aussi.

— Je crois qu'on devrait monter une compagnie.

— Ouais, moi aussi.

Georgia croisa les jambes sur son lit.

— On pourrait faire différents parfums et les vendre à des magasins et à des gens.

— En gros et en détail.

— Et gagner notre vie.

— Oui, dit Bessi, mais encore *plus grand* que ça. Elle s'écarta de la fenêtre et regarda Georgia droit dans les yeux. On pourrait bâtir un *empire*, Georgia !

Georgia y réfléchit une minute et dit :

— Du moment qu'on aurait assez d'argent pour vivre, ça me suffirait.

Elle déballa un flapjack à la noisette de chez Traditional Treats, le prit à deux mains et mordit dedans.

— Mais on pourrait être riches – et même célèbres ! poursuivit Bessi en arpentant la pièce. On pourrait être les célèbres jumelles aux flapjacks !

Elles rirent et, instinctivement, se dirigèrent vers les Saccos, qui avaient fini par perdre leur odeur. Ces derniers temps, elles s'y asseyaient beaucoup moins souvent qu'avant. Elles découvraient, en grandissant, qu'elles pouvaient prendre certaines décisions très simplement toutes seules, sans être obligées de s'asseoir.

— T'en veux un bout ? Georgia tendit son flapjack à Bessi. Il est pas mauvais.

Bessi en prit un morceau, goûta.

— Trop pâteux, dit-elle.

— Un peu trop sucré aussi, peut-être.

— Les nôtres seront parfaits, dit Bessi. Les *nôtres* auront pile la bonne quantité de chaque ingrédient, ils seront ni trop sucrés ni trop lourds – à mon avis, les flapjacks en général devraient être plus légers – et pas de parfums idiots qui ne se vendent pas, des parfums pour tous les goûts.

— Je suis d'accord. Georgia se tut puis reprit : Alors, comment on va l'appeler ? T'es prête ?

— Prête.

Elles fermèrent les yeux pour se mettre à voguer entre les possibilités. Dehors la tondeuse tondait et les oiseaux chantaient des chants d'oiseaux.

Au bout de cinq minutes, Bessi suggéra :
— Flappe tes jacks.
— Non, dirent-elles ensemble.
— Euh... comment tu trouves le monde des flapjacks, comme le monde de l'ameublement ? dit Georgia.
— Non.
— Jack tes flaps.
Silence.
— La compagnie de flapjacks des jumelles ?
Silence.
— Les flapjacks de G+B.
— Hum.
— Ou... fichus Flapjacks.
— Très légers Flapjacks.
— Divins Flapjacks.
— Je sais ! s'écria Georgia. Tu te rappelles ce que tu as dit, les jumelles aux Flapjacks !
— Les *célèbres* jumelles aux Flapjacks.
— Mais j'ai pas envie d'être célèbre, dit Georgia.
— C'est pas grave, je serai célèbre pour toi – tu peux être la présidente et moi je serai le visage.
Georgia était réticente.
— Mais, si tu es le visage, je serai le visage *moi aussi*. Je veux pas passer à la télé. Je veux juste faire des flapjacks.
— T'inquiète pas, dit Bessi, t'auras pas besoin de passer à la télé.
— Bon. Alors d'accord. Parce que j'irai pas.
— OK, OK.
Georgia mastiqua une bouchée de son flapjack.
— Je veux juste les faire et les vendre, c'est tout.
— Moi aussi je veux les faire, et choisir les parfums.
— On le fera ensemble, dit Georgia. On est associées.

Bessi sourit.

— Les célèbres jumelles aux flapjacks, dit-elle avec émerveillement.

— C'est tout bon, Eve, dit Georgia.

— C'est tout bon, Eve, dit Bessi.

Suivit un autre silence, pendant lequel elles réfléchirent très profondément toutes les deux. Bessi frottait ses bras qui avaient bruni au soleil, retrouvant la couleur café de Sekon.

— Alors... comment on fait pour construire un empire ? demanda Georgia d'une voix inquiète.

— Je ne crois pas que ce soit facile. Et il faut une voiture, dit Bessi. Mais papa pourrait nous aider.

— Si je suis la présidente, il faudrait sans doute que je sois meilleure en maths. Je vais m'appliquer davantage, ajouta Georgia en fronçant les sourcils.

De retour à l'école, après les grandes vacances, elles se concentrèrent. Elles essayèrent un tas de nouveaux parfums. Georgia se bagarrait avec ses yeux pendant les cours de maths et l'automne touchait à sa fin, les feuilles dansant au-dessus du fleuve, portées par le vent chocolaté, s'éparpillant sur les pelouses de Gladstone. Un soir, Georgia frappa à sa porte. Il semblait vieilli et sa robe de chambre était élimée, mais l'éclat de son sourire était toujours là, et la douce lueur dans ses yeux.

« Bessi et moi, on va faire un empire de flapjacks, lui dit-elle.

— Mais c'est merveilleux, fit-il. Je savais que ça le serait.

Elle lui demanda s'il allait bien.

— Oui, ma chère. J'ai commencé à dormir.

— Est-ce que vous serez là, la prochaine fois ?

— Il n'y a pas de réponses, Georgia, il n'y a que les lieux », répondit-il, et il ferma les yeux devant elle.

Peu d'enfants, en deuxième année de collège à Watley, savaient quel genre de travail ils voulaient faire plus tard dans la vie. Ils avaient des rêves, des lubies et des idées. S'ils aimaient les sciences ils se voyaient en blouse blanche dans un labo, en train de découper des vers de terre sous un microscope. S'ils aimaient la musique, comme Bessi, ils pouvaient s'imaginer le micro à la main, jouant de la guitare en cuir noir clouté ou assis devant un piano en tenue de soirée, sur la scène d'une grande salle de concert à l'éclairage tamisé. D'autres voulaient juste être célèbres, comme Sasha Jane Sloane (classe Churchill, jaune, 1969-1974), qui avait été repérée par un photographe à Waitrose et qui était maintenant top model.

L'avenir s'approchait par-derrière, à petits pas, leur tapotant doucement l'épaule, exerçant une pression légère et continue. En cours d'anglais, par une froide journée de novembre, Miss Pinh demanda à chaque élève de sa classe de se lever à tour de rôle et de dire ce qu'il voulait faire quand il serait grand.

Georgia s'exécuta, horrifiée par tous les regards qui se posaient sur elle mais fière d'avoir une certitude, de ne pas être obligée de mentir.

— Je veux être présidente et associée d'une compagnie de flapjacks avec Bessi, déclara-t-elle.

Quelqu'un rit. Miss Pinh cligna des yeux et dit :

— C'est très bien, Georgia.

Georgia se rassit.

Reena se leva d'un bond et lança : « Espionne », puis elle se rassit et ce fut au tour de Bessi.

Qui se leva et déclara :

— Je veux être l'associée et le visage des célèbres

jumelles aux flapjacks – elle n'aurait pas dû dire le nom, pensa Georgia, quelqu'un pourrait le répéter ! –, et après je veux être chanteuse et puis rencontrer un homme sympa et me marier et avoir deux enfants. J'aimerais avoir des jumelles mais ma maman dit que je n'en aurai pas parce que j'en suis une alors j'aimerais avoir une fille d'abord et un garçon ensuite.

La classe se tut. Les épaules de Big Sian tressautaient. Une vague d'obscurité hivernale parcourut la salle.

Georgia n'y comprenait rien. Après les flapjacks ? Après les flapjacks ? Qu'est-ce qu'elle avait voulu dire ? Il n'y avait pas d'« après les flapjacks ». Pas maintenant, en tout cas, pas à sa connaissance, pas encore. Elle leva les yeux vers Bessi qui se tenait debout, le menton pointé, le dos droit, prête pour les fins d'histoire. Où allait-elle ?

Bessi se rassit. Georgia essaya de croiser son regard mais Reena lui parlait à l'oreille.

Ce soir-là, Georgia écrivit quelque chose sur un bout de papier. Les pensées se frayèrent un chemin. Elle se servit d'un stylo rouge. *Je ne sais pas ce que je suis. Mais « après les flapjacks », s'il fallait que je sois quelque chose, je travaillerais chez un fleuriste.* Elle garda les yeux fermés quand Bessi vint se coucher et plus tard, dans son sommeil, elle frappa à la porte de Gladstone. Il y avait des feuilles mortes sur le rebord de la fenêtre et la vitre était trouble.

« Vous êtes là ? appela-t-elle. Il fait froid dehors. »

Gladstone ne dit pas un mot. Il ne vint pas ouvrir la porte. Elle regarda par la fenêtre et vit que la maison était vide, hormis un petit cafard noir qui rampait par terre.

Peu après, Georgia et Bessi furent placées dans des classes différentes. Les professeurs en avaient discuté entre eux et estimé qu'il était temps qu'elles suivent chacune des voies distinctes. Lorsque les jumelles réclamèrent de rester ensemble pour le cours d'économie domestique, Aubrey fut convoqué chez la directrice.

— Monsieur Hunter, lui dit-elle, il est très important qu'elles ne restent pas trop attachées l'une à l'autre. Le monde extérieur est un monde de séparations, il faut qu'elles y soient préparées.

— Oui, dit Aubrey, les joues un peu rouges, remarqua la directrice.

Georgia et Bessi attendaient dans le couloir en espérant qu'il ne crierait pas. La veille, il était rentré tard à la maison pour la première fois depuis longtemps et elles l'avaient entendu crier au beau milieu de la nuit.

— Ces deux-là, dit-il, elles sont inséparables comme le pain et le beurre, tout le temps ensemble à cuisiner à la maison, tout ça.

— Des flapjacks, par hasard ? demanda la directrice.

— Des milliers de flapjacks.

— Mais n'êtes-vous pas d'accord, monsieur Hunter, qu'elles auraient beaucoup à gagner en acquérant un peu d'indépendance l'une par rapport à l'autre ?

— Bien sûr.

Aubrey se pencha vers la directrice, qui était bien plus grande que lui. Elle baissa le regard, en travers du bureau, et il lui sembla déceler un soupçon d'alcool.

— Je n'ai jamais été du genre à dédaigner l'indépendance, reprit-il. Mais en temps voulu, en temps voulu. Et qu'est-ce qu'une heure, dans une semaine d'indépendance ? Comme le pain et le beurre, ces deux-là.

La directrice demanda à Aubrey, si elle pouvait se permettre, si d'aventure il avait bu en pleine journée, pour fêter quelque chose, peut-être ? Aubrey répondit qu'il ne buvait jamais dans la journée et qu'il n'avait d'ailleurs jamais été un gros buveur.

Il redescendit le couloir en tenant Georgia et Bessi par la main, une à gauche, une à droite, les serrant très fort, si fort que ça faisait mal. Avant de partir, il se pencha et parut sur le point de dire quelque chose. Son regard alla d'une jumelle à l'autre puis s'éloigna. Quand il prit enfin la parole, sa voix était difficilement reconnaissable.

— Votre grand-mère ne va pas bien, dit-il. Elle a eu un accident.

— Quoi comme accident ? demanda Georgia.

Judith était un souvenir flou d'avant Sekon, un fouillis de cheveux blancs et d'aiguilles à tricoter qui s'était abattu une ou deux fois sur le salon en distribuant des ordres à la ronde. Au téléphone, à leur retour de Sekon, elle leur avait parlé à chacun à tour de rôle, y compris à Ida, et leur avait dit de laver soigneusement leurs vêtements pour être sûrs d'éliminer toutes les mouches.

« En Afrique, les mouches ont des maladies », avait-elle dit.

Judith s'était fait renverser par un bus dans le centre de Bakewell en allant à la poste. D'après le récit désespéré de Wallace (sa première conversation avec Aubrey depuis des années), elle était distraite, ces derniers temps, et elle avait sans doute traversé sans regarder, la vieille pomme. Elle souffrait de contusions aux côtes et s'était violemment heurté la tête contre le trottoir. Aubrey allait partir le lendemain matin pour la voir à l'hôpital.

— On peut venir ? demanda Bessi, repérant tout de suite une occasion idéale de sauter l'école.

Aubrey dit que non, qu'elles devaient rester avec leur

mère et que Grannie allait se remettre. Il s'éloigna sans dire au revoir.

La directrice autorisa Georgia à rester en salle bleue pour l'économie domestique, mais pour tout le reste, elle fut transférée en rouge, salle Nelson. Elle s'installa à une place libre à côté d'une fille qui s'appelait Anna. Anna lui demanda : « T'es la jumelle de Bessi ? » Et elle lui dit : « Tu as de beaux yeux, hein. » Elles ne tardèrent pas à partager leurs paquets de chips pendant la récréation. Anna avait une gerbille à la maison. Georgia lui parla de Ham. Elles discutaient des différences entre les gerbilles et les hamsters.

Ça leur était étranger, cette façon de vivre, de se rencontrer dans la cour comme le faisaient les autres, comme si elles étaient pareilles qu'eux, pareilles que les sans-jumeau. Elles avaient l'impression d'être diminuées de moitié et doublées en même temps. Anna devint la meilleure amie de Georgia. Elle avait des taches de rousseur et un toupet poil de carotte, sans compter le sobriquet de Nez de Fiente, parce qu'une fois un pigeon avait piqué vers elle et lâché une crotte au bout de son long nez pointu. Quant à Reena et Bessi, elles formaient déjà un tandem. Reena tournait de plus en plus mal. Elle prit l'habitude d'écraser ses saletés de nez sur les vitres des autobus à impériale pour affirmer qu'elle était une dure, et elle se faisait tout le temps mettre à la porte des cours parce qu'elle chahutait. À deux reprises, elle avait été prise en flagrant délit de vol à l'étalage : « Une fois chez W. H. Smith, dit-elle, et une fois à la maison de la presse. » Ce qui arriva au Woolworths cet hiver-là, Georgia en était convaincue, fut entièrement la faute de Reena. *C'est elle qui a commencé*, écrivit-elle plus tard, *elle nous a poussées à le faire. Elle craint.*

Quinze jours avant Noël, le Woolworths de Neasden scintillait de rouge, de vert houx et de doré dans le crépuscule tombant. Ses vitrines floues aux reflets de papier bonbon clignaient comme les yeux secrets de Georgia. Des crayons parfumés, des trousses pailletées, des parapluies arc-en-ciel. Des barres chocolatées, des sachets de poudre acidulée, une profusion de confiseries en libre-service. Les jours de semaine, catapultés par la sonnerie de 15 h 30 de leurs ennuyeuses salles de classe à la liberté vagabonde d'après l'école, des troupeaux d'écoliers traînaient en braillant au centre commercial. Les garçons du collège Watley pour garçons reluquaient les filles du collège Watley pour filles et les invitaient à sortir avec eux. Les grands frères et les petites sœurs se retrouvaient là. On fourrait les cravates au fond des cartables. On maudissait les profs. Sous le sceau de la confidence, on avouait qu'on avait le béguin pour untel ou unetelle.

Parmi ces écoliers figuraient Georgia et Bessi, le Front 1 et le Front 2, celui de Georgia vers l'arrière et vers le haut, celui de Bessi vers le haut et vers l'arrière. Elles travaillaient dur à leur projet de flapjacks et acquéraient un certain professionnalisme. Tandis qu'en 2G, Georgia levait la main pour répondre à « Pourquoi Boudicca a-t-elle mené la révolte contre les Romains ? » par « parce que l'armée romaine avait tué son mari et attaqué son peuple », Bessi, en 2B, levait la main pour répondre à « Où en Australie le Capitaine Cook a-t-il dressé le drapeau britannique pour la première fois ? » par « Dans la baie de Botany ».

Elles étaient flanquées d'Anna et de Reena. Les deux étaient devenues quatre, mais il était entendu qu'Anna et Reena étaient seulement les meilleures amies de service, moins meilleures que ne l'étaient Georgia et Bessi l'une pour l'autre. C'était tacite et accepté.

Toutes les quatre portaient d'amples manteaux de velours côtelé blanc identiques, aux parements crème gonflés à craquer, qu'elles avaient supplié leurs parents de leur acheter au marché de Wembley (« C'est la mode, avait dit Bessi à Aubrey, on en a besoin »). À la grille de l'école, dans la cour, au centre commercial, elles déboulaient toutes les quatre, créatures d'écume, telle une vision arctique chaloupée, vision qu'il faudrait abandonner à contrecœur à la fin de l'hiver, laver, remiser et regretter jusqu'à l'hiver prochain.

Woolworths brillait de tous ses feux. Il les appelait. Le vigile à l'entrée regardait les collégiens avec un mélange de crainte et de bienveillance. Georgia, Bessi, Anna et Reena s'approchèrent de la porte. Des filles de neige surgies de terre. Il s'inclina quand elles entrèrent, déclenchant quatre gloussements débraillés. Il les regarda détaler vers le rayon papeterie en passant devant les landaus gazouillants et les mamans volubiles, et se mettre, une fois là-bas, à tripoter des crayons à la mine aromatique et des taille-crayons dont les lames étincelaient sous les néons jaune citron, à tacher de leurs doigts maculés d'encre les tout derniers modèles de gomme, la lèvre inférieure retenue par les dents du haut. Il les surveillait en se balançant comme un métronome, les mains serrées dans le dos. D'autres écoliers débarquèrent et il s'efforça de suivre en même temps des yeux ces dix glandeurs montés sur ressorts, aux voix sonores et querelleuses, qui avaient la fièvre de la sortie des classes dans le sang. Ce n'était pas facile. Il ne vit pas les quatre créatures d'écume se diriger vers le rayon confiserie, où les Twix rayonnaient dans leurs emballages de caramel soyeux à côté des

Maltesers aériens comme des bulles et des bonbons variés étincelants de sucre – joyaux incontestés du Pays des merveilles de Woolworths. Les filles, regroupées en conciliabule bruissant, comptaient leur monnaie.

— 28 pence.

Anna exhiba les pièces au creux de sa main tendue.

— 13 pence, dit Bessi.

— Et ton argent de ta tournée de journaux ? Moi il m'en reste 50 pence, dit Georgia.

— Je l'ai dépensé à midi.

Elles regardèrent Reena. Comme d'habitude, celle-ci n'avait pas le sou. D'un coup, sans crier gare, elle happa un fondant à la menthe à l'emballage vert vif d'un des présentoirs et le glissa dans sa poche. Des étincelles s'allumèrent dans leurs yeux. Elles firent volte-face pour voir si quelqu'un avait remarqué. Aucun danger.

— *Reena !* chuchota Bessi. C'est *vilain* !

— Oh, fais pas ta sainte nitouche, c'est jamais qu'un bonbon ! rétorqua Reena, qui prit un biberon en chocolat blanc d'un autre présentoir, le fourra dans sa bouche et se mit à mastiquer avec un air de défi.

Anna pouffa de rire.

— C'est du vol ! s'écrièrent Georgia et Bessi.

— C'est pas du vol. Mon frère dit que n'importe quoi au-dessous d'une livre, c'est pas du vol. C'est la loi.

Elles y réfléchirent. Ça paraissait plausible. Elles demanderaient à Bel en rentrant à la maison.

Des Haribo acidulés scintillaient à côté des vermicelles en sucre multicolores. Tout en suçotant son trophée au lait, Reena leva les yeux au ciel dans une parodie de grimace orgasmique. Les trois autres la regardaient avec jalousie. Foies jaunes. Poules mouillées. Trouillardes. Reena était la reine suprême des dures de dures.

— Vous êtes pas chiche ! suçota-t-elle.

Nez de Fiente s'approcha en douce des bonbons en libre-service. Elle caressa les ventres de quelques bébés en gélatine de la pointe de ses doigts moites. Respirer à fond. Réunir et attraper. Retirer la main refermée en poing. Regarder alentour. Lever la main. Cinq bébés en gélatine. Ouvrir la bouche. Les bébés sont engloutis. Youpi ! Hi hi hi. Une bouche qui mâche vigoureusement, pleine de bébés en bonbon. Les yeux d'Anna étincelaient. Reena la pionnière lui donna un coup de poing à l'épaule, à la mode révolutionnaire. Elles se mirent à rire bruyamment, à se tordre, pliées en deux, les gloussements se battant avec la gélatine dans la bouche triomphante d'Anna.

— Elle assure trop, ma copine ! dit Reena.

— Tu l'as dit bouffi ! renchérit Anna.

Les jumelles mordaient leurs lèvres de trouillardes du bout de leurs dents de poules mouillées. Leurs yeux entrèrent en contact. Pleins d'appréhension.

Georgia donna un coup de coude à Bessi.

— Allons-y ! dit-elle.

Mais Bessi ne bougea pas.

— Les gentilles jumelles saintes nitouches ! persifla Reena.

— *La honte !* lança Anna, les condamnant pour l'éternité à de nouvelles humiliations.

Comme si le Spam ne suffisait pas.

Deux allées plus loin, le vigile, rassuré maintenant que les autres glandeurs ne tramaient rien de pire que de remettre n'importe où des articles trop chers après les avoir examinés, entendit les hurlements de rire du quatuor oublié. Il alla au bout de l'allée confiserie, il jeta un coup d'œil et ne vit rien d'autre que les filles de neige qui traînaient, deux d'entre elles s'esclaffant, deux autres piétinant silencieusement sur place. Pas de mains empochant des bonbons. Pas à ce moment-là.

Il les observa.

Bessi savait ce qu'elles devaient faire.

— Viens, Georgia, dit-elle. Il faut qu'on le fasse.

Dans un rapide échange télépathique d'embarras, elles décidèrent que quelque chose de sucré, quelque chose qui soit supérieur à des bébés en gélatine ou des biberons sans toutefois dépasser les1£, devait être *pris*.

Comme Woolworths ne vendait pas de flapjacks, elles optèrent pour des Twix. Pas un, mais deux. Une barre jumelle chacune pour les futures copines-*qui-assurent*.

Georgia et Bessi se glissèrent jusqu'à leur proie au cœur de biscuit. L'une en face de l'autre, elles vérifièrent si la brigade des bonbons était là, en coulant des regards inquiets. Aucun danger en vue. Une main gauche moite et une main droite moite s'essuyèrent sur le velours côtelé. Une dernière vérification terrifiée. Une image soudaine de leurs parents. Le trac faisait des nœuds frénétiques dans leurs ventres. Inspiration profonde, une chacune. Mettre la main sur le Twix. Écarter les doigts. Soulever doucement. Attraper. Retirer le poing. S'assurer de l'absence de la brigade. Remplir la poche, un chacune. Contact des yeux, jubilants, coupables. *C'est pas du vol.*

Alors pourquoi le vigile fonçait-il vers elles sans son sourire ? Et pourquoi leurs meilleures amies leur faussaient-elles discrètement compagnie ? Pourquoi leurs cœurs chaviraient-ils, tambourinaient-ils ? La terreur fit boule de neige. Elles se retournèrent d'un coup et aperçurent le brigadier des bonbons, ses yeux gentils transformés en glace, la bouche à présent pincée et durcie par le blâme.

— Bon, les filles, venez avec moi, dit-il.

Pas de « Mais ». Pas de « C'est pas du vol ». Juste on se tient par la main et on le suit jusqu'à une très grande femme au badge de gérante de Woolworths et aux yeux de mercure dégoûtés, membre de la brigade des bonbons – Mme E.F. Winters. Deux Twix sont récupérés. Deux âmes de douze ans tremblent. Anna et Reena battent en retraite et sauvent leur peau, sortant par la porte à deux battants qui mène à la liberté.

La sentence de Georgia et Bessi fut pire qu'une peine de prison. La dénonciation la plus déroutante, la plus effrayante, de la nature la plus intime qui soit.

Mme E.F. Winters ordonna :

— Je veux que vous rentriez à la maison maintenant, que vous racontiez à vos parents ce que vous avez fait et que vous leur disiez que vous avez été prises en flagrant délit.

Raconter à leurs *parents* ? La fureur d'Aubrey. La déception d'Ida. Pour deux autres voleuses à l'étalage, Anna et Reena par exemple, qui avaient montré qu'elles étaient des dures, cette condamnation aurait été une chance. Une échappatoire. Elles auraient accepté tout de suite, *elles*, et promis d'informer leurs parents, puis elles seraient parties tranquillement, auraient « oublié » de tenir leur promesse. Mais pour Georgia et Bessi, qui se souvenaient en tremblant de la fois où Bel avait volé des chaussettes à C&A, cinq ans plus tôt, et où Ida l'avait pourchassée autour de la table de la salle à manger, sans répit, puis s'était assise sur elle quand Bel s'était écroulée sur le canapé, rendant les armes – *assise* sur elle –, où Aubrey l'avait obligée à rester debout dans le placard sous l'escalier une après-midi entière et sans dîner après, la punition était abominable.

Leurs balbutiements s'égrenèrent en cadence.

— Je p-promets.

— J-je promets.

Mme E. F.Winters regarda les deux filles de neige brunes s'éloigner d'un pas chaloupé, se tenant étroitement par la main, la tête basse, et sortir par la porte à double battant.

Le velours côtelé blanc s'en retourna à la neige qui tombait.

Sur le chemin du retour, dans le crépuscule qui était devenu la nuit, les jumelles versèrent des larmes. Le bras de Bessi passé dans celui de Georgia, leurs mains serrées dans la poche de Georgia, elles évaluèrent leurs options tout en remontant la ruelle étroite et raide. Le sol présentait des fissures et, quand il pleuvait, elles ressemblaient à des veines argentées ; parfois, le matin, quand les jumelles étaient les premières dehors avec leurs journaux, de grosses limaces orange y dormaient encore, toutes mouillées, et elles les contournaient. Ce soir, la ruelle neigeait. Tout est blanc, songea doucement Georgia à travers son angoisse. Quand le blanc sera fini, on verra les fissures.

En haut de la ruelle, elle aperçut un petit cafard noir qui trottinait dans la neige. Sous ses yeux, il grossit pour prendre la taille d'un rat. Il tourna sa tête sale et la regarda, et elle lui rendit son regard.

« Qu'est-ce que tu regardes ? demanda Bessi.

— Je te regarde, mignonne », dit-il.

Georgia glissa une fois ou deux sur des plaques de verglas.

— Qu'est-ce qu'on va leur dire ? reprit Bessi. Papa va nous tuer.

Georgia pensa à la chose la plus évidente.

— On n'a qu'à leur dire qu'il y a un cafard dans notre chambre. Comme ça on pourra leur dire en haut, en privé, peut-être juste à maman toute seule.

— Il n'y a pas de cafards ici.

Oh si, pensa Georgia. Elle lança un regard de côté à Bessi. Elle avait les yeux qui piquaient.

— Une araignée, dit Bessi.

Georgia hocha la tête.

Elles tiendraient leur promesse. Elles raconteraient. Mais après plus ample discussion, il fut convenu qu'elles ne raconterait pas à Aubrey et Ida, parce qu'Aubrey les sermonnerait pour avoir volé alors que leur Granny chérie n'était pas encore rétablie, et qu'il n'y avait aucun moyen de savoir ce que ferait Ida. Elles raconteraient à Bel, ce qui était presque pareil que de raconter à leur parents, sauf que Bel n'avait ni l'autorité ni le gabarit pour s'asseoir sur elles. Elles tiendraient la promesse qu'elles avaient faite à Mme E.F. Winters.

Elles remontèrent l'allée et entrèrent par l'arrière de la maison. À la table de la cuisine, Kemy dessinait une femme en robe rouge. Elle leva la tête à leur arrivée.

— Où étiez-vous passées ? Maman est fâchée.

Bessi fut la première à parler :

— À la bibliothèque avec Anna et Reena, c'est tout.

Georgia enchaîna :

— On *travaillait.*

— *Moi*, je travaille.

— Pas du tout, dit Bessi, tu colories. C'est pas du travail.

— Si je travaille ! C'est mes devoirs. Je vais être couturière !

— Où est Bel ? demanda Georgia.

— Au salon, elle regarde la télé. Papa est rentré tôt.

C'était dit comme un avertissement. Les jumelles frissonnèrent. Kemy continua de dessiner, avec un surcroît de sérieux, déterminée à prouver à Bessi qu'elle avait elle aussi des choses importantes à faire.

Elles accrochèrent leurs manteaux dans l'entrée et se faufilèrent au salon. Les yeux d'Aubrey étaient rivés à la télé comme des aimants. Les temps forts du billard. La claque et le baiser des boules jaunes et rouges s'entrechoquant contre une blanche. Des salves d'applaudissements. Bel était assise sur le canapé, les jambes repliées. Elle avait l'air de s'ennuyer. Moins risqué qu'Aubrey. Les yeux des jumelles entrèrent en contact. Une grande inspiration. Salut.

— Ah, vous voilà, vous deux. Où étiez-vous ? demanda Bel, qui n'était pas vraiment fâchée.

— À la bibliothèque.

— On travaillait.

— Vous auriez dû téléphoner, votre maman s'inquiétait, dit Aubrey, sans ajuster sa vision. Pourquoi vous n'avez pas téléphoné ?

— On a oublié.

— Désolées.

Aubrey reporta un regard absent et las sur le billard. Bessi se jeta à l'eau.

— Bel, tu peux monter une minute ? Il y a une araignée dans notre chambre.

— Ouais. Elle est *vraiment* grosse, confirma Georgia.

Bel les regarda.

— Vous venez d'arriver. Comment vous le savez ?

— On est montées d'abord. Elle est encore là. Elle était là ce matin déjà. Elle a même des pattes poilues, dit Bessi.

— Poilues ? Ça m'étonnerait. Je déteste les araignées. Pourquoi vous ne demandez pas à papa ?

— *Noon !* On veut que ce soit *toi*.

Bel râla.

— Elle est sans doute partie maintenant, de toute façon. Il faut que j'aide maman à préparer le dîner.

Les jumelles se regardèrent, en proie au désarroi. Elles n'avaient pas envisagé que Bel leur réponde avec une telle complexité, une telle léthargie. Elles ne pouvaient pas insister davantage. Cela éveillerait des soupçons. Mais il fallait qu'elles racontent.

C'est alors que l'idée vint à Bessi : peut-être qu'elles n'avaient pas besoin de raconter. Peut-être que c'était leur chance *d'assurer*.

— C'est pas grave, dit-elle. On va se débrouiller.

Georgia ne comprenait plus. Bessi sortit du salon en la tirant par la main, les yeux en feu.

— Voilà ! lui souffla-t-elle pendant qu'elles grimpaient l'escalier du grenier. On l'a fait !

Le lendemain matin, elles se rendirent à l'école d'un pas ferme et Bessi dit à Anna et Reena qu'elles s'en étaient tirées à bon compte, haussant les épaules comme si elles n'avaient pas été terrifiées.

— C'était rien, dit-elle. Ils ne pouvaient rien contre nous.

Anna et Reena furent impressionnées.

— Vous assurez, les filles, dirent-elles.

Pendant quelque temps, les yeux gris et froids de Mme E.F. Winters les hantèrent dans le calme de la nuit. Puis la neige fondit. Les crevasses du sol apparurent. L'été rosit et les yeux s'effacèrent.

— Bessi, dit Georgia, alors qu'elles étaient allongées dans le noir, la nuit du Woolworths, sans araignée dans leur chambre.

— Ouais.

Bessi attendit.

Georgia voulait lui raconter les cafards, et ce qui s'était passé. Elle voulait dire : une nuit à Sekon... cette nuit-là. Elle voulait dire : Sedrick, cette nuit-là, il. Mais elle les sentit avancer vers elle, grimper sur le couvre-lit.

— Quoi ? fit Bessi.

— Mes yeux ne fonctionnent pas comme il faut, dit Georgia.

Bessi se taisait.

— Je crois que j'ai besoin de lunettes.

— Moi aussi, dit Bessi.

6

Mr Hyde

Le film *Dr Jekyll et Mr Hyde* n'avait rien à voir avec *Dallas*. Il n'y avait pas d'épaulettes ni de Bobby Ewings en smoking. Le maquillage de Mr Hyde lui donnait l'air d'une pomme de terre et ses cris, quand il se transformait, sonnaient faux. Le concept du film, néanmoins, faisait descendre Georgia, Bessi et Kemy au canapé du salon quand il passait à la télé, pour voir et guetter le moment où le gentil docteur, le bon docteur altruiste et bien-aimé, buvait sa mystérieuse potion bleue puis enflait et devenait dans un bouillonnement le vil Mr Hyde. Son alter ego chimique. Parce que c'était juste la chimie, croyaient-elles, qui transformait parfois Aubrey en monstre. Elles imaginaient que ça se passait de la façon suivante : Aubrey buvait le whisky aux reflets de sirop – un verre, puis un autre. Le breuvage descendait vers son cœur. Un hurlement féroce et désespéré montait du plus profond de la nuit, accompagnant l'éclatement et le rougissement de la peau, l'accélération immédiate de la pousse des cheveux et le développement soudain des muscles. Et le bon docteur avait disparu. Il dormait quelque part dans un brouillard de sirop et revenait le lendemain matin après le massacre au clair de lune de Mr Hyde, un peu sonné, les idées un peu confuses, dans le déni absolu de sa propre indécence.

Bel ne le regardait plus. Elle avait maintenant dix-neuf ans et un petit copain du nom de Jason qui avait une voiture, lui achetait des boucles d'oreilles et n'avait pas fait d'études. Il avait quatre ans de plus qu'elle et travaillait à la caisse du Cricklewood Odeon. Il arborait une dent en or comme Troy, ce qui était la première chose que Bel avait remarquée chez lui lorsqu'il avait poussé un billet gratuit pour *Retour vers le futur* dans sa direction en lui effleurant le petit doigt avec son pouce. Waifer Avenue vibrait quand il venait la chercher dans sa jeep aux vitres noires. Vibrait jusque dans les sièges et la moquette. « Dis à ce garçon de baisser sa musique ! criait Aubrey. De toute façon je me demande bien comment il peut se payer une voiture pareille ! »

Ni Georgia ni Bessi n'avaient encore pu demander conseil à Aubrey sur la construction d'un empire car ça faisait longtemps qu'il ne s'était pas montré de bonne humeur. (Cependant, elles avaient entrepris des études de marché sur les flapjacks, en poussant jusqu'à Willesden et Kilburn. Cela impliquait de se rendre à de potentiels points de vente de flapjacks – maisons de la presse, supermarchés, libres-services –, de relever les marques et les parfums et de chercher attentivement du regard les piétons du quartier qui mangeaient des flapjacks. Elles étaient également arrivées à la conclusion que le coût moyen de production d'un flapjack serait de 18 pence.)

Depuis l'accident de Judith, Aubrey passait davantage de temps un verre à la main, dans le jardin d'hiver ou en circulant dans la maison, et il n'y avait plus de cocktails pour donner à cela un air festif. Il n'y avait que lui, en pleine nuit, avec le bourdonnement du frigo et les nouvelles fissures. Sa mère ne l'avait pas reconnu quand il lui avait rendu visite à l'hôpital. Il s'était assis le visage tout près de sa tête enveloppée de pansements et elle avait ouvert un œil et l'avait regardé. « Dorset est trop loin mais j'aurais d'abord besoin du vert », avait-elle murmuré. Ensuite elle s'était rendormie pour ne plus se réveiller avant dix-sept jours. Un mois plus tard, Aubrey avait passé une semaine avec elle à la maison de Bakewell, qui sentait maintenant le moisi et les chaussettes sales. Wallace tétait bruyamment sa cigarette et disait à Aubrey : « Elle n'est jamais revenue de là où elle est partie », tandis que Judith restait à la fenêtre, frêle et blanche, en souriant de temps à autre, sans se rappeler le nom d'Aubrey. Tout cela lui donnait un sentiment de perte, comme un adolescent qui serait parti de chez lui pour la première fois.

Georgia demanda à Bel ce qu'il avait. Aubrey ne parlait à personne de sa mère, sauf pour signaler par de brefs bulletins qu'elle était « en voie de guérison » ou « plus ou moins revenue à la normale », mais elles savaient que ça devait être plus grave que ça parce qu'elle ne téléphonait plus.

— Pourquoi il ne nous parle pas de Granny ? demanda Georgia. Est-ce que c'est un secret ? Elle va mourir ou quoi ?

Bel dit à Georgia qu'elle ne savait pas, mais qu'elle savait que leur père était un animal refoulé, un mâle qui plus est, ce qui voulait dire qu'il ne savait pas comment parler de ses sentiments.

— Ah bon ? fit Georgia.

Elle aimait s'asseoir sur le lit de Bel, à côté du rebord de fenêtre où elle faisait brûler ses bâtons d'encens.

Aujourd'hui c'était Musc Violet de chez Sheperd's Bush.

— Comment est-il devenu un animal refoulé ?

Bel s'interrompit dans sa pose de mascara. Elle chercha dans le miroir, au-delà de son reflet.

— Il n'a pas répondu à ses démons, dit-elle. Et maintenant ils le dévorent.

— Ah, dit Georgia. Elle se sentit prise de fourmillements. Est-ce que ça va s'arranger, Bel ?

— Les gens peuvent changer, dit Bel. Il pourrait se passer quelque chose d'incroyable. Tout est dans les étoiles. Et ne prends pas cet air inquiet, ma chérie, n'oublie pas d'avoir treize ans. Tiens, tu veux du brillant à lèvres ?

Ces derniers temps, Bel aimait mettre du rouge à lèvres abricot avec une touche de brillant sur le haut, plus les boucles d'oreilles que lui achetait Jason, deux paires et demie à la fois car elle avait cinq trous dans les oreilles. Des violons dorés et des planètes dans des cerceaux se balançaient à son cou. Elle avait une chevelure énorme, noire et bouclée, huilée de romarin pour stimuler la pousse. Bel suivait une formation de coiffure sans produits chimiques – « pas de défrisage, pas de décoloration, rien que des nattes, des produits de soin pour afros, des tresses torsadées et du henné » – et Kemy et les jumelles lui servaient de modèles. On pouvait souvent voir l'une ou l'autre assise la tête entre les genoux de Bel qui lui tressait les cheveux en nattes couchées en zigzag ou en touffe d'ananas, ou qui vaporisait les afros des jumelles pour les rendre brillantes. Bel connaissait tous les gels et toutes les huiles à utiliser, tous les moyens pour embellir. Elle portait les châles d'Ida et ses hauts talons clinquants, dont elle se plaignit un soir, en s'écroulant en bas de l'escalier, quand le garçon qui n'avait pas fait d'études la déposa à la maison. Aubrey l'attendait dans l'entrée. Il tanguait sur ses pieds. Il lui dit qu'elle avait l'air d'une bohémienne et que ce voyou ne manque pas de culot de te ramener aussi tard. Bel attendit en silence qu'il finisse, ce qui prit environ trois quarts d'heure car il y en avait long à couvrir (la musique trop forte de Jason, son absence d'études supérieures et ses investissements probables dans des entreprises douteuses, l'ingratitude de Bel envers le rôle de père d'Aubrey, l'incompétence d'Ida en tant que mère et épouse, l'incompétence de la Grande-Bretagne en matière de transports publics, en particulier pour le métro de Londres, le nombre croissant de ralentisseurs à Willesden et le fait qu'il travaillait depuis presque trente ans et qu'il était salement crevé).

— Bonne nuit, papa, dit Bel quand il en eut fini. Essaie de dormir un peu.

Aubrey la regarda monter l'escalier d'un œil cotonneux. Au fond d'un taudis enfoui en lui-même, il était frappé de voir à quel point elle était belle, à quel point elles devenaient toutes belles, comme Jacqueline Flynn tant d'années auparavant à Bakewell, avec ses cheveux roux et son parfum : des petites femmes, aux jolis yeux verts et marron.

À présent, pour regarder *Dr Jekyll et Mr Hyde* ou quoi que ce soit d'autre à la télé, Georgia et Bessi avaient besoin de leurs lunettes de la Sécurité sociale. Elles étaient myopes. Elles pouvaient voir l'A406 et le stade de Wembley par-delà les toits, mais pas des mots sur l'écran de la télévision. À Watley, on les appelait les Spamettes à lunettes et chacune en tenait secrètement l'autre pour responsable. Les jumeaux avaient souvent des problèmes de vue, leur avait dit l'opticien, et on ne pouvait pas y faire grand-chose.

— C'est parce que vous êtes spéciales, dit Bel. C'est bien d'être spécial. Ne l'oubliez pas, vous avez de la chance de vous avoir l'une l'autre. Alors ne l'oubliez pas, surtout.

Le Dr Jekyll hurlait, grinçait des dents, roulait des yeux dans son laboratoire. Seringues et éprouvettes étaient renversées. Les miroirs volaient en éclats. Le sol se couvrait de poison. Et le gentil docteur disparaissait.

Mr Hyde et Ida ne s'entendaient pas bien. Dr Jekyll et Ida ne s'entendaient pas non plus et Georgia et Bessi en étaient venues à accepter l'idée qu'être mariés signifiait ne pas s'entendre et ne pas divorcer. Quand le soleil de Sekon s'était éteint, Ida avait battu en retraite à l'intérieur de sa robe de chambre. Pour elle, la maison n'était pas un lieu sans domicile fixe ; c'était un lieu précis, une chaleur, un arbre. Elle se fabriqua une bulle qui s'appelait le Nigeria-sans-Aubrey. Ses enfants avaient le droit d'y entrer, Bel à sa droite, Kemy toujours sur ses genoux, la place que le dernier-né ne quittait jamais, et les jumelles un peu à l'écart, dans leur propre bulle. Parfois, pendant le dîner, Ida disait « Passe le poivre » en edo et Aubrey plantait sa fourchette plus fort ; d'autres fois, tôt le matin, elle disait : « À la maison, maintenant, ils chantent ». Le samedi, elle donnait des cours d'edo aux filles dans la chambre de Bel parce que la langue, c'était la loyauté, et ça ne lui fit pas plaisir quand Aubrey lui demanda d'arrêter. « On est en Angleterre, maintenant, dit-il. Les filles n'ont pas besoin du nigérian ici. Elles l'oublieront bien assez vite. » Les cours devinrent clandestins et pour finir, les jumelles abandonnèrent à cause de leurs obligations liées aux flapjacks, Kemy abandonna à cause des jumelles, et Ida ne parla plus edo qu'à Nne-Nne, le plus souvent seule le soir, en haut.

Et, en de rares occasions, à Bel. Ida n'était pas femme à approuver qu'on jure ni qu'on invoque le nom des dieux vainement. Mais, par une après-midi d'octobre 1986 tout en bourrasques où Bel la prit par surprise, ce fut plus fort qu'elle.

Elle s'exclama : « Ovia ! », ce qui, traduit, n'était pas très différent de « Nom de Dieu ! » ou « Prends pitié Seigneur ! ».

Bel avait demandé à tout le monde de s'asseoir au salon. Elle avait une expression grave et Georgia avait envie de lui demander si elle se sentait bien. Il y avait du cricket à la télé. Aubrey attrapa la télécommande.

— Éteins la télé, papa, dit Bel.

— Il reste plus qu'un seul guichet, bon sang !

Bel s'assit dans le fauteuil le plus proche de la porte et attendit. Dehors, les feuilles d'automne voletaient devant le bow-window et les fils du téléphone tremblaient au vent.

— Tu veux bien éteindre, papa, s'il te plaît, répéta Bel. Je suis enceinte.

C'est alors qu'Ida jura. Elle se leva en perdant une pantoufle, s'approcha de Bel en titubant et essaya de s'asseoir sur elle. Bel, qui s'y attendait un peu après l'incident des chaussettes du C&A, se leva d'un bond, juste à temps. Quand vos enfants vous déçoivent, vous vous asseyez dessus : c'était comme ça qu'on faisait. Nne-Nne s'était assise sur Ida plusieurs fois et, avant elle, Cecelia sur Baba.

Ida tomba donc dans le fauteuil vide et le cricket resta à l'écran parce que les doigts d'Aubrey étaient dans un état de choc trop grand pour éteindre.

— Ben merde alors, marmonna-t-il. Bordel de merde, mais qu'est-ce que... le goujat.

Kemy et les jumelles se resserrèrent sur le canapé, épaule contre épaule, les bras croisés sur les genoux, leur regard passant d'Aubrey à Ida à Bel, qui était debout dans la salle à manger, en larmes et l'air prête à partir en courant.

— C'est ce garçon, n'est-ce pas ? dit Aubrey. Avec sa voiture ridicule.

— Jason, continua Bel.

Aubrey se remit à marmonner que Jason était un goujat.

— C'est pas un goujat ! cria Bel. Ne dis pas ça.

— C'est un goujat, un sacré goujat ! Alors, tu lui as dit ? Est-ce qu'il sait ? On verra bien si c'est un goujat ou non.

— Je lui ai dit et c'est pas un sacré goujat, papa !

Ida secouait lentement la tête, traversant la moquette du regard.

— Tu vois, disait-elle. Tu gâches ta vie, comme moi. Tu vois ce qui arrive ? Tu n'es qu'une enfant.

Bel fut la seule à l'entendre.

— J'ai presque *vingt ans*, bon sang !

— Ouais, intervint soudain Kemy. Elle est assez grande pour être maman. Je connais une fille à l'école, sa sœur n'a que dix-huit ans et elle en a eu un l'année dernière ! Un garçon. Et elle va très bien. Elle est vivante, elle va bien et sa mère l'aide à s'occuper du bébé.

Aubrey jeta un coup d'œil à Kemy, qui se demanda si elle n'aurait pas mieux fait de se taire.

Il éteignit le cricket. Un silence de tonnerre. Il se leva. Et il prononça les mots.

— Je sors.

S'il te plaît, reste, pensa la maison.

Il ne dit pas au revoir. Elles l'entendirent prendre son manteau. La porte d'entrée claqua. Elles regardèrent toutes la tache de bière au plafond.

— Désolée, dit Kemy.

— C'est pas ta faute, dit Ida.

Lorsque Aubrey disait « Je sors », il y avait toujours plein de ménage à faire et de choses à préparer. Elles avaient quelques heures pour créer perfection, satisfaction et obéissance suprême. L'aspirateur était sorti, les plumeaux, les brosses et la cire disposés sur la table de la cuisine. Elles consultèrent les listes de corvées, établies par Aubrey l'année précédente quand Kemy avait eu dix ans. Elles ne savaient pas trop qui devait faire quoi parce que aujourd'hui c'était jeudi, et qu'en général le ménage se faisait le samedi. Bel renifla et dit : « Vous n'avez qu'à faire ce que vous auriez fait un samedi. » Kemy eut donc l'escalier, les deux étages avec la pelle et la balayette. Georgia le salon. Bessi la salle à manger. Et Bel, le reste. La zone qui entourait la porte d'entrée trembla. Le crépuscule se préparait. Elles filèrent à leurs postes et se mirent au travail.

Ida sortit des oignons de ses sacs plastique et commença à cuisiner. Elle ne pensait pas qu'Aubrey rapporterait des fish and chips ce soir, bien que ce soit leur menu du jeudi. Nne-Nne s'assit sur un tabouret près de l'évier et se frotta les genoux. « Mes os me font de plus en plus mal, dit-elle à Ida. Je commence à fatiguer. » Ensuite Nne-Nne se lança dans une histoire sur Cecelia. Elle gloussa. « Hum ! Tu sais pas ce qu'elle a fait ? Quand elle avait seize ans, avant de partir de la maison, un garçon de Inone a essayé d'embrasser son corps, le soir, dans le sanctuaire où elle rendait le culte. Alors Cecelia, elle a levé jambe, là, et elle a donné un coup de pied dans le ventre du garçon. » Nne-Nne se claqua la cuisse. « Oui, elle était forte, Ida. Elle a sauté haut et elle a battu ce bon à rien jusqu'à ce qu'il la supplie d'arrêter, et le lendemain elle l'a dénoncé aux anciens. Après ça, elle avait toujours un couteau dans sa jupe. Le couteau est parti avec elle à Lagos. Elle était plus endurcie que toi, Ida ! »

La maison commençait à sentir la cire, le désodorisant d'intérieur et l'encens au bois de santal que Bel faisait brûler dans toutes les chambres pour conjurer le mauvais sort. Kemy cognait bruyamment la balayette contre les marches. Georgia manœuvrait l'aspirateur, déplaçait les fauteuils et le canapé pour avaler la poussière d'en dessous et chercher les cafards. Dans la salle à manger, Bessi chantait la chanson d'Eurythmics sur l'ange. C'était une raison de chanter, qu'il y ait encore de la place dans l'air, de la légèreté, une odeur d'oignons, et que la maison en cet instant soit propre, libre et sans soucis.

Il était 6 heures. Il pouvait être n'importe où mais il y avait de grandes chances qu'il soit chez Alfred's, dans la zone piétonne de Neasden, au comptoir, en train de discuter avec Jim. Jim était le plombier qui réparait quelquefois la chaudière. Aubrey éclusait du sirop pour faire passer la journée, tout en racontant à Jim qu'on travaille trente ans de sa vie et pour quoi, hein ? Pour une chaudière cassée, voilà pourquoi, dit Jim en riant. Mais il y a la petite femme aussi, adorable, ta petite femme, ajouta-t-il, une vraie reine africaine ! La tête d'Aubrey commençait à danser. Une valse. Il la prit par le bras et la laissa mener la danse. Il disparut à l'intérieur du verre – et du fond du verre trouble montait Mr Hyde.

Georgia sortit du salon et s'engagea dans l'escalier.

Elle tourna la tête vers la porte d'entrée. Du haut des marches, le masque aux cheveux de paille la regardait de son regard sans yeux. Il faisait sombre à présent. Elle entendit pleurer.

Elle poussa la porte de la salle de bains et alla s'asseoir à côté de Bel, sur le rebord de la baignoire. Elles portaient des tabliers aux taches anciennes. Georgia passa le bras autour des épaules de sa sœur et regarda le radiateur.

— Je ne sais pas quoi faire, dit Bel.

Georgia se tut. À moins d'être quelqu'un d'extrêmement important comme Gladstone ou Dieu, il n'y avait rien à dire quand quelqu'un ne savait pas quoi faire.

— Jason a dit qu'il n'allait pas se sauver, il n'est pas comme ça, poursuivit Bel entre ses sanglots. C'est pas un goujat.

— Non, dit Georgia. Pas s'il dit qu'il s'occupera de toi de toute façon.

— Un bébé, dit Bel aux murs blancs.

— Un bébé.

— Tu crois que je serais une mauvaise mère ? demanda Bel.

Georgia réfléchit. Elle serra les lèvres.

— Tu serais une bonne mère pour une pauvre petite créature comme un enfant.

Bel regarda Georgia et se posa des questions, comme tant de fois déjà.

— Tu pourrais l'appeler Bel, ou Bill, ou Bob. Ou Bumbo.

— Il a dit qu'on pouvait se marier, dit Bel.

— Vraiment ?

— Mais je ne sais pas si j'ai envie de me marier avec lui.

— T'es pas obligée, dit Georgia. Comme ça t'auras pas besoin de divorcer.
— Qui divorce ?
Georgia haussa les épaules.
— Plein de gens. Les parents de Reena ont divorcé.
— Ça, c'est les autres.
Georgia se tourna vers elle :
— Tu sais ce que je pense, Bel ? Je pense que tu peux faire tout ce que tu veux, parce que tu es Mystic Bel... Sois mystique.
Bel rit et Georgia sourit au radiateur. Elles entendirent Bessi chanter au rez-de-chaussée.
— Mais tu ne vas pas partir, hein ? demanda Georgia.
— Je ne sais pas.
Bel se tut et regarda cette chose, à l'intérieur de Georgia, qui n'allait pas. Une peur, une panique, une façon de faire attention.
— Georgia, dit-elle. Est-ce que tu vas bien, ma puce ?
— Oui, dit Georgia.
Bel lui prit la main.
— Alors. Je suis Mystic Bel, comme tu dis. Et toi, tu as un secret.
Georgia garda les yeux baissés et sonda les zones invisibles.
— Est-ce que Sekon te manque, des fois ? demanda Bel. À moi oui, de temps en temps. Kemy dit que Nounou Delfi lui manque.
— Non, dit Georgia d'un ton ferme.
Bel se rapprocha de Georgia et baissa la voix.
— Je t'ai entendue hurler cette nuit-là, tu sais, quand je t'ai trouvée dans le jardin ? Je n'arrivais pas à bien voir, mais je sais qu'il s'est passé quelque chose, Georgia... Je n'étais pas sûre, je me demandais si Sedrick n'aurait pas... c'est juste qu'il m'a toujours paru cruel.

Elle attendit que Georgia dise quelque chose, mais celle-ci continua de se taire, en se frottant les orteils les uns contre les autres.

— J'attendais que tu viennes me trouver, ma puce, parce que je ne pouvais pas être sûre. Si tu me racontais, maintenant ? Bel passa le bout du doigt sur une des lignes dans la paume de Georgia. Cette ligne, là, signifie que tu as quelque chose sur le cœur et tu devrais dire ce que c'est parce que sinon, tu seras toujours triste. Comme maman, sauf qu'elle, au moins, elle a un endroit où aller pour être heureuse.

— J'ai un endroit, dit Georgia avec raideur. J'ai un endroit où aller.

— Où ça ?

— Bessi. Bessi et moi.

— Et quand Bessi n'est pas là ?

— Elle sera toujours là. C'est le meilleur bout de moi. On est la moitié de chacune.

— Georgia... dis-moi. Est-ce qu'il t'a touchée ?

Georgia se leva brusquement et vit son visage dans le miroir. Une chose pitoyable, pas jolie, une vieille chose sombre. Le bout le pire. Elle se rassit et ses yeux devinrent glissants.

— Viens là, dit Bel.

Partout sur le tablier de Bel, sur les taches de sauce et le thé, elle se répandit.

Elle tituba entre les roues et entendit les cafards défiler. M. Bolan avait une voix si forte. « Ne dis pas à ta mère que tu es sortie de ton lit ! » criait-il.

— Ne raconte à personne, Bel ! dit Georgia.

— Pas à Bessi ?

— Pas à Bessi.

Elles restèrent assises en silence. La maison gardait le silence.

— Bessi est là où les mauvaises choses n'arrivent jamais, dit Georgia.

Perfection, satisfaction et obéissance suprême attendaient Aubrey. Tous les miroirs avaient été astiqués, de même que les dessus de table, les buffets, les poignées de portes, les étagères et le bureau d'Aubrey, sur lequel chaque bout de papier avait été remis exactement là où il avait été trouvé. À 7 heures et demie, Ida, Bessi et Kemy regardaient la télévision, le volume baissé pour avoir assez de temps car quand Mr Hyde rentrerait à la maison, quand ses clés cliquetteraient derrière la porte, l'évacuation devrait s'exécuter plus vite que vite. Elles devraient : retaper les coussins du canapé sur lequel elles étaient assises en vérifiant que les pompons du bas pendaient comme il faut, chercher les éventuels crayons, bouts de papier et autres susceptibles de traîner par terre, mettre l'eau à chauffer pour son thé, servir son dîner sur une assiette, éteindre la télévision, poser la télécommande sur l'accoudoir gauche du fauteuil et courir en haut se coucher avec du papier-toilette à se fourrer dans les oreilles pour barrer le bruit.

La maison, avec tout ce qu'elle contenait, attendait.

L'attente commençait à bourdonner.

À 9 heures et demie, il n'était pas rentré.

« Cette nuit, ça va être une de ces nuits, dit Ida à Nne-Nne. Il est en retard. »

Nne-Nne secouait la tête.

« Grosse erreur, dit-elle, d'avoir épousé cet homme. Il t'a emmenée tellement loin de la maison, et contre quoi en échange ? Où sont tes moments de bonheur, ici, Ida ? Il t'a emmenée loin de toi-même. »

Ida alluma la cuisinière.

— Venez, cria-t-elle. Mangeons.

Elle flanqua les assiettes sur la table et y balança du riz, avec du poulet en sauce par-dessus et des légumes sur le côté, parmi lesquels des épinards (Ida avait oublié l'allergie de Bessi, malgré la liste sur le frigo qui précisait « Bessi Ne Peut Pas Manger... »). Kemy vérifia le contenu des assiettes des jumelles pour voir si elles en avaient plus qu'elle. Georgia baissait ses yeux rougis pour que personne ne remarque.

Elles dînèrent à la salle à manger, dans l'attente, le bourdonnement et l'air qui se resserrait. Les haricots coco coulèrent dans les gorges. Les sucs du poulet furent entièrement absorbés. Bessi repoussa ses épinards sur le côté de son assiette et Ida mit plus de piment de Cayenne que d'habitude. Personne ne dit mot. Elles mangèrent vite, mais pourtant savourèrent chaque bouchée comme si c'était la fin de toute nourriture.

Il n'y avait pas le temps de prendre des tartelettes aux cerises, d'éplucher des poires ni de réchauffer de la glace. Bel fit rapidement la vaisselle, Georgia essuya, Bessi et Kemy rangèrent.

Avant qu'elles ne sortent, Ida prit Bel par le bras.

— T'inquiète pas, lui dit-elle, je suis pas fâchée, on trouve une solution. Je suis désolée.

L'exode commença. Vers le ciel, la procession des pieds. Kemy trébucha dans l'escalier.

— Oh, laissez-moi dormir avec vous ! demanda-t-elle aux jumelles. S'il vous plaît ! C'est mieux au grenier !

— Et toi aussi, Bel, dit Georgia. C'est surtout après toi qu'il en aura. On n'a qu'à toutes dormir au grenier.

Bel et Kemy accoururent avec leurs couettes et leurs chemises de nuit. Les dents claquèrent sous les brosses à dents et les vêtements fusèrent dans les coins. Ida ferma la porte de sa chambre et mit sa résille. La maison s'allongea et pria pour avoir la paix.

Où vont-ils, quand ils sont en colère ? Les landes le prendraient, si Neasden avait des landes. Mais il y a les collines, et il y a une tempête ce soir, et le clair de lune. Mr Hyde arpente le vent. Il rugit et agite le poing vers le ciel. La pluie commence à tomber. Sa danse l'emmène par les rues vides et ses cheveux se mouillent. Mr Hyde titube le long de l'allée où la lune a coulé dans les crevasses du sol. Il baisse les yeux et voit de l'argenté, de l'électricité, à ses pieds, les bonshommes argentés qui tanguent, se balancent et volent et il pense, vaguement : « Ah, vous êtes là, ah, voilà, ne ménagez pas les montures ! Le dîner est-il prêt, madame ? » Il fait froid dehors. Il dépasse Waifer Avenue car parfois Mr Hyde oublie l'homme dont il est sorti. Il est fait des pires parties de cet homme – ils ont tendance à s'oublier l'un et l'autre.

De rapides pans de pluie occultaient la face de la lune. Dans son sommeil, Georgia repoussa les couvertures. Elle ouvrit la fenêtre, dénudant la lune, et la regarda. Te voilà pleine et brillante, rêva-t-elle, quelle tête tu as. Les bras engourdis, elle se hissa et agrippa le rebord de la fenêtre. Elle l'enjamba, s'assit et ne sentit pas l'air froid s'enrouler autour de ses chevilles, là où s'arrêtait la chemise de nuit. Georgia était suspendue au bord de la maison, au bord de la nuit, et rêvait dans les couleurs de Sekon de l'impression que ça lui avait fait de tenir le chaton cette nuit-là, car en rêve elle pouvait s'en souvenir. Il était doux comme un début, il était simple, il était comme une lumière entre ses mains. Le meilleur moment, les meilleurs voyages, c'est le sommeil, dans le noir sous une couverture et à l'abri du noir ; nous avons toute liberté de retourner à nos premières lumières et de retrouver celles que nous avons perdues, celles qui sont intactes, celles que nous rêvons de redevenir.

Georgia était assise parfaitement immobile sous la pluie qui lui mouillait les jambes. Derrière elle Kemy et Bel dormaient par terre, grappillant quelques instants de repos. Bel rêvait d'une fille au bord d'une maison. Et Bessi se retourna dans son sommeil. Elle rêva du cliquetis des clés, puis ouvrit les yeux.

Y avait-il une silhouette à la fenêtre ou dormait-elle les yeux ouverts, comme il arrivait parfois à Georgia de le faire ? Comme la fois où Bel était sortie des toilettes en pleine nuit et avait trouvé Georgia debout sur le palier, plantée là à regarder dans le vague, tout endormie. Bessi referma les yeux et les rouvrit pour vérifier. Oui, ça pouvait bien être Georgia, sur le rebord de la fenêtre. Oui, elle allait tomber et se faire mal.

Le cœur de Bessi se mit soudain à battre fort et vite. Elle savait qu'elle ne devait pas faire de bruit. Bel lui avait expliqué une fois que si on réveillait quelqu'un qui était en train de faire des choses de personne réveillée dans son sommeil, on risquait de le tuer, le choc pouvait lui provoquer une crise cardiaque. Alors tout doux, maintenant. Bessi repoussa les couvertures et bondit vers la fenêtre. À l'intérieur d'elle-même, en état de choc, elle criait : « Georgia ! Georgia à la fenêtre ! Ne bouge pas ! »

Elle attrapa le dos de la chemise de nuit de Georgia et tira le plus doucement possible. Georgia tomba à la renverse sur le lit, les jambes en l'air, et se réveilla. Bessi avait maintenant le droit de parler.

— Qu'est-ce que tu fais, qu'est-ce que tu faisais, tu

m'as fait une peur bleue, tu aurais pu tomber ? Qu'est-ce que tu faisais Georgia ?

Bel se réveilla et vit la fenêtre ouverte et Georgia dépenaillée sur le lit. Elle alla regarder ses yeux ; ils contenaient des morceaux de lune et elle comprit que Georgia était partie dans un lieu lointain.

— Fais attention, dit-elle calmement.

Alors Kemy se redressa et dit :

— Quoi ? Quoi ? Il est rentré ? Ça caille, ici.

Georgia regarda autour d'elle.

— J'étais assise, dit-elle. Je... regardais dehors, c'est tout.

Ce qu'elle ne dit pas : la nuit, le silence, quelque chose qui vit en leur sein m'a appelée, me veut, et j'ai répondu.

Deux étages plus bas, des clés dansèrent dans la serrure.

La porte d'entrée s'ouvrit. La porte d'entrée se referma en claquant.

— C'est parti, dit Bel.

L'espace d'un instant, elles furent des statues tout juste tirées de leur sommeil. Elles cessèrent de respirer. Seule dans sa chambre, Ida regarda fixement Nne-Nne. C'était l'instant du rien, de la mort, du silence d'en bas dans la terre, avant ce que vous vous imaginiez incapable de supporter.

Bel revint d'un coup à la vie.

— Bon, dit-elle, au lit, pas un bruit, vous dormez. Est-ce que vous avez du papier-toilette ?

— J'en ai pas, dit Kemy.

Bel sortit le rouleau de la salle de bains et en donna une longueur à Kemy. Elles s'allongèrent en faisant des boulettes de papier-toilette qu'elles s'enfoncèrent dans les oreilles. Kemy prit la précaution supplémentaire de se couvrir la tête avec son oreiller en le plaquant contre ses oreilles avec ses avant-bras. Maintenant, elle n'entendait plus que le silence du coton.

Il était trempé, debout dans ses vêtements trempés, et le miroir le voyait mais lui ne le regarda pas. Il ouvrit la porte d'entrée et la claqua de nouveau, plus fort, pour secouer la maison. Là, ça devait être bon. Mr Hyde retira son manteau, entra à pas grinçants dans la cuisine et posa Jack Daniels sur la table. Des épaules lisses et brunes, un long cou tiède. Il s'assit et se servit un verre. Le verre heurta le bois, les jambes d'une chaise raclèrent le sol, les cloches du carillon tintèrent quand il s'aventura dans le jardin d'hiver : une symphonie de la contrariété. Elles les entendaient, les grincements, la terrible musique, à travers les boulettes de papier-toilette et les doubles épaisseurs d'oreillers. Assis à côté du lave-vaisselle avec Jack, il aperçut, dehors dans le noir, une silhouette parmi les arbres. Qui tendit les mains et dit : « Je m'en vais, maintenant, mon grand garçon à moi. Nous devons faire face à ces choses-là avec force d'âme. » Et sous le vent et la pluie, les pommiers gémirent.

Où est le dîner ? Où est la fille ? Mr Hyde avait la gorge brûlante et le cœur brûlant, mais il était froid dans sa manière d'y accéder. Les cloches tintèrent. Il fit les cent pas dans l'entrée. Le moment de gueuler était venu.

— Isabel ! dit-il. *Bel !*

D'un pas martial il alla rechercher du Jack, déglutit et cria :

— *Bel ! Descends !*

« Vous dormez, disait Bel dans le grenier. Vous dormez. »

Il serra les poings. Il était rouge de partout, rouge

comme un homard, les joues au court-bouillon, les lèvres betterave, les poings collants. Bel ne vint pas. Ida, dans son lit, se tourna vers la fenêtre. Les yeux de Nne-Nne et les pommettes de Nne-Nne brillaient dans le noir. Sois forte, Ida !

Mr Hyde s'engagea dans l'escalier. Les marches du milieu étaient celles qui grinçaient le plus et les deux du haut produisaient un son plus grave : la maison savait exactement où il était. La porte de Bel était fermée. Mr Hyde l'ouvrit et se rua à l'intérieur. Il tituba dans le vide de l'obscurité. La rage et la terreur s'amplifièrent. Il déboula dans la chambre de Kemy et n'y trouva que le clair de lune, dessinant un rond sur le lit à l'endroit que Kemy aurait dû occuper.

— Putain de bordel de Dieu, où est-ce qu'elles sont ! s'écria-t-il en contractant les poings.

Ida rassembla son courage. Mr Hyde sortit en trombe sur le palier, tourna et gravit l'escalier du grenier. Ida bondit hors de son lit et enfila la robe de chambre magique.

— *Bel !* Tu es là-haut ? tonna-t-il. Tu *descends* !

Le papier-toilette ne marchait plus du tout, maintenant. Georgia et Bessi s'étaient réfugiées dans le Bon Lit de Bessi parce que c'était le plus éloigné de la porte, ce qui en faisait sans l'ombre d'un doute un très bon lit ce soir ; elles s'étaient blotties l'une contre l'autre et elles tremblaient. Il n'y avait pas de clé. Ça faisait un moment qu'elles réclamaient des clés mais Aubrey refusait toujours, disant qu'elles n'avaient pas besoin de clés, qu'elles étaient trop jeunes pour avoir des clés. Bel avait cessé de dire : « Vous dormez. » Elle était debout dans son long peignoir en soie au milieu de la chambre, prête à le recevoir, et sa colère commençait à battre. « Qu'il essaye quelque chose, qu'il essaye donc, putain ! » Mr Hyde donna un coup de poing dans la porte.

La lumière du palier s'alluma et s'engouffra sous le battant. Bel cogna sur la porte à son tour. Georgia et Bessi ne trouvèrent pas que ce fût la meilleure idée, mais Bel était fiévreuse, ce soir, coléreuse comme les araignées de Sekon, comme Ida quand on la poussait à bout.

C'est à ce moment-là qu'Ida secoua le monde. Elle sortit en courant sur le palier avec sa résille et sa robe de chambre et leva la tête vers Mr Hyde. Il avait un air de rétréci, l'air d'un diable cramoisi au cou rétréci.

— Va-t'en d'ici toi et tes ennuis, dit-elle.

Nne-Nne était derrière elle, pommettes acérées.

Mr Hyde grimaça. Il descendit vers Ida d'un pas lourd et lui agita un doigt humide sous le nez. Jack Daniels le flanquait tel un garde du corps pestilentiel.

— Je parle à Bel, dit-il. J'ai marché sous la pluie et je suis fatigué, j'ai faim, ça fait trente ans que je travaille. Ôte-toi de mon chemin, nana !

Il commença à remonter l'escalier. Ida l'attrapa par le bras.

— Si tu lui laisses pas tranquille, je vais fâcher !

Lorsque Ida se fâchait, elle était capable de tuer. Elle était le pouvoir et elle était le tonnerre, le tout premier que Dieu ait créé.

— Laisse-leur *tranquilles* ! dit-elle.

Il avait l'autre visage. Son cœur à elle était cette chose sauvage en dessous. Il n'y avait aucun endroit où se rencontrer, parler ou écumer. À l'intérieur de Mr Hyde, Aubrey voulait lancer un cri. Ce qu'il voulait, c'était prendre sa femme dans ses bras et lui dire qu'il était désolé de tout ça et qu'il avait besoin de réconfort.

Il voulait être un homme bon et fort pour ceux qu'il aimait. Mais il ne pouvait pas sortir.

Mr Hyde dégagea brutalement son bras.

— *Bordel !* cria-t-il.

Ida le suivit dans l'escalier et lui reprit le bras mais le corps de Mr Hyde était en fer. Il lui échappa. Et lorsqu'elle l'attrapa de nouveau, à quatre marches du grenier, elle lui assena une gifle violente. Il lui rendit sa gifle.

— Singe ! hurla Ida. Chien !

Elles avaient mis leurs robes de chambre, les gamines. Ida et Mr Hyde se battaient dans l'escalier, ce qui ne leur laissait pas beaucoup de place. Ils dévalèrent les marches jusqu'au palier du premier étage. Mr Hyde rugit. Georgia et Bessi s'agrippèrent par la main. Et Kemy avait peur, les yeux ronds. Le moment était venu. Bel ouvrit la porte, elles jaillirent toutes les quatre du grenier et se jetèrent dans le tonnerre, leurs robes de chambre se soulevant derrière elles.

Bel et Kemy, la plus grande et la plus petite, se mirent à tirer Mr Hyde par les bras. Georgia et Bessi se chargèrent d'Ida mais elle était impossible à attraper. Elle s'était servie de ses ongles pour griffer et de ses jambes pour donner des coups de pied. Mr Hyde hurlait par-dessus la mêlée :

— Je veux parler à Bel, putain de bordel de merde !

Laquelle Bel était juste derrière lui, pendue à son bras qu'elle tordait en arrière. Il fit volte-face, l'agrippa par le cou et la jeta par terre. Bel se cogna la tête contre la porte de la salle de bains. Kemy hurla.

C'est peut-être d'entendre les hurlements de la plus petite. Ou de voir la plus grande souffrir, qui fait qu'une femme perd complètement la notion des choses, le sentiment du passé, du présent et du conditionnel, de ce qui se passerait si. Ida, Nne-Nne et le fantôme de Cecelia descendirent à la cuisine. Il ne leur fallut pas longtemps, juste le temps qu'il faut à un feu pour se propager. Elles revinrent. Bel leva la tête, étourdie, et les vit.

— Maman, dit-elle.

Ida tenait à la main le couteau à gigot du dimanche, la plus grande lame de la maison, et Nne-Nne était derrière elle, tout en rouge. Elles visaient Mr Hyde droit au cœur. « Saigne-le », dit Nne-Nne.

Ida brandit le couteau. Un drôle de croassement s'échappa de sa bouche. Les marques de ses joues noircirent. Kemy s'enfuit. Dans la maison voisine, les Kaczala se réveillèrent en entendant des petites filles hurler dans la nuit. Le couteau s'abattit. Il entailla le bras de Mr Hyde et s'éleva de nouveau.

— Arrête, maman ! Regarde ! cria Bel.

Le sang coulait à travers la chemise de Mr Hyde et il ne semblait pas s'en apercevoir. Ses cheveux étaient dressés sur sa tête. Son dentier tomba.

— Elle me... rend les choses... tellement, tellement difficiles, dit-il.

Le couteau s'abattait de nouveau. Et, quand il s'approcha, Ida vit le sang que perdait Aubrey. Les ongles d'Ida avaient laissé des blessures ouvertes sur son visage. Ses filles pleuraient. Elle entendit son mari Aubrey murmurer dans son propre sang et dans son sang à elle, dans le sang de leurs enfants :

— Excuse-moi.

La lame s'abattit et dévia.

Dans le silence, un silence haletant, gémissant, Kemy dit :

— Tu l'aurais pas fait, maman, hein que tu l'aurais pas fait ?

Elle était pelotonnée trois marches en contrebas du grenier, visible par le trou triangulaire de la rampe.

L'homme qui gisait par terre se leva. Il regarda Kemy par le triangle. Ce n'était pas tout à fait Mr Hyde et pas tout à fait Aubrey. Il passa devant Ida et descendit au rez-de-chaussée de la maison. Dans la cuisine, il s'assit et regarda le frigo. Il avait un stylo à la main, et non un verre.

Bel s'était relevée et serrait Georgia contre elle. Elle aurait aimé pouvoir la protéger de cette nuit. Et elle aurait aimé pouvoir rester.

— Tu vas partir, hein ? demanda Georgia.

— Oui, répondit Bel.

(Aubrey écrivit : *Votre père est fatigué, votre père ne sait pas toujours quoi faire*, sur un bout de papier qu'il laissa sur la table de la cuisine.)

Elle appela Jason, emballa quelques affaires et mit une robe orange qui sentait le romarin, avec des chaussures à talons hauts vertes comme ses yeux.

Juste avant l'aurore, Ida descendit. Aubrey dormait dans son fauteuil. La photo de ses parents gisait par terre à côté de lui. Ida le réveilla et pansa son bras. Ils ne se regardèrent pas.

— Bel s'en va, dit-elle, je vais prendre sa chambre.

7

Jolie rousse

Les pommiers étaient des fantômes. Ils tendaient les bras, ils tanguaient et bâillaient le mercredi, mais personne ne les entendait. Les herbes qui les entouraient devinrent encore plus folles et, dans le cabanon au fond du jardin, les araignées oublièrent à quel point elles étaient incroyables. Pendant la grande tempête qui secoua Londres en 1987, le vent terrible arracha une partie de la clôture ; un an plus tard, M. Kaczala la répara. Georgia devint végétarienne, Bessi découvrit la vérité sur le Nez de Parson, Diana et Charles se disputaient le soir. Et, à Kilburn, un enfant naquit.

Bel avait emménagé chez Jason et recevait ses clientes à la maison, leur offrant des soins de coiffure sans produits chimiques. Elle avait imprimé des cartes pour faire connaître ses services et les distribuait, une main sur le landau, l'autre tendue, à Kilburn High Road, là où elle achetait toutes ses chaussures. Contre un petit supplément et si l'enfant, un garçon, dormait, elle lisait aussi les lignes de la main.

Elle venait deux fois par semaine à Waifer Avenue avec Jay dans son landau, quand Aubrey était au travail. Ida et elle parlaient en chuchotant à l'enfant des mystères, du tonnerre et de la foudre qui étaient une mère et son fils, du soleil et de la lune qui étaient un homme et sa femme. Nne-Nne lui chantait de vieux chants de l'arbre chanteur et il avait une expression de surprise en permanence gravée sur le visage. Il n'aurait jamais l'occasion de rencontrer son autre arrière-grand-mère car Judith avait fini par s'éclipser dans son sommeil la veille de sa naissance.

De ses trois tantines, Kemy était celle que Jay préférait. Elle le soulevait dans l'air et lui faisait faire l'avion. Elle l'embrassait et l'emmenait pour de périlleuses randonnées dans la jungle brumeuse des pommiers. C'était là que Kemy s'arrêtait et qu'elle pensait à Michael Jackson.

Très bientôt,
Michael Jackson
allait venir à Wembley.

— Tu comprends, Jay ? dit Kemy pendant que le petit garçon gambadait dans l'herbe. Il va venir. En ce moment il est en tournée, il se prépare.

Georgia regarda par la fenêtre du grenier. Elle recracha de la fumée. Bessi, Anna et Reena étaient dans la salle de bains, de l'autre côté des portes de saloon, et parlaient sexe. Georgia était sortie pour rester seule une minute.

Elle entendit Reena expliquer : « Vous êtes censées respirer très fort et faire des bruits pour qu'ils sachent que vous trouvez ça agréable. » Puis Anna : « C'est mieux si tu gémis, aussi. Trevor aime bien quand je gémis. Ça l'excite vachement. » Elle entendit Bessi rire et Reena dire : « Beurk, c'est dégoûtant. »

Georgia aperçut Kemy entre les arbres. Elle savait à quoi Kemy pensait parce qu'elle avait un air stupéfait, même vue de si haut. Le soleil scintillait sur l'arbre vert. Georgia ferma les yeux.

— Tu descends, Georgia ? cria Bessi. Si tu descends, tu pourrais rapporter du thé ?

Georgia sortit et descendit à la cuisine.

Les jumelles étaient arrivées à l'âge de la poitrine et des cigarettes. Elles n'avaient pas de sillon entre les seins, comme Bel à quinze ans. Pour ça, il leur faudrait des Wonderbras et elles ne pourraient pas s'en offrir avant après l'Empire, alors elles s'en passaient. Ça ne dérangeait pas beaucoup Georgia, qui ne comprenait pas pourquoi Bessi en faisait toute une histoire, ni pourquoi elle éprouvait le besoin de mettre du rouge à lèvres et de l'eye-liner où qu'elle aille, comme Reena qui se barbouillait un sourire noir sous les yeux tous les matins. « Facile à dire pour toi, disait parfois Bessi à Georgia avec une pointe de jalousie dans la voix, tu n'en as pas besoin. Tu es une rose, toi, comme dit Bel, hein, et tu ne t'en rends même pas compte. »

Georgia prépara le thé. Elle sortit des biscuits et se dit :

— Juste la moitié d'un, pour tremper dans le thé, pas un entier.

Elle s'éclipsa dans le jardin pour arroser les roses en vitesse. Il y avait deux rosiers maintenant. Elle en avait planté un autre, un jaune. Ils poussaient ensemble, le jeune virulent et le vieil endurci, pointant leurs tiges et leurs épines dans des directions différentes.

Elle retourna dans la maison avec Kemy et Jay, qui avait sommeil. Il fit quelques pas titubants dans la cuisine puis s'allongea par terre et ferma les yeux.

— Il s'endort ! dit Georgia. Aussi simplement que ça !

Elle imagina que l'intérieur de la tête de Jay devait être un lieu doux et clair où le temps était clément.

— Tu emportes ça là-haut ? demanda Kemy en regardant le plateau.

— Ouais. Tu viens ?

Kemy porta Jay au salon, où Bel coiffait les cheveux d'Ida, et suivit Georgia. Quand elles approchèrent du grenier, les autres riaient toujours. Depuis quelque temps le rire de Bessi était plus sonore, avait remarqué Georgia.

À présent, les jumelles prenaient la plupart de leurs décisions sans se consulter. Et cet été, alors que les pommiers tanguaient sans qu'elle les entende, Bessi avait pris une des décisions les plus importantes qu'elle ait jamais prise encore : elle avait décidé, en gardant les yeux fermés un certain temps, qu'elle serait audacieuse. Elle serait forte et audacieuse, toujours. Elle n'aurait peur de rien, ni de Mr Hyde ni de Big Sian ni du gigantesque monde, et elle rirait beaucoup même quand elle n'aurait pas envie de rire. Parce que, avait-elle compris, si on voulait être quelqu'un en ce monde, il fallait être plus et moins que ce qu'on était.

Georgia n'était pas d'accord. Elle avait dit : « Non, Bessi » pendant leur cigarette (elles fumaient entre elles et n'en prenaient jamais une chacune car cela aurait fait d'elles des fumeuses à part entière – de cette façon, elles n'étaient que des demi-fumeuses).

— Pour être, avait dit Georgia en réfléchissant à la question, il faut... être et c'est tout. Oui, c'est ce que je pense. Comme Jay.

Bessi avait secoué la tête. Elle avait tendu les doigts vers la cigarette et dit :

— Fais passer un peu, t'en as eu plus que moi.

— Non, c'est pas vrai, avait dit Georgia.

— Si, si, avait insisté Bessi.

Georgia et Kemy entrèrent dans la fumée. Georgia alluma des bâtons d'encens que lui avait donnés Bel. Kemy toussa et agita la main.

— Vous ne devriez pas fumer, c'est dégoûtant, fit-elle.

— Ouais, ça pue, hein ? dit Reena.

Elles s'installèrent toutes dans la salle de bains avec le thé, les biscuits et la lucarne ouverte. Georgia se rassit sur le rebord de la baignoire avec Bessi, en laissant pendre les jambes.

— Fais passer un peu, dit-elle, les doigts tendus.

Anna parlait toujours de Trevor. Elle leur avait déjà raconté plusieurs fois comment ça s'est passé. Elles écoutèrent de nouveau. Georgia et Bessi tournaient mentalement autour de l'histoire. Elle avait des tiges et de longs bras et les jumelles naviguaient au-delà, vers ce que l'histoire pourrait être pour elles.

Anna avait couché avec Trevor pour la première fois contre le mur du garage de ses parents. Ils étaient debout, sans leurs hauts.

— Trevor a des poils dorés sur la poitrine et il adore les rousses. Il a dit qu'il m'aimait à cause de mes cheveux. Il m'a dit : « Tu es une superbe rousse » et il m'a embrassée sur la joue, ici, sur le cou, ici – et puis sur le néné. C'est là que j'ai soupiré, comme ça.

Anna inspira et expira profondément. Fascinées, elles regardèrent sa poitrine se soulever et redescendre. Bessi imagina un homme de grande taille, debout derrière elle, qui l'enlaçait. Georgia se concentra pour ne pas voir Sedrick, mais une autre silhouette, attendant de la prendre dans ses bras et de l'embrasser doucement. Kemy pensa à Michael Jackson et se sentit intimidée. Anna poursuivit :

— Il a pas arrêté de dire « jolie rousse », « jolie rousse », tout du long. C'était trop sexy et ça m'a pas fait mal du tout, comme on dit que ça fait. C'était super. Depuis, toutes les nuits, je le rejoue sans arrêt dans ma tête. Ça me quitte jamais.

Georgia buvait son thé à petites gorgées. Le sexe, c'est roux, songea-t-elle.

Et n'oublie pas de soupirer, pensa Bessi.

Dean et Errol étaient frères. Bessi fut la première à les voir, deux garçons qui mataient du haut d'un 182 à impériale. Les jumelles l'ignoraient, mais Dean et Errol étaient des seigneurs de l'impériale et leur sport préféré consistait à s'installer au fond du bus et à chasser. Le collège Watley pour filles, avaient-ils entendu dire, abondait en vierges. Y en avait davantage qu'à St Peter's, Copland ou n'importe quel autre endroit de Brent. Alors, quand le 182 passait à toute vitesse devant les grilles de Watley à 15 h 30, Dean et Errol se tordaient dans leurs sièges, dévissaient le cou et transperçaient du regard les épaisses vitres maculées de traces de doigts. Leurs yeux étaient rapides. Pendant cet unique balayage en coup de vent du haut de l'impériale, ils travaillaient comme des radars dans les foules grouillantes, faisant le tri entre les thons et les canons. S'il y avait des belettes suffisamment craquantes, ils passaient immédiatement à l'action et sautaient à l'arrêt suivant. Une étincelle de séduction dans l'œil, un remous secret sous la taille, ils visaient et s'avançaient en roulant des mécaniques, puis faisaient feu dès qu'ils étaient assez près pour sentir ses cheveux ou voir la qualité de sa peau, avec une phrase d'ouverture dûment éprouvée. Ils disaient : « C'est quoi, ton nom ? » ou « C'est quoi, ton numéro ? » ou encore, ces jours-ci : « Tu vas au concert de Michael Jackson ? »

Georgia et Bessi furent repérées en ce mois de juillet, pendant la session d'été de Watley où on ne travaillait pas mais où, à la place, les garçons et les filles échappaient à l'ennui des rues étouffantes grâce aux tournois unisexe organisés dans la cour de récréation. Elles transpiraient dans leurs jupettes plissées, un numéro sur la poitrine. Bessi était une shooteuse de net-ball réputée. Elle fermait un œil, visait et tirait, et le filet tressautait, traversé par le ballon. Georgia préférait la course, soulever une petite brise en sillonnant le terrain, en égrenant les calories.

Ce vendredi-là, le monde fondait. Les sycomores d'Oxgate Road ployaient sous le soleil. L'intérieur des voitures était collant et l'extérieur devenu miroir. Georgia et Bessi sortaient de leurs douches et avaient passé une demi-heure à parfaire leurs afro-flicks. Bessi avait mis son maquillage. Les lunettes étaient reléguées dans leurs étuis, hors de vue. Elles sentaient le beurre de cacao et le gel Slick&Sheen. Du haut du 182, Dean et Errol repérèrent leur jolie peau claire et leur séduisant être-deux et sautèrent du bus.

Bessi avait levé la tête quand le bus était passé en trombe et elle avait vu la tête ronde et noire de Dean pivoter et ses yeux plonger vers elle. Son visage lui avait plu. Il était doux et bizarre, chocolat cendré, pas beau à proprement parler mais plus beau que celui de Jonathan, qui continuait à lui courir après et à lui offrir des gadgets – un stylo Des Chiffres et des Lettres, un porte-clés Rubik cube – qu'elle jetait toujours.

Elle avait vu Dean et Errol quitter leurs sièges et dévaler l'escalier et, silencieusement, elle avait espéré. Parce que les garçons qui ne venaient pas de Watley n'étaient pas à dédaigner. Ils étaient top-cool. Se faire draguer par un Pas-de-Watley, ça vous valait un prestige qui pouvait faire des merveilles pour une Spamette à Lunettes.

Bessi était debout à côté de Georgia, l'air décontractée. Malgré le coup du Spam, elle aimait se mettre à côté de sa jumelle, et Georgia aussi. Ça leur donnait un sentiment de fierté.

Bessi rajusta son afro-flick. Elle les voyait s'approcher, maintenant.

Tout en s'avançant avec Errol, la démarche très frime tous les deux, Dean rivait les yeux sur Bessi. À mi-voix, il dit à son frère :

— Elle est bonne, hein ?

— Laquelle ? demanda Errol. Moi je les trouve pareilles.

— Nan, mec, celle de gauche, là, elle est plus mignonne, mec. Plus grande, aussi.

— Elle est pas plus grande. C'est l'autre qu'est plus grande.

— Quoi ? T'es aveugle !

— Pff ! Si tu le dis, hein. Elles sont bien toutes les deux, nan.

— Ouais, en tout cas, ferme-la, mec.

Les frères s'approchèrent en roulant des mécaniques. Un pouce passé dans sa poche arrière, accentuant la claudication rythmée de sa démarche, Dean reluquait Bessi. S'il avait éprouvé le besoin de faire comprendre à Errol qu'il voulait celle-là, c'était principalement parce que c'était celle qui les avait vus dans le bus et qu'elle serait plus facile à draguer. C'était pas facile d'être un homme. Dean n'était pas moche, il était même beau sous certains éclairages et certaines ombres, mais le rejet était une chose qui faisait partie du jeu de la drague, aussi bien foutu qu'on soit, et c'était dur à encaisser. Errol, en revanche, n'avait pas de véritable préférence, il ne voyait vraiment pas de différence : de jolies lèvres, des coiffures au gel, des beaux châssis et une peau couleur sable (sable c'était mieux que charbon – une fille noire au teint brun clair au bras d'un homme, c'était bon pour son image, ça voulait dire qu'il pouvait avoir une fille blanche s'il voulait mais qu'il avait décidé de rester lui-même et d'être fidèle à la race).

Bessi donna un coup de coude à Georgia, qui avait

remarqué qu'elles se faisaient aborder mais faisait semblant du contraire. Elle regarda le ciel. Elle regarda le lampadaire. Elle vérifia son afro-flick.

Elle jeta un coup d'œil à Errol, celui qui ne regardait pas Bessi, le plus grand des deux avec la plus grosse tête.

— C'est des Pas-de-Watley, chuchota Bessi.

— Ah, dit Georgia, qui se sentait tendue, qui se sentait moche. Ben ça m'est égal.

Mais quelque part dans sa tête, elle pensait : Qu'est-ce qui est roux dans le sexe ? Est-ce que c'est comme du caramel ? Errol était caramel, avec un air brut de décoffrage, mais brut façon gars en sueur et musclé. Les deux garçons portaient des gilets. Celui d'Errol était vert, or et noir, aux couleurs du drapeau jamaïcain, celui de Dean était rouge. Ils avaient des muscles, tous les deux, comme dans les pubs. Le ventre de Georgia se mit à faire des remous. Ils arrivaient à leur hauteur.

Dean se planta devant Bessi, le pouce dans sa poche arrière. Son regard descendit du visage de Bessi à son mini-top et à son jean Sasperilla puis remonta, et il se lança :

— Hé, kès' tu dis, fit-il, le soleil dans les yeux.

Prise de court, Bessi regarda Georgia puis derrière l'oreille de Dean. C'était bizarre comme question. Les garçons de Watley disaient ça, eux aussi, et elle ne savait jamais quoi répondre. Ce n'était pas un « Comment ça va ? » ni rien d'aussi précis qu'un « C'est quoi ton nom ? » et elle trouvait ça injuste parce que ça l'obligeait à proposer un sujet de conversation, elle et pas lui. Elle reprit nerveusement son souffle puis haussa les épaules et hocha la tête en même temps.

Alors Dean dit :

— C'est quoi ton nom ?

Ça c'était facile.

— Bessi, dit Bessi.

— Sympa. Dean hocha la tête. Tu vas au concert de Michael Jackson ?

Pendant ce temps, Errol, debout en face de Georgia, souriait doucement en se caressant le menton, convaincu que ce geste lui donnait l'air sexy. Chaque fois que les yeux lointains de Georgia s'aventuraient du côté des siens, il accrochait son regard et le retenait quelques secondes, avant qu'il ne se réfugie de nouveau par terre. Errol regardait sa jupe en jean rose boutonnée sur le devant. Il pensait à ce qu'il y avait sous les boutons. Elle se demandait : Qu'est-ce que je dois dire ? Est-ce que je devrais dire quelque chose, quoi ?

— Vous êtes jumelles ? finit par dire Errol.

Reena les avait rejoints. Elle ricana et y alla d'un : « Sans déc ! Évidemment qu'elles sont jumelles ! Tu vois pas ? » qui lui valut un regard froid et désapprobateur de la part de Georgia et Bessi.

— La ferme, Reena, dit Bessi.

— Ben je vais au centre commercial, de toute façon, rétorqua Reena en s'éloignant, et les quatre se retrouvèrent entre eux.

Georgia voulait à tout prix dire quelque chose pour qu'Errol ne la prenne pas pour une demeurée.

— Oui, on est jumelles, lança-t-elle. Je m'appelle Georgia. Je suis l'aînée. On est des vraies jumelles.

Elle détestait passer pour la Silencieuse – ça rendait ce genre de situation tellement plus difficile pour elle, c'était des rôles dont il fallait se libérer.

— Vous êtes pas identiques, constata Errol.

Il me trouve plus grosse, pensa Georgia, ou il regarde mes oreilles, il regarde mes oreilles, hein ?

— J'ai quarante-cinq minutes de plus, dit-elle, comme si ça pouvait expliquer quelque chose.

— Ouais, mec, moi aussi je suis l'aîné, fit Errol. On est frères.

— Vous n'avez pas l'air d'être frères, intervint Bessi, qui comparait la peau cendrée de Dean à un quelque chose d'un peu moite chez Errol ; ils avaient des couleurs complètement différentes et Errol avait un nez plat, qui paraissait mou.

— On est demi-frères, expliqua Dean.

— Ah, fit Georgia. Elle ramena le regard sur le lampadaire. Ils s'étaient tous tus. À quelle école vous allez ? s'empressa-t-elle de demander à Errol.

— On en a fini avec ça, mec. L'école c'est de la daube. De l'esclavage, mec.

Bessi en fut tout excitée. Elle donna un coup de coude à Georgia. Des Pas-de-Watley, et en plus ils vont plus à l'école, trop cool ! Elle déploya un immense sourire à l'attention de Dean qui la prit à part, en l'attrapant par le coude. Georgia se retrouva seule avec Errol, qui ne faisait toujours aucun effort pour trouver un sujet de conversation. La seule chose qui lui vint alors, ce fut :

— Vous allez au concert de Michael Jackson ?

— Le frangin essaie de trouver des billets, dit Errol. Peut-être que oui. Pourquoi, vous voulez y aller ?

— On serait pas contre.

Georgia jeta un coup d'œil pour voir ce que Bessi et Dean faisaient. Bessi écrivait quelque chose sur un bout de papier. Elle le donna à Dean et il la toisa de nouveau de la tête aux pieds. Puis ils revinrent tous les deux vers Errol et elle.

— Dean pourrait peut-être nous avoir des billets pour Michael Jackson. Il a des contacts dans le milieu de la *musique*, dit Bessi, l'air ravie. Trop cool, hein ?

— Ouais, fit Georgia.

Errol ne lui avait toujours pas demandé son numéro.

Il sortit un petit calepin rouge de sa poche arrière. Il l'ouvrit. Puis il leva la tête, l'air perplexe, et dit :

— Oh, euh, c'est quoi ton nom ?

— Georgia, dit Georgia.

Il ouvrit le carnet à J.

— J' peux avoir ton n'méro ?

— D'accord.

Georgia prit le calepin et sortit un stylo de son sac. Elle passa de J à G tout en se disant : « Il connaît pas l'orthographe ou quoi ? » Elle écrivit le numéro, qui était le même que celui de Bessi, bien sûr, vu qu'elles partageaient leur chambre, et Errol aurait facilement pu l'obtenir par Dean, puisqu'ils habitaient eux aussi dans la même maison. Mais c'était très important, ça, qu'elle écrive son numéro dans le calepin d'Errol, parce qu'elle était une personne et Bessi une autre. Elles avaient des écritures différentes.

Une fois tous les numéros communiqués (au prix d'un minimum d'efforts, remarquèrent les garçons), Dean et Errol accompagnèrent Georgia et Bessi au centre commercial pour flâner dans la brise des feuilles et la promesse de baisers de Pas-de-Watley. Restant le plus près possible de leurs exotiques galants de Wembley, les jumelles regardèrent fièrement les sempiternels garçons de Watley draguer des filles de Watley qui avaient l'air de s'ennuyer.

— On entend tous les concerts de chez nous, leur dit Dean, la basse et tout. C'est juste au bout de la rue.

— Ouais, nous aussi on entend de notre maison, mais c'est sans doute moins fort, dit Bessi, et on doit se mettre dehors.

— C'est toi la silencieuse des deux, hein, dit Errol à Georgia. Elle c'est la grande gueule.

Georgia tiqua.

— Je suis grande gueule, des fois, dit-elle, tout en pensant : « Et alors ? Qu'est-ce que ça peut bien foutre si je suis silencieuse ? »

Kemy apprenait le moonwalk. Au cours de ses sept années de culte de Michael Jackson, elle avait fait tout ce que doit faire un fan numéro Un. Le poster qu'elle avait depuis ses cinq ans, celui où il était en costume noir, appuyé contre un mur, les mains dans ses adorables poches, était abîmé maintenant, jauni aux bords, et roulé sous le lit. Elle l'avait remplacé par le poster de *Thriller*, Michael en blouson de cuir rouge avec un loup-garou derrière lui, qui l'agrippe par les épaules. À huit ans, elle lui avait écrit une lettre en lui demandant de venir manger de la tarte aux pommes à la maison et puis de l'emmener prendre un hamburger au Wimpy de Willesden (« Je les aime bien avec du fromage et du bacon, avait-elle écrit, mais pas les jumelles – elles n'aiment pas le porc parce que Ham ça veut dire jambon de porc et c'est le nom de notre Hamster. Il est mort. Est-ce que vous aimez le porc ? ») Jusqu'à présent, Michael n'avait pas répondu mais Kemy ne le prenait pas mal, elle comprenait qu'il était très occupé et qu'il ne répondrait sans doute jamais.

Elle irait à ce concert. Même s'il lui fallait se faire accompagner par Aubrey. Elle voulait que Bel et Jason l'emmènent (les jumelles étaient trop petites, elles n'avaient pas d'argent, elles n'étaient guère mieux placées qu'elle) et Bel avait dit qu'ils le feraient – mais peut-être qu'ils n'auraient pas le temps, finalement, vu qu'ils étaient parents et tout ça. Mais elle irait. Pour ça, oui. Elle danserait le moonwalk dans la queue devant la salle de spectacle, et à l'intérieur, aussi, dans l'allée. Pour ses séances d'entraînement à la « marche sur la lune », elle se reportait aux instructions fournies par son livre : *Michael Jackson, règles d'un fan numéro un* :

1. Trouvez une surface lisse qui convienne pour danser. (Kemy optait pour le lino de la cuisine.)
2. Placez-vous pieds rapprochés, pied gauche légèrement en avant.
3. Soulevez le talon droit comme si vous alliez faire un pas.
4. Baissez le talon droit, prenez appui sur le pied droit et glissez le pied gauche en arrière jusqu'à ce que les orteils soient à la hauteur du talon droit. (C'est là que Kemy s'embrouillait.)
5. Soulevez le talon gauche et glissez le pied droit en arrière. Recommencez et entraînez-vous.

Elle y était presque. Elle n'était plus qu'à un pas de la lune. Kemy agaçait Ida parce qu'elle était toujours dans ses pattes à la cuisine. Elle y était quand les jumelles rentrèrent à la maison, les joues empourprées.

— Vous êtes bronzées, cria Kemy par-dessus « Beat It ». Vous étiez au centre commercial ?

— Ouais, dit Bessi. Ce qu'il fait chaud ! Elle était incapable de garder le secret. Elle savait que Kemy en crèverait de jalousie. Elle baissa le volume et le dit tout d'une traite : On a rencontré ces mecs, Dean et Errol, ils vont plus à l'école et Dean a des contacts dans le milieu de la *musique* et il va nous avoir des *billets gratuits*...

— Peut-être... glissa Georgia.

— Pour Michael Jackson !

Kemy interrompit son moonwalk. Parfaitement

immobile, elle ravala sa salive. Ses yeux s'ouvrirent plus grands que jamais.

— Et moi ? dit-elle. Est-ce qu'il peut m'avoir un billet à moi aussi ?

Ces derniers temps, Bessi et Kemy se disputaient très souvent au sujet de Michael Jackson. Kemy louait tout ce qu'il faisait, toutes ses chansons. En revanche Bessi, qui lisait maintenant des revues de musique, n'approuvait pas la « direction » que Michael avait prise dans son dernier album, *Bad*. « *Thriller* était bien meilleur, soutenait-elle. Le concept était bien meilleur. » (Elle avait lu ça dans *Smash Hits*.) « Mais il est doué, insistait Kemy. C'est un génie et il peut faire tout ce qu'il veut. Alors ferme-la ! »

Bessi riait. Kemy n'avait toujours pas bougé. Son prochain mouvement dépendait de si oui ou non Bessi pouvait la faire entrer à Wembley. Seule sa bouche remua.

— S'il vous plaît, dit-elle.

Et ses yeux allaient d'une jumelle à l'autre.

— Je vais voir ce que je peux faire, déclara Bessi, qui leva le menton et partit d'un pas nonchalant vers le grenier.

Pendant les deux semaines qui suivirent, la ligne des Hunter fut surchargée. Quand Bessi ne parlait pas avec Dean, Georgia parlait avec Errol.

Le téléphone sonnait si souvent qu'Aubrey s'exclamait : « Téléphone de merde ! » à chaque fois. Mr Hyde fit une intervention (plus modérée, cependant, depuis le couteau d'Ida) pour demander à qui elles parlaient, et il laissa un mot sur la table de la cuisine : *C'est moi qui paie les factures dans cette maison et à moins que vous ne vouliez partir, vous ferez comme je vous dis. Il n'est pas question que vous vous couvriez de honte.*

En général, c'était Kemy qui répondait au téléphone.

Elle y arrivait toujours la première, au cas où ce soit Dean. Elle demandait « Qui est à l'appareil ? » et si c'était Dean, elle disait : « Bonjour, c'est Kemy. J'aime beaucoup Michael Jackson. » Le plus souvent, Dean ne répondait pas et il attendait qu'elle aille chercher Bessi. « Bon, ben au revoir, disait-elle. Je vais te chercher Bessi... salut, alors. »

Dean commençait toujours par : « Ta sœur elle en peut plus, hein ». Et Bessi lui rappelait d'essayer d'obtenir un billet pour Kemy, elle aussi. Georgia rappelait aussi à Errol de le rappeler à Dean. Errol, découvrait-elle, était mieux au téléphone.

La conversation leur donnait à présent des chatouillis dans le ventre. Tous les quatre, par paires, ils parlaient des parents et des frères et sœurs, du Nigeria, de la Jamaïque et de la dernière fois où ils y étaient allés (même si, sur ce sujet, Georgia préférait écouter). Ils parlaient de DJ, de raves, des meilleurs airs et des premières et dernières lèvres qui avaient touché les leurs, et leurs voix se faisaient plus douces, l'espace autour d'elles plus calme et le souvenir des visages plus proche de la beauté et de la perfection à mesure que les jours passaient. Georgia et Bessi tombèrent amoureuses de l'autre bout des lignes téléphoniques. Elles se tenaient au courant des dernières informations vitales – Dean avait son permis de conduire, Errol disait que Georgia avait une voix sexy, Dean connaissait le cousin issu de germain de LL Cool J. Dans leurs rêves, elles laissaient leurs amants du téléphone embrasser leurs clavicules et poser les mains sous leurs soutiens-gorge, les doigts tièdes s'attarder, glisser pour chercher la taille.

Ce n'était pas de sexe qu'elles rêvaient. C'était de contact physique. La tendresse et le feu du contact physique. Georgia écrivit dans son cahier : *J'aimerais le serrer dans mes bras dans le noir, et ce sera chaud et sans danger. Je lui dirai d'aller lentement.*

Les jours précédant le concert, Kemy asticota Bessi pour les billets jusqu'à six fois par jour. Bessi lui avait dit que Dean avait promis qu'il les obtiendrait. Mais Kemy avait besoin de certitude.

— Il raconte n'importe quoi, disait-elle. Il ne va pas les avoir.

Prise de panique, elle appela Bel, qui demanda à Jason, qui dit oui.

— J'ai un billet ! cria Kemy. J'y vais j'y vais j'y vais ! Elle fit le moonwalk. Elle dansa le shimmy. Je vais voir Michael Jackson !

Le dernier jour, Dean annonça à Bessi au téléphone que l'agent qu'il connaissait n'avait pas fourni les billets et qu'il ne pourrait pas l'emmener.

« Mais, dit-il, tu pourrais venir chez nous (chez leur mère) et écouter de là, c'est juste au bout de la rue, tu te souviens. Allez, mec. Amène Georgia. On passera de la musique. Et je pourrais peut-être avoir des billets pour quand il passera le mois prochain. »

Elles prirent Michael Jackson, Anna et Reena comme alibi. Aubrey leur dit, du fond de son fauteuil, avec un peu de Jack dans son thé :

— Rentrez avant minuit, surtout.

Et Ida, qui mangeait sa glace réchauffée en haut dans la chambre de Bel, leur dit :

— Ne parlez pas aux garçons, ce qui était la chose qu'elle disait le plus souvent, ces temps-ci, à part : « Mets un peu de Vicks. »

C'était l'année des jupes à godets et du bleu électrique et Georgia portait les deux ; son ourlet froufroutait contre ses mollets comme une queue de sirène clinquante. Elles se dirigeaient vers Wembley en longeant Forty Lane, entourées de lumières – strobos rouges, un éclair de rose, du blanc immobile sur les lampadaires. Bessi portait une robe rouge moulante. Elle disait à Georgia :

— Michael Jackson est le parfait exemple de quelqu'un qui a pris toute la place qu'il voulait au monde. Je veux dire, il se réveille le matin, le monde est à ses pieds, et c'est lui qui en est la cause. N'importe qui peut en faire autant.

— Non, pas n'importe qui, dit Georgia. Je ne pense pas que ce soit si facile que ça. Il y a des gens qui n'y survivraient pas, d'avoir le monde à leurs pieds.

— Moi si, dit Bessi.

— Pas moi. Georgia s'avança rapidement. Est-ce que ma jupe colle à mes cuisses par-derrière ?

— Non.

Elles portaient des vestes en cuir noir léger de Petticoat Lane, cadeaux d'anniversaire d'Aubrey l'année précédente. Celle de Georgia était plus longue, elle lui couvrait les hanches. Elle n'arrêtait pas de tirer dessus par-derrière.

Il leur avait fallu deux heures et demie pour se préparer. Au grenier, il n'y avait qu'un seul miroir en pied.

— Dis-moi franchement, avait demandé Georgia à Bessi en regardant son reflet par-dessus l'épaule de sa jumelle. Est-ce que je suis grosse ? Je suis grosse, hein ? Je suis énorme. Tu trouves pas que j'ai l'air d'un camion qui va livrer chez Tesco ?

Bessi avait ri.

— *Non*, idiote ! Tu es ravissante. Ce bleu est sublime.

Elle essayait de se frayer un chemin dans le miroir. Elles furent prises toutes les deux en même temps par le reflet et les défauts empirèrent. Les cuisses, les fesses. Non mais regardez ces jambes, pensèrent-elles. Des jambes de sportives. Oh, pourquoi Dieu leur avait-il donné toutes ces protubérances – les cuisses, les fesses, les fronts ? Ce n'était pas juste. Georgia avait sauté le déjeuner en prévision de la soirée. Bessi se sentait ballonnée par le sandwich au poulet qu'elle avait mangé.

— Et moi, dit-elle. J'ai l'air d'une baleine !

— Non, pas du tout. Je devrais peut-être enlever le collant.

Georgia commença à enlever son collant.

— Tu auras les jambes qui transpirent.

Georgia le remit parce que ses jambes qui dépassaient comme ça en bas de la jupe, ça faisait bizarre. Elle changea de jupe. Elle ignora les gargouillements de son ventre. Elle changea de haut. Bessi essaya différentes paires de chaussures. Elles mirent du gel sur leurs cheveux. Elles firent leurs afro-flicks.

— Qu'est-ce que tu vas faire si Dean essaie de coucher avec toi ? demanda Georgia avant de partir. Tu vas le faire ?

— Et toi ?

— Je sais pas. Et toi ?

— Je le ferai peut-être, si ça me paraît la chose à faire, dit Bessi.

Elles étaient assises devant le miroir, lissant leurs sourcils, vérifiant, un visage tout contre l'autre. Presque le même visage.

— Je le ferai peut-être, dit Georgia, si ça me paraît sans danger.

— Tu es jolie, dit Bessi.

Elles partirent. Parfumées et nerveuses, elles sortirent dans l'été.

British Telecom était responsable des images qu'elles

avaient dans la tête. Dans la foule massée à Wembley Park, elles cherchèrent deux impeccables Roméo et ne les trouvèrent pas. À la place, elles trouvèrent Dean et Errol, appuyés contre une barrière. Il leur fallut quelques instants pour les reconnaître. British Telecom avait concocté des yeux vifs, des sourires étincelants, des dents saines. Georgia se réadapta au nez mou d'Errol et à la sueur sur sa peau. Et Bessi remarqua que Dean avait le blanc des yeux rose, ainsi qu'une cicatrice visible sur la lèvre inférieure. Ni l'un ni l'autre n'avaient des dents formidables.

Mais les jumelles n'en furent pas complètement découragées pour autant. C'était toujours des Pas-de-Watley. Dean pouvait les faire entrer au concert de Michael, pas ce soir mais peut-être en août. Il connaissait le cousin (issu de germain) de Cool J. Et puis aussi, il pouvait y avoir de la tendresse quand même.

— Hé, kès tu dis, fit Dean.

Qu'est-ce qu'il veut dire ? se demanda Bessi, qu'est-ce que ça peut bien vouloir dire, putain ?

— Bien, dit-elle. (Était-ce la bonne réponse ?)

— Spasskoi, dit Errol.

— Oui, dit Georgia.

Elle sourit. Il la regarda bizarrement. (C'est toi la silencieuse des deux, hein.) Ils se mirent deux par deux. Garçon fille garçon fille. Il y avait beaucoup de gens en blouson de cuir noir à fermeture Éclair, en hommage à Michael. Des garçons s'étaient laissé pousser les cheveux pour l'occasion et les avaient fait défriser. Ils étaient entourés de Curlys[1] et de chansons de Michael qui déferlaient à plein volume par les fenêtres des voi-

1. Curly : permanente où le cheveu est défrisé et huilé, mise à la mode par Michael Jackson à l'époque de *Thriller*. (*N.d.T.*)

tures. Wembley, un lieu où l'après-midi les vieilles dames poussaient des landaus en guise de caddies, était devenu le centre du monde. Ils ne virent pas Kemy. Elle était quelque part à l'intérieur, sans doute près de la scène (elle avait exigé que Bel vienne la chercher à 4 heures et lui laisse faire la queue dehors). Entièrement habillée de noir, elle avait passé ses cheveux au gel, maquillé ses lèvres en rouge vif et mis des chaussures plates pour le moonwalk.

Ils s'éloignèrent de la foule en criant pour couvrir le bruit, sans parvenir à s'entendre. Dean dit :

— Les derniers concerts seront mieux.

Et Bessi crut qu'il disait :

— Les mecs savent qu'ils seront mieux.

— Quels mecs ? cria-t-elle.

— Quoi ? hurla Dean.

Georgia n'aimait pas crier et elle n'aimait pas les foules non plus. Ça demandait trop d'efforts, d'éviter les gens, de ne pas se cogner dans Errol et de crier, le tout en même temps. Chaque fois qu'Errol disait quelque chose, elle hochait la tête comme si elle l'avait entendu.

En arrivant devant la maison, Georgia et Bessi se sentirent sales. Était-ce suffisant de connaître un garçon depuis quinze jours pour aller chez lui, chez sa mère en fait ? Était-ce ça que faisaient les salopes ? Et elles, étaient-elles des salopes ? Leurs yeux entrèrent en contact. Comme elles restaient plantées sur le paillasson, Errol leur adressa un signe de tête :

— Vous entrez ?

Sa grosse tête avait l'air encore plus grosse sous le bas plafond.

— Asseyez-vous, dit Dean.

Il jeta un coup d'œil à son frère. Errol se dirigea vers la cuisine. Errol en chemise verte, Dean en polo orange, des couleurs complémentaires, tous les deux des chaînes en or autour du cou.

Georgia et Bessi s'assirent sur un canapé crème en similicuir. Bessi croisa les jambes et s'appuya sur un bras en veillant à ne pas toucher le canapé avec ses cheveux. Georgia s'enfonça en arrière et se souvint du gel juste à temps. Était-il déjà sec ? Dans le doute, elle se redressa. Bessi a l'air sexy, songea-t-elle, les jambes croisées comme ça. Elle a l'air sûre d'elle. Comment fait-elle ?

Dean était dans le coin de la pièce et farfouillait dans ses cassettes.

— Tu kiffes le bon son, hein, Bessi ?

— Je croyais qu'on allait écouter le concert.

— Ouais, mec, ouais, mais il a pas encore commencé. Il commencera pas avant 9 heures, tu sais.

— Ah, d'accord... T'as du Roy Ayers, alors ?

— Un max, mec.

Et Roy arriva comme une fumée. Porté par des accords de piano musqués, la voix brûlante de tendresse, il entra en flottant dans la pièce, survola le cactus et la table basse, se glissa sous les lampes, rampa sur la moquette rouge foncé pour aller marteler les nerfs des jumelles de ses battements de soie. La mélodie les fit fondre. Georgia toucha ses cheveux et vit qu'ils étaient secs. Elle s'enfonça dans le canapé et Bessi aussi.

« C'est tout bon, Eve », se dirent-elles.

Errol ressortit de la cuisine avec une bouteille de Pink Lady.

— À moins que vous vouliez du Thunderbird ? On en a si vous en voulez. Qu'est-ce que vous préférez ?

— Pink Lady, dit Georgia.

Elles reçurent des verres et le liquide ivoire y tomba en cascade. C'était sucré. Le sucre serra la gorge de

Georgia. Elle reprit une lampée. Bessi aussi. En échangeant des coups d'œil par-dessus les ballons de verre.

L'escalier était une spirale vers l'inconnu, à la fois menace et promesse d'une forme d'émerveillement. Bessi suivit Dean par les triangles, les jambes en sirop, avec un dernier sourire vague pour Georgia, une sorte d'au revoir (*adieu, sœurette, t'as l'air inquiète, t'inquiète pas*). Elle le suivit, ça tournait dans son cerveau et sous ses pieds, elle le laissa l'allonger sur les draps, laissa l'obscurité l'engloutir, la musique la transporter. Il l'avait emmenée dans sa chambre, sur le grand lit où la lueur orange d'une lampe grimpait sur les couvertures et illuminait sa peau. Il balaya du regard ses épaules, son ventre, ses seins, ses jambes, évita ses yeux et l'embrassa. Elle se concentra sur le contact. Il l'embrassa plus profondément. Elle transpirait. Sa langue entra dans sa bouche et elle se demanda si elle pouvait lui faire confiance, à cette langue. Elle se demanda si Georgia lui faisait confiance, allongée en bleu électrique sur le canapé avec Roy Ayers derrière elle, les godets bleus, à cette langue qui remontait à présent le long de ses jambes, et à ses mains sur sa poitrine, ses lèvres sur son cou. *T'inquiète pas, sœurette.*

— Fais-moi confiance, dit-il. Allez (mignonne), allonge-toi, détends-toi.

Les lampes à variateur sont mises en veilleuse. Sur la table basse, deux verres, une dernière gorgée de lady.

La lady danse et Georgia bascule en arrière.

Elle se dit : « Je suis dans un champ ensoleillé, par une journée de grand bleu, et je le laisse m'enlever mon haut. Oui, il m'emmène vers les jonquilles et m'enlève mes vêtements et je lui dis *va lentement, mon amour, va très lentement*. Il m'embrasse avec sa bouche caramel et je me laisse aller. Voilà, mon ventre qui tourbillonne, les frémissements, c'est ça ce qui est roux. »

À ce moment-là il dit :

— C'est quoi, ça, sur ton ventre ?

— C'est une cicatrice.

— Comment tu te l'es faite ?

— En naissant, et en mangeant de la poussière.

— Quoi ? et il la regarde bizarrement de nouveau, avant de continuer.

Il évite ses yeux et il évite sa cicatrice. C'est pas grave, pense-t-elle, et elle se concentre sur le contact.

Des doigts dessinaient les cuisses et les contours des seins. Des lèvres ombrageaient un mamelon puis l'aspiraient. Elles se cambraient, s'étiraient. Les paumes caramel et chocolat, à présent moites, glissaient le long des bustes couleur de sable, appuyaient sur des hanches serrées par le doute, tremblant à la possibilité de s'ouvrir, de ce que ça signifierait, du changement que ça pourrait apporter au monde. C'était une occasion, juste une occasion, que cherchaient les doigts, avec fermeté, partout, et Bessi sentit ses jambes s'ouvrir en bâillant, lentement, docilement. Dean s'allongea sur elle. Au même moment, une autre musique commença. La foule de Wembley hurlait. Michael entra en scène, cuir noir et fermetures Éclair, et le visage de Kemy irradiait d'amour et de passion. Il chanta. Kemy pleura. Tandis que Bessi retenait son souffle et s'efforçait de soupirer.

Mais la douleur. Le sang. Sur le canapé. Est-ce qu'il y a du sang ? La mère des garçons. Qu'est-ce qu'elle va dire ? Et si elle entrait en cet instant même et qu'elle découvrait Errol sur une fille qu'elle n'a jamais vue, qui ouvre ses grosses jambes sur son canapé ? Roy Ayers est parti. J'entends Michael chanter et les gens hurler

(*Kemy, j'aimerais être là-bas avec toi, j'aimerais être encore neuve et jeune comme toi*).

J'entends, très lointain, un chaton dans les buissons et la chaleur m'entoure, partout, mais comme j'ai froid, pourtant.

Il ne pourrait pas s'arrêter ?

— Tu veux pas t'arrêter ? Ça fait mal.

Elle essaie de le repousser mais il continue de bouger à l'intérieur d'elle. Des planètes les séparent. Il fonce en elle.

Il la laissa loin derrière, emportant quelque chose d'elle, quelque chose dont il n'était pas digne et qu'elle ne pourrait jamais récupérer. Bessi regarda son visage exploser au-dessus d'elle, la bouche ouverte, victorieuse. Elle resta allongée et attendit qu'il se reprenne.

— Je suis sorti à temps, hein, haleta-t-il, avant de s'écrouler sur elle.

Il avait giclé sur son ventre. C'était suintant. Poisseux. Dégoûtant. Il soufflait comme un chien. Dans le coin de la chambre, dans l'ombre orange, Mr Hyde regardait.

— Qu'est-ce qu'il y a ? dit Errol.

— Qu'est-ce que tu veux dire ? demanda Georgia en regardant fixement le cafard qui grimpait sur le mur.

— Ça t'a pas plu ? dit-il.

— Si, dit-elle.

— Ben j'aurais pas cru, tu bougeais presque pas, tu fais ça comme si tu étais morte.

— Merci, dit Georgia.

Elle prend ses vêtements, les enfile et s'assied sur le canapé avec un sourire terrible. Oh ! pense-t-elle, le canapé !

— Un mouchoir en papier, un torchon, dit-elle, vite, Errol, du sang !

Lui, ça commence à l'agacer.

— Nan, t'inquiète, mec, y a rien. Mais qu'est-ce que t'as ?

Et elle lui demande :

— Où est votre salle de bains ?

Georgia se lava les mains dans le lavabo blanc et se concentra très fort sur l'eau. Elle les savonna, les rinça. Les savonna encore, les rinça. Puis elle passa de l'eau sur ses jambes, ses bras et son cou. Elle mouilla ce visage, cette chose dans le miroir qui avait besoin d'être nettoyée. Pendant un quart d'heure, elle le frotta entre ses mains puis s'essuya avec une serviette, tout le corps jusqu'aux chevilles. Voilà, toute propre. Elle s'essuya les mains de nouveau. Voilà, voilà, toute propre.

Quand elle sortit de la salle de bains, Bessi se tenait au pied de l'escalier, les cheveux en bataille et la robe de travers. Dean et Errol étaient debout à côté du canapé. Tous les trois, ils la dévisageaient. Bessi avait l'air horrifiée. Georgia se tenait la main sur le ventre, au-dessus de sa cicatrice.

— Georgie. Bessi s'approcha d'elle. Qu'est-ce qui ne va pas ?

— Je ne me sens pas bien, dit Georgia. Est-ce qu'on peut rentrer maintenant ?

Il y avait de la folie sur son visage. L'ourlet de sa jupe était trempé. Bessi prit peur.

— Oui, dit-elle. On va y aller. Viens.

Bessi se tourna vers Errol et ses yeux demandèrent :

« Qu'est-ce que tu as fait ? Tu ne lui as pas fait mal, si ? »

Et à voix haute, Errol dit :

— Qu'est-ce qu'elle a ta sœur, mec ? Elle se comporte bizarre. Elle est toujours comme ça ?

Georgia n'entendit pas tout mais elle entendit le « bizarre » et le « elle est toujours comme ça ? ». Pas toujours, pensa-t-elle, pas toujours.

— On peut y aller maintenant ? répéta-t-elle.

— Je t'appellerai, dit Dean à Bessi.

Errol voulut prendre la main de Georgia et ajouter quelque chose, mais elle sortit dans la rue.

Il faisait nuit. Il y avait des bruits de circulation et des bruits de Michael. Bessi passa son bras dans celui de Georgia.

— Dis-moi ce qu'il y a, Georgie. Parle-moi, raconte-moi.

Mais ça allait tellement mieux maintenant, dehors dans la fraîcheur de l'air, rien que toutes les deux.

— Ça va, dit Georgia, je te promets. Je me sens mieux.

— Mais qu'est-ce qui s'est passé, avec Errol ?

Elles marchaient, Bessi les pieds en-dedans, Georgia les pieds en-dehors.

— Ça m'a fait mal, dit Georgia.

— Oui. Moi aussi.

— Bess, dit Georgia, j'ai... des ombres... dans ma tête.

— Quelles ombres ?

Elle s'arrêta. Elle regarda l'autre visage, le visage heureux et innocent, et pensa : « Je ne vais pas lui apporter l'obscurité, reste là. »

Elle se remit en chemin.

— C'est rien, dit-elle. Juste un petit coup de blues, ça va aller.

Quand elles arrivèrent à la maison, Mr Hyde était à la cuisine. Il se leva, prêt à faire une scène.

— Où étiez-vous ? dit-il.

Georgia n'était pas d'humeur à se faire engueuler. Elle s'approcha de Mr Hyde et articula très distinctement, d'une voix aiguë :

— Je vais me coucher, papa. Je vais prendre un bain et ensuite je vais me coucher. Bonne nuit.

Bessi la suivit en haut. Elle lui fit couler un bain dans la salle de bains d'en bas, elles se serrèrent fort dans les bras et Bessi posa son pouce entre les sourcils de Georgia pour effacer le froncement.

— Un jour bientôt, dit-elle, on partira ensemble rien que toi et moi et tout sera super.

Ensuite Georgia s'enferma dans la salle de bains et y resta deux heures.

À son retour, Kemy grimpa directement au grenier. Elle raconta tout sur Michael à Bessi, comment il avait tourbillonné et paradé et l'avait emmenée sur la lune.

— Il assurait *un max*, dit-elle, les cheveux ébouriffés par la sueur, le rouge à lèvres effacé, ses chaussures de lune maculées de boue.

Errol téléphona une fois, quelques jours plus tard, alors que Georgia allait prendre un bain. Les minuscules bulles de mousse éclataient tandis qu'ils parlaient. Il lui demanda : « Spasskoi ? » et si elle voulait qu'ils se voient. Elle répondit : « Non merci. » Errol se sentit soulagé. Georgia raccrocha le téléphone et alla prendre place dans l'eau.

Bessi resta trois mois avec Dean et le quitta à Halloween. Il voulut la retenir. Il la tira sur ses genoux et lui tordit le bras, elle lui échappa.

Cette année-là, elles se déguisèrent pour Halloween. Reena avait la maison pour elle toute seule et elle avait invité tout le monde, avec la consigne de faire peur. Anna passa à Waifer Avenue et elles s'habillèrent ensemble au grenier. Bessi mit des collants noirs et un justaucorps noir avec des os blancs épinglés dessus, un squelette au visage tailladé, qu'elle couvrit de croûtes en plastique. Kemy opta pour Dracula. Elle se poudra le visage et se dessina une implantation de cheveux de vampire plus deux rangées de sourcils. Elle tartina ses lèvres de rouge et se dota de crocs en papier. Anna s'enveloppa de bandages, ne laissant dégagés que ses yeux et ses narines et déclara qu'elle était une momie.

Georgia se déguisa en fantôme. Elle découpa un trou dans un vieux drap blanc et l'enfila par la tête. Elle poudra abondamment son visage et son afro. Et le tour était joué.

Au crépuscule, elles se rendirent toutes les quatre chez Reena en longeant l'A406. Elles tenaient des cierges magiques et écoutaient exploser les pétards d'Halloween. Elles riaient beaucoup, inventant toutes sortes de bruits assortis à leurs costumes. Reena, qui s'était déguisée en loup-garou, poussa un hurlement avant d'ouvrir grand sa porte.

— Entrez, mes horreurs ! clama-t-elle d'une voix de stentor.

Dans sa minuscule chambre, elles mangèrent des frites et se saoulèrent. Kemy sortit son album *Forever, Michael*. Elles dansèrent du haut en bas de l'escalier, ce qui leur donna chaud, alors elles s'allongèrent. Michael entama une chanson lente.

— Écoutez, dit Kemy.

Elles le laissèrent chanter :

On day in your life
You'll remember a place
Someone touching your face
You'll come back and you'll look around[1]...

Elles restèrent allongées là, vautrées les unes sur les autres, et s'essuyèrent les yeux.

---

1. « Un jour dans ta vie / Tu te souviendras d'un lieu / De quelqu'un touchant ton visage / Tu reviendras et tu chercheras » (*N.d.T.*).

8

Flapjacks

Bessi étala la carte du monde par terre dans le grenier. La carte était vieille et rebiquait aux bords à force de se prêter aux rêveries. Les doigts de Bessi traversèrent la mer. Elle se vit, seule, assise dans un bar espagnol, en train de siroter un long drink frappé. Le monde entier, songea-t-elle avec émerveillement, regardez.

L'heure de l'Empire était venue. Au cours des quatre ans qui avaient suivi sa conception, les recherches des jumelles sur les flapjacks avaient pris de l'importance et occupaient un dossier dans l'alcôve. Georgia faisait preuve d'un zèle particulier pour tenir en ordre les emballages de flapjacks vides, les étiquettes et les notes afin que le moment venu, il soit facile de dresser un plan d'action.

Tout d'abord, suggéra-t-elle, il fallait qu'elles mettent leur recette au point et qu'elles établissent leur gamme de parfums.

— Oui, dit Bessi, et puis quand on aura commencé à vendre, on pourra diversifier un peu.

— Oui mais chaque chose en son temps, dit Georgia.

Elles passèrent les vacances précédant leur rentrée en terminale à Watley à se préparer. Des étiquettes furent tapées à la machine, marquées « Les Célèbres Jumelles aux Flapjacks », des spécimens de flapjacks frais sortis du four emballés dans du film plastique (c'était l'emballage qui offrait le meilleur rapport coût-performance, d'après les notes). Elles les distribuèrent à des élèves de Watley en échantillons gratuits et ils reçurent un bon accueil, suite à quoi elles se mirent à vendre des fournées de la vraie marchandise à l'heure du déjeuner, à une table au fond de la cantine. Leurs flapjacks coûtaient 45 pence. Ils devinrent très prisés comme desserts et goûters, les parfums préférés étant Pomme-Amande et Cannelle & Myrtille.

Le commerce local répondait aux besoins de Georgia. En gros, avec le reste, cela suffisait à lui donner le sentiment d'avoir un but dans la vie – préparer, emballer et étiqueter, sortir du four des plaques de flapjacks à l'âme neuve, plus l'entretien constant des roses et les vies qu'elle découvrait dans ses livres d'histoire. Elle s'intéressait tout particulièrement à Disraeli, Benjamin, 1804-1881, qui avait été le premier et l'unique Premier ministre juif de Grande-Bretagne et le grand rival de Gladstone.

Bessi, elle, était moins comblée. Au bout d'un an, elle était impatiente d'étendre leurs activités au-delà de Watley, et même au-delà de Neasden. Dans la mesure où aucune des deux ne savait conduire, elles allaient devoir se débrouiller sans voiture.

— Il nous faut des cartes, dit-elle, comme Bel pour son salon de coiffure. Il faut qu'on fasse circuler l'information.

Elles achetèrent du carton de couleur avec leurs bénéfices et Reena les aida à faire la mise en page sur l'ordinateur de sa mère. Elles imprimèrent les feuilles puis les découpèrent en cartes de visite légèrement de travers :

Les Célèbres Jumelles aux Flapjacks

Des flapjacks dorés et frais sortis du four
Des parfums que vous n'avez encore jamais goûtés !
Un excellent rapport qualité-prix
Appelez le 01 450 0267 pour vos commandes

— Et maintenant, dit Bessi, en route pour la ville.

Elle se fit la bouche et les yeux. Georgia refit le bout de ses tresses torsadées. Au début, elles avaient mis le même haut blanc et Bessi dut se changer.

Georgia emporta deux nectarines dans son sac et elles attendirent le métro à la station de Neasden, un quai en plein air à deux voies sur la ligne « Jubilee », qui était l'ancienne ligne « Fleet », rebaptisée en 1977 à l'occasion du jubilé d'argent de la reine. Stanmore paressait à une extrémité, tout à fait au nord, avec ses avenues tranquilles et ses élégantes maisons, et les kilomètres de voie s'étiraient ensuite vers le sud, traversant Wembley, dépassant Neasden pour entrer dans les quartiers miteux de Willesden Green, où commençait la deuxième zone. Les maisons rentraient le ventre et la circulation s'intensifiait, les magasins et les piétons se multipliaient et, entre les stations de St John's Wood et Baker Street, un long tunnel noir haletant menait dans la folie de la première zone. La vie, là, n'était que vitesse, lumière et livres sterling. Il n'y avait plus d'espaces verts, des touristes hébétés étaient plantés aux coins des rues, un plan au bout du bras ; des mendiants, assis le long des façades des grands magasins, guettaient la culpabilité ; et le smog grondait au-dessus de tout ça, exsudant son poison. Les arbres étaient en fleurs. C'était une journée de printemps humide.

Tandis que le métro fonçait rageusement par les tunnels, Georgia et Bessi se voyaient dans le monde des fenêtres noires – des filles floues en hauts de couleurs vives, dont les vies s'accéléraient. Elles descendirent à Charing Cross et traversèrent Trafalgar Square jusqu'à Piccadilly Circus. Sous les imposants murs de lumière, les piétons glapissaient en zigzaguant pour doubler, serrant leurs sacs de courses contre eux. Des bus à impériale crachaient en ricanant des gaz d'échappement dans lesquels les gens s'avançaient, femmes aux jambes nues cernées d'épais bracelets de fumée aux chevilles. Il y avait un bruit de tonnerre, comme la fois où Georgia s'était perdue à la foire de Leicester Square, sous le cheval ailé à pois orange. Pendant des heures, lui avait-il semblé, elle était restée tapie là à regarder la ronde incessante et froide du manège, convaincue qu'elle était bien plus en sécurité là, sous le ventre d'un animal imaginaire, qu'il était plus bienveillant que cette bête, là-bas.

Quand elles traversèrent Shaftsbury Avenue, Georgia glissa son bras sous celui de Bessi. Un homme corpulent au visage blême et renfrogné la bouscula. Elles se postèrent à côté du Trocadero.

Bessi sortit quelques cartes de sa poche. Georgia prépara les siennes.

— Alors... alors voilà, on les distribue, dit Bessi.

Elles tendirent le bras, les cartes jaunes entre leurs doigts. Les passants les ignorèrent. Bessi s'avança, non sans un léger sentiment de ridicule, et se mit à fourrer des cartes dans les mains qui passaient. Georgia prit le rythme, elle aussi.

— Flapjacks ? disait-elle, même si personne n'entendait. De bons flapjacks sucrés ?

Cela jusqu'à ce que la fatigue et la faim les gagnent ; elles s'appuyèrent contre le mur.

— Tu veux une nectarine ? dit Georgia.

— Bon, d'accord, dit Bessi.

Les flapjacks, c'était pour le boulot. Les nectarines, pour le plaisir. Celles-ci étaient sucrées. De parfaites boules de coucher de soleil glissant dans leurs gorges lasses.

— Le fruit est bon, dit Georgia.

— Le fruit est excellent, dit Bessi.

Piccadilly Circus plongea dans le soir. Les voix, les lumières clignotantes, la houle brillante et colorée d'un millier de sorties nocturnes... Georgia commençait à avoir le tournis. On aurait dit qu'il n'y avait pas assez de place pour tout.

— Rentrons, dit-elle à Bessi. J'en ai assez. J'ai besoin d'un bain.

— Vas-y, toi, dit Bessi. Elle observait une femme debout toute seule à la fontaine, qui regardait autour d'elle comme si elle ne savait pas où elle était. J'ai envie de rester encore un peu.

— Pour quoi faire ?

— Rien. Comme ça.

Il y avait une pointe de défi dans sa voix.

Elle regarda Georgia s'éloigner dans la foule, les épaules serrées. Elle regarda le dessus de sa tête disparaître dans l'escalier. Puis elle se mit à marcher.

Exactement comme si elle s'était perdue, elle erra dans les rues et les ruelles en scrutant l'intérieur des vitrines de magasins et des restaurants. Elle entra dans un café, vêtue d'une robe espagnole imaginaire à la jupe large, et s'assit toute seule au comptoir. Georgia était ailleurs. Bessi demanda au garçon n'importe quoi dans un grand verre. Elle sirota sa boisson, lentement, en observant furtivement les gens qui entraient et sortaient, une serveuse qui essuyait des tables, la fille aux tresses dans le miroir. Ce n'était qu'elle.

« Voilà à quoi ça doit ressembler, l'être-un », se dit-elle.

Les coups de fil pour les flapjacks n'affluèrent pas autant qu'elles s'y attendaient. En juin, trois personnes appelèrent pour se renseigner. Un homme avec une petite voix ; Bessi décrocha le téléphone et il dit : « Alors vous êtes célèbres ? » Bessi dit : « Quoi ? » Et l'homme dit : « Les célèbres jumelles aux flapjacks – c'est ça que je demande, êtes-vous célèbres ? »

Une vieille dame qui vivait à Hertfordshire. Ce fut Kemy qui répondit et la dame demanda si elle pouvait parler à une des célèbres jumelles aux flapjacks.

« Elles ne sont pas là », dit Kemy.

La dame lui raconta une longue histoire, comme quoi elle faisait elle-même des flapjacks depuis qu'elle était petite fille (le journal local avait même publié une de ses recettes) et que l'autre jour sa fille, qui lui rendait visite deux fois par an avec son mari Jeff, lui avait donné cette charmante petite carte jaune et qu'elle avait décidé d'essayer voir parce qu'elle aimait se tenir au courant des nouveautés en matière de flapjacks. Au bout de plusieurs tentatives, Kemy parvint à dire à la dame qu'elle n'était pas sûre que les jumelles livrent en dehors de Londres vu qu'elles ne savaient pas encore conduire, mais qu'elle leur dirait de la rappeler.

La troisième personne était un homme au ton bourru, qui tomba sur Georgia.

« Oui, c'est le bon numéro », dit-elle. L'homme

baissa la voix. « J'ai vu votre carte... des flapjacks, hein ? Jolie trouvaille. J'espère que c'est pas la seule chose que vous faites ! » Georgia raccrocha immédiatement.

Ce fut tout, à part la dame d'Hertfordshire qui continua à appeler en demandant avec insistance aux jumelles de venir prendre le thé chez elle et d'apporter leur recette pour qu'elles puissent comparer. Pour mettre fin à ses coups de fil, Georgia lui prépara un colis contenant quatre différents parfums et une photocopie de leur recette.

— Elle doit se sentir seule, dit-elle à Kemy.

Les jumelles firent une autre sortie et se délestèrent d'autres cartes, cette fois-ci à Kilburn et Cricklewood, ainsi qu'à l'entrée de Brent Cross, jusqu'à ce qu'un vigile leur demande de partir. Quelques rares commandes arrivèrent. On leur demanda vingt flapjacks pour un goûter d'enfants à Dollis Hill.

— Ça y est ! s'exclama Bessi. Ça démarre !

Mais après ça, plus rien pendant des mois. Aubrey leur assura que c'était normal pour une entreprise qui commençait.

— Les choses prennent un certain temps à se mettre en route, dit-il. Il faut persévérer, c'est ça le truc, il faut s'accrocher.

Bessi perdait patience. Le début de ses dix-huit ans et la seule perspective, c'était les examens et des flapjacks qui ne marchaient pas. Quel effet cela ferait-il, se demandait-elle, d'être complètement perdue ? De se réveiller dans un autre lieu, pas à la maison, d'être dépouillée de tout jusqu'à ce qu'il ne vous reste plus que votre esprit, votre corps et l'avenir ?

— Aux jumelles, dit Aubrey quand il porta un toast pour leur anniversaire.

— Aux jumelles, reprit le chœur.

Bessi ajouta quelque chose de son cru :

— Au fait d'être assez grande.

Sur les conseils d'Aubrey, Georgia persista et continua de tenir l'étal à l'heure du déjeuner. « Je te l'avais dit, il vaut mieux s'en tenir à l'échelle locale pour le moment, tant qu'on est nouvelles. » Elle parvint à traîner Bessi avec elle à Hertfordshire pour voir Edith (c'était son nom) qui, en recevant le colis, avait été tellement émoustillée par l'originalité des parfums, en particulier Cannelle & Myrtille, qu'elle en avait conclu qu'il fallait *absolument* qu'elle les rencontre. Elle avait fait goûter Choco-Noisettes à Beccy (sa fille) et Jeff (son mari, vous connaissez Jeff) et ils avaient évoqué la possibilité d'en commander eux-mêmes quelques-uns ! Kemy estima que c'était une crampon. Elle les accompagna par le train pour apporter son renfort.

Pendant le trajet, Georgia s'assoupit puis se réveilla et regarda par la fenêtre. Plus tard, elle l'écrivit. *Il y avait des champs et des petites maisons au bord. J'ai vu une fille sur la voie ferrée. Elle portait une robe et des bottes et elle me faisait signe de la main. Je lui ai fait signe aussi.*

Edith était minuscule et elle avait les cheveux roses. « Oh, mais si c'est pas une jolie couleur que vous avez toutes ! » s'exclama-t-elle en ouvrant la porte, puis elle les fit s'asseoir dans son pavillon pour leur montrer des photos de Beccy et des enfants et leur offrir du thé et des flapjacks d'Edith (inspirée par les jumelles, elle avait décidé de créer sa propre marque), que Georgia trouva un tantinet bourratifs, trop de margarine, pas assez de sucre. « Qu'en penses-tu, Bessi ? » demandèrent ses yeux. Bessi haussa les épaules et tourna la tête.

Dans son bon lit, Bessi refaisait sans cesse le même

rêve. Ses vêtements n'étaient pas à la bonne taille. Elle était assise par terre au grenier et son jean devenait de plus en plus serré puis commençait à se déchirer. Ses jambes s'allongeaient, ses genoux grossissaient, ses pieds défonçaient le toit, la fenêtre volait en éclats. Un matin où Georgia était au rez-de-chaussée, Bessi sortit le monde et l'étala par terre une fois de plus. Les nations faisaient relief. Les océans attendaient. Elle longea la côte du Brésil et plongea dans la mer des Caraïbes. Elle s'approcha du bord du Sénégal, traversa le Ghana et retourna un petit moment au Nigeria pour voir comment ça allait, là-bas, et manger un carré de suya, puis continua vers la côte atlantique, dans le bleu, pour chercher une île, un endroit où elle n'était jamais allée, et boire un long drink frappé.

Georgia remonta avec Gladstone et Disraeli. Kemy l'avait aidée à enregistrer ses notes pour ses révisions – Kemy lisant les questions, Georgia lisant les réponses – et elle les écoutait sur son baladeur tout en faisant la vaisselle.

À la différence de Disraeli, Gladstone s'intéressait peu aux affaires étrangères. Il abordait les décisions avec prudence. Il était disposé à travailler en collaboration avec les grandes puissances pour préserver la paix. Il avait une perspective européenne. C'était un non-interventionniste, pourtant sa morale le poussait à l'intervention dans certains cas, notamment dans le cas des massacres bulgares. Cependant, ses politiques raisonnables semblaient parfois molles et frileuses... Elle éteignit le baladeur quand elle aperçut Bessi assise par terre, la tête penchée sur la carte comme si elle voulait en devenir une partie intégrante.

— Qu'est-ce que tu fais ?

Bessi leva la tête et sourit comme qui vient juste de découvrir que le monde lui appartient.

— Je pars.

Ça se passerait comme ça, Georgia le savait. Bessi s'éloigne, elle se retourne une fois et agite la main, la mer l'emporte, une main noire se tend vers Georgia. C'est terrible et silencieux.

— Tu ne peux pas partir. On a des examens.

— Pas maintenant. Après les examens.

— Mais pour combien de temps ? demanda Georgia, qui commençait à être en colère.

— Je ne sais pas. Je viens juste de décider.

Bessi se leva et alla s'asseoir sur son lit. Debout à l'autre bout de la pièce, Georgia se mit à tripoter un ongle. Par terre entre elles deux, le monde resta ouvert.

— Tu n'as jamais le sentiment que la vie est trop petite ? demanda Bessi. Comme s'il y avait d'autres parties de toi dans des endroits différents et qu'il fallait que tu ailles les chercher ?

Georgia ne répondit pas.

— En tout cas moi c'est ce que je pense ces derniers temps. Il faut que je parte, et vite, pour voir des trucs.

— Quels trucs ? Où ça ?

La voix de Bessi semblait provenir de sous l'eau.

— Bon d'accord, je n'ai pas encore décidé *exactement*, mais je veux aller quelque part dans les Caraïbes, dans une île où il fait très chaud. Je pourrais trouver un boulot quelconque ou travailler comme bénévole. Des tas de gens font ça après le lycée. Tu peux obtenir un placement et être logée dans une famille...

— Oui, je sais ça, dit Georgia. Je ne suis pas stupide.

— Bon, dit Bessi. Elle regarda la carte, puis reporta les yeux sur Georgia. Ça t'ennuie ?

Elle se sentait obligée de demander la permission et ça l'agaçait.

— Tu ne peux pas partir comme ça toute seule aussi loin ! lança sèchement Georgia. Tu avais dit qu'on partirait ensemble un jour, tu te souviens ? Tu es encore petite, et s'il t'arrivait quelque chose ?

— Comme quoi ?

Georgia entendit l'eau clapoter contre la coque d'un bateau. Le bateau dérivait sur le lac. Elle voulait s'allonger et plonger les doigts dans l'eau. Elle dit, doucement :

— Il pourrait se passer n'importe quoi, tu ne sais pas. C'est... dangereux.

— C'est *excitant* !

— Et les flapjacks ?

— Ça marche pas, les flapjacks, dit Bessi. C'est idiot.

— Idiot ?

— Georgia, l'Empire ne va pas marcher.

Georgia tourna vivement la tête vers la fenêtre et fusilla les nuages du regard. Elle avait envie de dire : « Ne pars pas, comment oses-tu ? Ne pars pas. » Et une autre partie d'elle : « Laisse-la partir. » Elle se battait avec elle-même. Elle paniquait.

— Ça nous fera du bien, disait Bessi. Tu ne crois pas qu'il est temps de découvrir qui nous sommes quand nous sommes chacune par nous-mêmes ? On pourra partir ensemble une autre fois.

— Je suis par moi-même quand je suis avec toi, fit Georgia.

Bessi traversa la pièce et la rejoignit. Elle lui prit la main et dit :

— Georgie, on est des Hunter. On chasse. Je veux partir à la chasse. Laisse-moi partir.

Il y eut un silence. Le chant des oiseaux, dehors.

— Pars, alors, dit Georgia.

Elle dormit d'un sommeil profond cette nuit-là. Une nappe d'eau scintillante, un bateau qui la traversait jusqu'à l'autre rive où commençait la montagne, grimpant en dents de scie vertes vers la fin. Elle s'allongea dans le bateau et vit la brume au sommet de la montagne, lumière d'argent, une couleur où les choses pouvaient disparaître. Des mouettes jetaient l'ombre de leurs vols à la surface du lac. L'eau lui caressait les doigts. Elle lui disait, tendrement : « Allonge-toi maintenant et repose-toi, ma chérie, allonge-toi ici et repose-toi. »

Bessi fut prise d'effervescence. Pendant que Georgia trimait sur ses bouquins, elle prit un travail à mi-temps et fit ses recherches. Elle trouva une place de bénévole aux Îles du Vent et Aubrey, lui aussi en pleine effervescence, l'aida à payer. Six mois, décida-t-elle, ce serait parfait.

Ida essaya de la dissuader : « Y a quoi tu prends pas ton sœur partir avec ? Je ne comprends pas. Pourquoi tu as besoin d'aller si loin toute seule ? » Mais Nne-Nne s'empressa de rappeler à Ida qu'elle-même avait fait bien pire, en se sauvant à quinze ans, pas dix-huit, Dieu sait pour où et en pleine nuit. Nne-Nne s'enfonça dans son fauteuil rouge et se mit à rire. « Nous avons une autre Cecelia de nouveau, dit-elle. Ida, Bessi voilà c'est ta fille vrai vrai ! Heh ! »

Nne-Nne avait raison.

— M'man, dit Bessi. Je pars seule et tu ne pourras pas m'en empêcher.

« Tu vois ? ricana Nne-Nne. Tu vois ça ? »

Ida se souvint de la nuit, de cette nuit. Les phalènes à ses chevilles, la lune toute fine, les diables sur les étoiles et le bruit des roues de la bicyclette sur la chaussée. Sous la peur, elle avait éprouvé le sentiment d'une évasion, de merveilleuses possibilités, et rien n'avait jamais été aussi beau que ce sentiment-là, depuis lors. La soif d'aventure de Bessi rappela à Ida le gouffre entre ce qu'elle avait été et ce qu'elle était devenue. Elle en resta troublée, en proie au sentiment que ses enfants, que le monde, la dépassaient. Elle ressentit le besoin immédiat et soudain de sortir.

Elle donna pour six mois de Vicks à Bessi.

— Si tu te fais mal ou si tu n'arrives pas à dormir, dit-elle, tu en mets à l'endroit qui te fait mal.

Bessi lui fit ses tresses. Cela prit sept heures, avec l'aide de Georgia qui faisait les bouts et Bel les raies. Bel allait ouvrir son propre salon de coiffure à Kilburn ; Jay avait maintenant quatre ans, des nattes en zigzag et de jolies chemises que lui donnait Jason. Il n'avait pas perdu son expression de surprise permanente – il la devait à sa mère, à la mère de sa mère, à la mère-fantôme de celle-ci et aux choses qu'elles lui racontaient. La semaine précédente, Jay avait demandé à Bel : « Est-ce que Nne-Nne est une vraie Granny ? » Belle lui avait expliqué ainsi : « Quelquefois les gens se sentent seuls et quelquefois les choses commencent à leur faire peur. Alors, pour s'aider, ils pensent à une chose qui va les réconforter, par exemple à une personne particulière, et cette personne particulière, Jay, s'ils y pensent très longtemps, elle commence à devenir réelle. Si tu l'imagines assez fort, ça devient une réalité. Tu comprends ? »

Jay n'avait pas tout compris mais il dit que oui à sa mère.

Bel le laissa aider pour les tresses de Bessi. Il devait lui passer les perles à enfiler au bout de chaque tresse.

Il disait : « Tiens, Bel », et Bel disait : « Bien, Jay, maintenant attends la prochaine. »

La veille au soir du départ de Bessi, les jumelles se mirent à la fenêtre et regardèrent l'arbre vert. Aubrey, dans le jardin, marchait vers la maison. Ses cheveux étaient devenus fumée et brillaient avec sa cigarette d'un éclat blanc. Kemy frappa à la porte (la règle était toujours en vigueur).

— Je peux entrer ? demanda-t-elle.

Elle voulait faire partie des au revoir.

— Reviens dans une minute, dit Bessi.

Les bruits de pas s'enfoncèrent dans l'escalier.

Elles ne parlaient pas.

Bessi passa le bras autour des épaules de Georgia.

— Ça va aller ?

— Oui, murmura Georgia. Puis, d'une voix plus forte : Ça ira.

— Tu vois là-bas ? Bessi pointa l'arbre du doigt. Je l'emporte avec moi. Et toi aussi. Alors si jamais tu veux qu'on rêve ensemble – rejoins-moi devant l'arbre vert.

— Oh, Bessi, il faut que tu fasses attention, s'il te plaît sois prudente !

Visage contre visage et se touchant des yeux et des mains, elles redevinrent les seules, comme avant leur arrivée ici, comme avant les phares. Georgia embrassa doucement Bessi sur les lèvres.

— Nectarine ? fit-elle.

Elles la partagèrent, en alternant les bouchées.

— C'est tout bon, Eve, dirent-elles.

Kemy frappa de nouveau.

— Je peux entrer maintenant ?

Elle se plaça entre elles deux pour regarder par la fenêtre. Elle prit une main de chacune et imagina une des deux absente.

— Ça fait bizarre, hein ?

La famille tout entière accompagna Bessi la chasseresse à Heathrow. Ils firent le trajet de jour. À leur arrivée, Aubrey attrapa un chariot et savoura l'instant ; Bel, qui avait l'habitude de ralentir pour attendre Ida, eut l'impression que sa mère marchait plus vite que de coutume. Ils suivirent tous Bessi aussi loin que possible.

Puis elle partit. Elle disparut.

Voici la façon dont cela se passa, comme Georgia l'avait su d'avance : elles avaient cambré le dos, ouvert les bras, s'étaient serrées très longuement. Bessi avait murmuré : « Je t'aime, d'accord ? Ne l'oublie pas. » Et Georgia l'avait regardée s'éloigner à travers le verre, dans l'obscurité. Quelque chose s'était tendu pour l'attraper, par-dessus sa tête, derrière elle, quand Bessi s'était retournée une dernière fois et avait agité la main.

9

Lettres choisies

26 août 1991
Village de Trinity, Sainte-Lucie

Chère Georgia,

Me voici. Dans une petite maison bleue sur une colline. Mrs John y vit seule et j'ai l'ancienne chambre de son fils qui est séparée de la salle, c'est-à-dire du living-room, par un rideau. Il y a deux grandes armoires pleines de vieilles affaires et le lit grince – tu l'entends ? Je suis assise dessus en ce moment et je bois un verre de *ginger ale* tout en te parlant. Tout est bizarre et différent. Tu te rends compte, je suis à mi-chemin de l'autre bout du monde et toi tu es là-bas. Ça fait drôle.

Le village est minuscule. Il y a une route qui le traverse d'un bout à l'autre avec des maisons aux couleurs vives de chaque côté. Au pied de la route et puis à quelques pas en contrebas de l'autoroute principale, il y a une plage de sable noir, à cause des volcans. Du sable noir, tu imagines un peu. J'enlève mes chaussures, je m'assieds sur le rivage noir et bleu et je laisse l'eau me mouiller les pieds. Et les plantes sont partout d'un vert luxuriant, ici, les feuilles et les fleurs en sont gonflées, je ferai sécher des orchidées pour toi et je te les rapporterai.

Mais surtout, il fait chaud, je veux dire chaud comme à Sekon, peut-être même plus chaud. Au village tout le monde me dévisage partout où je vais comme si j'avais la tête orange avec des carrés. Ça me rappelle Aruwa. Les enfants murmurent quand je passe en transpirant dans mon débardeur. Mrs Monk qui habite juste à côté de chez Mrs John, elle est assise sur sa véranda et elle me dit : « Tu marches si vite, il y a le feu ? » Alors j'ai ralenti mais ils me regardent toujours. Ça me donne envie de rentrer à la maison et d'être entourée de gens qui comprennent comment je suis à l'intérieur.

Je ne commence pas mon travail à l'école avant la semaine prochaine alors pour le moment je dors, je transpire et je mange beaucoup. Mrs John me prend pour un rhinocéros. Elle me donne des tonnes de riz et de pois avec du poulet, elle a même essayé de me donner le derrière, mais ça, il n'en était pas question. Je lui ai dit que je ne supportais pas les œufs et les épinards et que je n'aimais pas les bananes. Pour les œufs et les épinards, ça ne lui pose pas de problème, mais pour les bananes, elle ne comprend pas. Son fils Mervin cultive les bananes. En fait la plupart des hommes à Trinity cultivent les bananes parce que c'est un village de plantations de bananes. Il y en a une pas très loin dans la montagne et ils y vont tous les matins avec leurs couteaux. Mrs John continue de mettre des rondelles de banane à table pour le petit déjeuner. Elle s'assied et me regarde ne pas les manger, puis elle me dit : « Pourquoi tu ne goûtes pas la banane ? C'est bon pour toi. » Elle s'est arrangée avec Mervin pour qu'il m'emmène à la plantation parce qu'elle pense que ça me soignera. Je ne veux pas y aller, je ne veux pas y aller, s'il faut que j'y aille, je devrai retenir mon souffle pour me protéger de l'odeur.

Ils ont de bonnes nectarines ici, les plus grosses et les plus juteuses que j'aie jamais vues, on dirait des oranges. J'en mange beaucoup ces jours-ci parce que j'arrive au bout de mes flapjacks. Où tu en es, côté flapjacks ? Où tu en es, côté tout le reste, et comment c'est au grenier sans moi ? Comment vont les autres ? Dis à Kemy que c'est qu'une petite pouffe.

Georgia, ce que j'adore le plus, c'est la musique qui flotte dans l'air. Toute la journée elle m'arrive par les portes ouvertes et j'ai envie de danser. C'est surtout du reggae, du Lovers rock, un peu de ragga, plein de Dennis Brown, Lucky Dube, Gregory Isaac et ma préférée, une chanson qui s'appelle « Cottage in Negril », par Tyrone Taylor. Alors ça me fait plein d'entraînement de chant et demain soir je vais danser à la discothèque de Trinity avec Ainsley, un type que j'ai rencontré sur la plage. Sa sœur et lui m'ont emmenée faire une promenade dans la forêt de palmiers et j'ai chanté « Cottage in Negril ». Ils m'ont dit que j'avais une belle voix.

Il fait nuit maintenant. Il fait nuit à 7 heures et ça ne prend que dix minutes, ça tombe d'un coup comme une couverture sur nos têtes. Mrs John a sorti d'autres choses à manger alors il va falloir que j'y aille. (Je grossis ici.) Écris-moi vite, d'accord, j'espère que tu prends bien soin de toi et que tu manges correctement. Je t'aime, ma douce.

Bessi.

Jeudi 12/9/91

Ma très chère Bessi,

C'est dingue la vie, hein. Tu pars si loin et tu te retrouves face à face avec le diable. Dis à cette Mrs John que tu as une allergie psychologique incurable et qu'il est impossible de savoir ce qui pourrait se produire si tu en mangeais une. Dis-lui qu'elle joue avec le feu.

Je suis tellement contente de te savoir saine et sauve et d'avoir une photo de toi là où tu es parce que je m'inquiétais pour ça, tous ces milliers de kilomètres d'eau et toi là-bas dans les abysses. J'ai régulièrement des bouffées de panique où je me dis : oh là là, Bessi (oh oh oh), mon Dieu, j'espère qu'elle va bien, oh mon Dieu ! Mais te voilà dans la maison bleue, et ne t'inquiète pas pour les gens qui regardent, je comprends entièrement ce sentiment d'être différent – ils seront très vite charmés par toi parce que les gens le sont toujours. Et s'il te plaît ne va pas trop au large quand tu te baignes à la plage noire.

Je suis assise sur la natte dans le jardin parce que je crois que ce sont les derniers jours de soleil. Il fait assez chaud pour les shorts et le jus d'orange avec des glaçons. Je viens d'arroser les roses, elles sont belles, et j'envisage de planter un potager à côté, pas un vrai, juste un petit carré de fruits et de légumes. Ça m'est venu à l'idée dans un éclair de feuilles de laitue après une conversation avec Bel (j'étais un peu déprimée, je crois que c'est cette lumière d'automne sinistre qui s'insinue dans l'air), et elle m'a dit : « Et si tu faisais pousser quelque chose ? » Alors je vais peut-être le faire.

Mais, Bessi, il y a d'autres nouvelles, du Nigeria. On a reçu une lettre d'oncle Joseph le lendemain de ton coup de fil et maman a dit de t'écrire pour te prévenir. Baba est mort il y a une quinzaine de jours. Joseph a dit que l'état de son cœur s'était aggravé depuis un moment et qu'ils s'y attendaient. Maman est vraiment bouleversée. Elle n'arrête pas de pleurer et de dire qu'elle aurait dû rentrer à la maison plus souvent, et que quand tes parents meurent, tu es comme un orphelin. Elle dit que tu devrais être ici avec nous. Elle et Bel vont au Nigeria la semaine prochaine pour l'enterrement à Aruwa et elles vont sans doute y rester au moins quinze jours. Ça va être bizarre ici, avec seulement moi, Kemy et papa.

En dehors de ça pas grand-chose, à part que je postule à des boulots que je ne suis pas sûre d'avoir envie de faire et que je réfléchis davantage à la fac – laquelle où quoi quand pourquoi – et qu'en fait on est un peu en situation de crise. Papa n'arrête pas de me demander quels sont mes projets et je crois que je vais sans doute faire histoire mais je n'ai pas encore décidé où et il me dit Ben t'as intérêt à te décider bientôt. Alors je réfléchis à tout ça, l'avenir, tout, des tas de trucs, l'arrivée de l'automne, et mercredi dernier je remplissais un formulaire de demande d'emploi et ma main s'est tout bonnement arrêtée d'écrire au beau milieu de Waifer Avenue. Elle refusait de bouger, c'était flippant, je me sentais basculer dans le vide, comme si je tombais d'une corde raide, alors j'ai posé le stylo (à propos, tu aimes mon stylo ? C'est un cadeau de Bel) et des signaux se sont déclenchés dans ma tête, comme pour les exercices d'évacuation en cas d'incendie (le stylo dont je me sers maintenant est différent de ce stylo-*là*, cela étant – celui-là je l'ai jeté au cas où ce serait un stylo maléfique) et pendant tout le reste de la journée je n'ai rien pu faire d'autre que regarder la télé, ensuite j'ai cassé une tasse en essuyant la vaisselle et maman a dit : « C'est bien, Georgia, ça », et je l'aurais baffée.

Je vais bien maintenant alors ne t'inquiète pas. Bel et Jay sont venus passer quelques jours et nous sommes allés faire une grande promenade à Gladstone Park, c'est là que Bel m'a suggéré de faire pousser des choses de nouveau et que j'ai pensé aux laitues. Le crépuscule s'est mis à tomber pendant que nous nous promenions (tu n'adores pas cette couleur, le crépuscule ? Il est de quelle couleur là-bas ?), ensuite Jay s'est endormi sur le canapé et Bel m'a massé les tempes parce que j'avais mal à la tête. Jay est tellement mignon, j'adorerais passer une heure ou un an dans sa tête. Attends une seconde, je vais juste me chercher un choco sprit...

Je parie que tu crois que j'ai à la main un biscuit sablé nappé de chocolat, hein ? Ben tu te trompes parce que c'est pas ça, c'est une clope. C'est la dernière blague des Hunter que tu dois connaître. Ça a commencé quand j'ai dit à Kemy : « Et si on se fumait une cigarette russe ? » Et elle a dit : « Un gâteau roulé » et j'ai dit : « Choco sprit » et ainsi de suite. Je me tordais de rire dans le grenier et Kemy est allée faire du thé et tu m'as manqué parce que tu es la seule personne qui comprenne à quel point tout est hystérique. Ça y est, j'ai fini mon gâteau au chocolat.

Kemy veut dire bonjour avant que je te quitte. Réponds aussi vite que tu pourras et ne t'inquiète pas pour le stylo maléfique et tout ça, je suis sûre que je verrai les choses plus clairement d'ici deux ou trois semaines. Je t'aime beaucoup. Et le grenier ? Comment il est sans toi ? Il y fait plus froid la nuit et c'est un peu triste le jour.

Bien à toi,
Georgia
xx

Salut, Bessi,

Toi t'es une vraie pouffe de chez pouffe. Juste un mot en vitesse pour te dire que je postule à un boulot à Safeway et que tu ne me manques pas du tout. J'ai eu mes résultats de brevet. J'ai eu A en dessin. Et vendredi je sors avec un mec qui s'appelle Lace mais je ne vais pas le dire à papa. As-tu déjà rencontré des petits copains potentiels ?

Georgia m'a dit de te dire qu'elle a décidé de faire pousser des fraises d'abord et ensuite des laitues. J'espère que cette idée de potager ne veut pas dire qu'on va devoir se mettre à manger des tomates douteuses et compagnie. Elle m'a aussi dit de te dire que côté flapjacks elle va bien (va savoir ce que ça veut dire).

Bon, prends bien soin de toi, salut

Bisous Kemy

13 octobre 1991
Village de Trinity

Georgia ma douce,

Merci pour le flapjack. Tu me manques énormément mais c'est tout bon, Eve, parce que je m'éclate un max et je ne changerais pour rien au monde. Hier j'ai sauté dans l'océan du haut d'un très haut rocher. J'étais une fusée et j'ai piqué jusqu'au fond de la mer. C'est une plage de sable blanc près de la ville et il faut prendre le bus pour y aller – je t'ai parlé des autobus, hein, je t'ai dit que c'était quasiment du suicide, mais maintenant je me suis habituée. Quand on arrive à mon arrêt, je crie ARRÊTEZ LE BUS sans aucune difficulté. Ma voix a forci.

Il y a une île en face de la plage et j'y suis allée à la nage. À mi-chemin, la mer est devenue piquante, pleine de petites créatures marines qui me mordaient la peau. Mais ça en valait la peine parce que atteindre l'autre côté, c'était comme une victoire, rien que moi et mon corps qui m'a portée là-bas. J'ai rencontré un garçon sur l'île. Il s'appelle Pedro et il y était allé à la nage lui aussi. Il est trop sexy et on a passé des heures à parler comme si on était les deux seules personnes au monde. Il a dix-huit ans, il travaille pour son père, un truc de ce genre, et il a un beau torse. Je lui ai donné le numéro de Mrs John et il m'a appelée le lendemain (Mrs John m'a regardé de son air de « Tu ne manges pas la banane ? ») et il m'a invitée à aller danser, ce à quoi j'ai dit oui. Alors tu peux dire à Kemy que j'ai enfin un petit copain potentiel.

Mais Georgia, alors et toi ? On dirait que les entretiens de boulot te sapaient le moral. Tu ne dois pas avoir mauvaise conscience d'avoir eu envie de partir, je suis sûre que la plupart des gens ressentent la même chose. Au moins tu as tenu bon et tu y es arrivée au bout du compte. Félicitations, donc, tu es dans les assurances – et à Bond Street, en plus ! Tu as sans doute déjà commencé, maintenant, comment c'est ? À l'école ça se passe bien, les élèves m'appellent Miss Bessi. On les emmène jeudi en excursion aux Pitons Jumeaux, qui sont deux montagnes jumelles, Gros Piton et Petit Piton.

Ils m'y ont emmenée mardi dernier, aux bananes. Mrs John a dit plus d'excuses et ils sont venus me chercher à l'aube avec le camion de Mervin et des couteaux. Ils sont montés en haut de la montagne et m'ont emmenée dans la prison de bananes vertes, et là j'ai retenu mon souffle. Ensuite Mervin et son copain en ont coupé une en deux et ils l'ont *épluchée*. Mervin a dit : « Goûte. » Georgia, ils m'ont obligée, ils ont dit que Mrs John avait dit que je devais goûter, alors je l'ai mangée et c'était un cauchemar puant de dégueulasserie de banane. J'étais entourée de bananes qui pendaient tout autour de moi et l'odeur m'a terrassée alors j'ai vomi partout sur le billot et le copain de Marvin s'est *moqué* de moi. Je leur ai dit que j'avais une allergie psychologique incurable, comme tu m'as dit, mais ils ont continué de rire. C'est la pire expérience que j'ai vécue de toute ma vie.

Cette nuit-là, j'ai rêvé que nous étions assises au pied de l'arbre vert. On regardait les oiseaux et je crois qu'on a vu une chouette mais comme il faisait un peu sombre on n'en était pas sûres. Quand je me suis réveillée, tu me manquais et j'ai eu envie de prendre l'avion pour venir te cueillir à la maison et t'emmener avec moi. Ça fait peur, quelquefois, d'être lâchée dans le monde au milieu d'inconnus et de bananes.

Je suis contente que Baba ait eu un bel adieu et que maman ait pu être là. Ils savent organiser les fêtes à Aruwa, hein – dans un sens, ça semble bien qu'il ait été enterré à côté du potager. Ça veut dire qu'il fait toujours partie des choses, surtout maintenant que maman a sa canne, en plus. S'il te plaît, embrasse-la de ma part.

Retournons bientôt devant l'arbre vert, d'accord. Mange bien, sois heureuse, sois tout court. Et méfie-toi des stylos maléfiques.

Je t'aime fort, Bessi

Lundi 11/11/91
Lint Insurance, Bond Street

C'est moi.

Je suis à mon travail à côté du classeur à fichiers et je pense au bonheur. Est-ce que ça signifie gambader et sourire beaucoup ou est-ce que c'est cette charge dans le cœur et l'envie de pleurer ? Reste-t-il pour toujours ? Je voulais te demander ça la nuit dernière devant l'arbre vert mais je ne t'ai pas trouvée – tu devais être occupée ou dans un autre rêve.

Parce que je commence à penser que le bonheur est une sensation, ou quelque chose qui vient du ciel, pas une façon d'être. Ça monte et ça descend, ça descend et ça monte, et parfois ça fait des bleus. Je ne sais pas combien de temps encore je vais pouvoir prendre le métro tous les jours et venir ici. Il y a trop de bruit et j'ai l'impression que ma vie se déroule dans des boîtes pleines de visages qui me regardent, et ce ne sont pas des visages bienveillants comme le tien, Bessi. La ville est une bête et elle est peuplée de bêtes. J'aimerais être là où tu es, dans le vert luxuriant et la musique.

Excuse-moi, ce n'est pas une bonne journée aujourd'hui. Mr Hyde rôdait de nouveau hier soir, guettant le retour de Kemy. Elle a passé toute la nuit dehors avec Lace et elle est rentrée à 8 heures ce matin, ils ont commencé à se disputer (elle aurait dû téléphoner, c'était égoïste de sa part), Mr Hyde avait l'air à moitié mort et il avait du rouge autour des yeux. Je n'aime pas cette couleur, le rouge. Tania n'est pas là aujourd'hui, avec ses yeux qui clignent lentement et me regardent depuis l'autre côté du classeur à fichiers, alors le bureau est particulièrement ennuyeux et la seule chose dont j'aie envie, c'est de rentrer à la maison et de retourner la terre au jardin. Tania m'a offert un livre qui s'appelle *Des pouces verts pour un esprit plus vert*, dedans on te montre comment faire pousser des fines herbes dans des paniers suspendus et je vais essayer. Ici, tout le monde dit que Tania et moi, on est des siamoises. Je crois qu'ils me trouvent tous bizarre, à part elle.

C'était merveilleux d'entendre ta voix samedi, je me sens bête d'avoir sangloté comme ça, j'étais juste un peu bouleversée parce que ça fait si longtemps que je ne t'ai pas vue et ça ne me paraît pas normal. La vie est moins vivante sans toi, alors dépêche-toi de rentrer à la maison, tu veux bien. Le grenier est très calme.

Devine quoi, maman a commencé à prendre des cours de cuisine à Willesden College. Elle y va une fois par semaine, toute seule, avec le 297. Et Kemy a des nouvelles, et comme elles ne font pas plaisir à maman, j'enverrai cette lettre quand elle aura ajouté son mot. J'ai décidé de me présenter à Middlesex pour l'année prochaine – est-ce que tu sais déjà ce que tu vas faire ?

Essaie de retourner bientôt devant l'arbre vert et méfie-toi des bananes.

Bien à toi,
Georgia
xx

Salut Bessi,

J'ai décidé de me faire pousser des dreadlocks, comme Lace. Voilà ma nouvelle. Cool, hein. Joyeux Noël à l'avance.

Bisous, Kemy

13 décembre 1991
Trinity

Chère Georgia,

Excuse-moi d'avoir tardé à répondre. J'ai été débordée à cause du concert des enfants et ta lettre n'est arrivée que le 28. Tu n'as pas à t'excuser de me dire quand tu vas mal. Je veux que tu t'adresses à moi pour tout ce dont tu as besoin. Est-ce que ça va mieux au boulot ? Mr Hyde est-il toujours dans les parages ? Je m'inquiète pour vous toutes, il faut qu'on parte. Je ne suis pas convaincue pour Middlesex, cela étant. En fait je n'ai pas pensé à la fac du tout, si ce n'est que je pourrais peut-être carrément faire l'impasse. Tu n'as pas besoin de diplôme pour être chanteur, il suffit de chanter et de se faire les bons contacts. De toute façon, là, pour le moment, je ne me préoccupe pas du lendemain. Pas alors que j'ai été au bord d'un volcan.

Georgia, il faut que je te raconte. Pedro et moi – je crois que je suis peut-être amoureuse, c'est la créature la plus belle qui soit sur terre, je joins une photo comme preuve, regarde... tu vois, hein ? –, on est allés en camion jusqu'à Lud Point puis on a escaladé la montagne à pied. Plus on grimpait, plus il faisait froid, et le vent s'est levé. Le sol est devenu gris foncé et il y avait beaucoup de poussière. J'avais l'impression d'avancer vers une brume et rien de plus parce que c'était tout ce que je voyais devant moi. Je n'arrêtais pas de dire à Pedro : « Où est le bord ? Est-ce qu'on va tomber ? » Mais dès qu'on est entrés dans la brume, elle a disparu. J'ai baissé les yeux. Ce que j'ai vu, ce fut des arcs-en-ciel, au fond, dans une immense cuvette de terre en forme de montagne à l'envers. J'en suis restée paralysée. Tout était calme et je ne pouvais pas parler. J'ai imaginé que je descendais le long des arcs-en-ciel comme nous le faisions devant la fenêtre à Sekon. J'aurais aimé que tu voies ça. Jamais rien vu de plus beau. Nous sommes restés assis dans la brume une éternité, Pedro me tenant dans ses bras, et c'était du bonheur.

Il faisait nuit quand nous sommes rentrés à Trinity. Pedro m'a raccompagnée chez Mrs John et les étoiles m'ont bouleversée. Je veux dire, j'ai levé la tête et il y en avait des milliers. Il était difficile de voir l'obscurité derrière. Le volcan et la brume, c'était peut-être de la magie, Georgia, parce que j'étais comme un ange. J'étais argentée. Tu te souviens de l'histoire que Baba nous a racontée à Aruwa, sur les jumelles ? Je ne sais pas pourquoi j'y ai pensé à ce moment-là, en traversant Trinity nimbée d'argent, mais tout m'est revenu, les forêts, les sorcières, le feu. J'avais dix ans de nouveau. Nous dormions. Nous entendions le feu.

Ces choses. Ce sont les choses pour lesquelles je suis venue sur cette île. Pour être époustouflée par ce que je ne savais pas. Je ne savais pas qui étaient les volcans avant de venir ici. Imagine, ma douce. La brume, le vent, la montagne à l'envers.

Quand je serai grande, je veux être un volcan.

Je t'aime et je t'embrasse,
Bessi

8 janvier 1992

Chère Bessi,

Je suis sûre que tu as passé un bon Noël sur l'île et je ne veux pas gâcher ton plaisir mais je crois qu'il serait temps que tu rentres à la maison, maintenant. Je suis très inquiète pour Georgia. À Noël elle s'est pratiquement enfermée au grenier et elle n'a pour ainsi dire rien mangé. Le lendemain elle est sortie dans le jardin et s'est mise à fixer son potager d'un œil vide, et quand je suis allée voir si ça allait, elle a dit : « On va avoir dix-neuf ans bientôt, je vais avoir dix-neuf ans sans elle. » Il faisait un froid glacial dehors. Il n'y a rien qui pousse encore, la terre est toute craquelée et gelée, mais elle restait plantée là, le regard fixe. Elle est trop silencieuse, il y a dans ses yeux quelque chose de sombre, de perdu. Tu devrais rentrer, Bessi, elle a besoin de toi. Elle n'est pas comme toi, avec tes ailes et ton aisance. S'il te plaît, rentre à la maison et console ta jumelle.

Bon voyage,
Bel

LE TROISIÈME BOUT

10

Qu'est-ce que c'est ?

Ce n'était pas toujours facile, d'acheter du lait. Avant de pouvoir acheter le lait (le concentré de tomates, le journal), il fallait prendre des décisions et répondre à des questions. Au-dessus de sa tête pendait la décision qui devait déterminer s'il était effectivement possible, oui ou non, à ce moment-là, de le faire, avec tout ce que ça impliquait. Et prendre cette décision nécessitait, en premier lieu, d'évaluer son état d'esprit du moment. Bleu suggérait que c'était modérément faisable. Lilas encore davantage. Le jaune était un bon endroit, mais elle n'était pas souvent jaune quand il était difficile d'acheter du lait, du concentré de tomates ou un nouveau stylo. Orange signifiait que ça pouvait s'avérer dangereux ; quelque chose de terrible pouvait arriver en chemin dans le hall ou, pire, dans la rue – ça s'était déjà produit, la panique, la méchanceté d'un visage qui passe –, une chose qui la renverrait chez elle en courant sans le lait ; et si elle était rouge, lieu impitoyable de chaînes et de désarroi, c'était totalement hors de question – lait, oignons, une promenade dans la rue, tout.

Ça, c'était la première chose. Une fois qu'elle avait

établi la couleur de la vie en ce jour particulier par rapport à un achat de lait, elle repérait la question suivante, qui lui demandait comment, au juste, elle comptait s'y prendre, et c'était une vaste question. Elle distinguait vaguement les mots tracés dans l'air en lettres rouges, au-dessus de sa tête. *Comment cela sera-t-il fait ?* Sous ses yeux, la question donnait naissance à d'autres questions aux voix inquiètes qui lui demandaient des choses telles que devait-elle se laver les dents d'abord ou se changer d'abord ? Et, de toute façon, comment s'habillerait-elle, où mettrait-elle son portefeuille, où mettrait-elle ses clés, avait-elle besoin d'acheter autre chose, en dehors du lait, et en ce cas avait-elle assez d'argent et faudrait-il qu'elle aille à la banque ?

Mais la banque soulevait toute une autre série de questions.

Il était souvent plus facile de ne pas acheter le lait et de manger une pomme à la place, ce qui était en fait bien meilleur pour elle que des céréales qui faisaient grossir. Mais si elle bravait le danger, si elle y parvenait, les bons vêtements (une salopette en jean, un pull offert par Bel à Noël), pas de terreurs dans le hall plein de courants d'air ni le long de la rue et jusqu'à la supérette tout au bout, d'autres problèmes l'attendaient. Il n'y avait plus de demi-écrémé à la supérette. Le rayon lait grouillait d'êtres humains. Elle devait se faufiler entre eux et il pouvait arriver que l'un ou l'autre la connaisse de la fac et veuille engager une de ces conversations insouciantes qui s'échangent au bar du campus, autour de tables basses poisseuses. Il y avait un temps, un lieu et une couleur pour les conversations insouciantes. Ce n'était pas à la supérette à côté du lait par un jour orange, sauf si c'était Bessi, sauf si c'était avec Bessi qu'elle parlait – de Tyrone Taylor, et iraient-elles à Brighton voir la mer, ou les brocolis étaient-ils mangeables quand ils étaient jaunes, de Jay qui était vraiment marrant quand il avait essayé d'écrire merveyeux avec un y, sauf si c'était Bessi, sauf si Bessi venait la tirer de là.

Pourtant, d'autres jours, les jours jaunes, ce n'était rien d'acheter du lait. Juste un saut au bout de la rue avec quarante pence et elle rentrait une brique de lait à la main.

La brique va au frigo, le muesli a un partenaire, voilà le petit déjeuner. La vie est simple.

La chambre de Georgia, dans l'appartement de Tottenham, avait une petite fenêtre. Elle donnait sur le nord au lieu du sud, ce qui signifiait qu'elle était du mauvais côté du soleil. Ses colocataires, Cynthia et Jo, avaient pris les meilleures chambres, où les fenêtres étaient innocentes. Même au printemps, la fenêtre de Georgia, qu'elle avait dénudée en emménageant, demeurait faible et jalouse de sa lumière. Les jours jaunes et sans question, elle pouvait lui donner du soleil. Les jours orange et rouges, elle était fuyante et trouvait une vieille cape de gris à se mettre.

Elle montrait à Georgia le canapé renversé dans la jungle de l'arrière-cour. Et quand Georgia l'ouvrait, une odeur subtile d'essence et de croquettes de poulet s'infiltrait, portée par l'air du quartier de Seven Sisters. Mais surtout, c'était bruyant. Georgia ouvrait sa fenêtre et entendait les disputes et les cris qui venaient de West Green Road, le tremblement du béton sous le grondement d'une circulation dense, les enfants des voisins qui hurlaient, les chiens, les marteaux-piqueurs et les motos. Le bruit était suivi de maux de tête, aussi fermait-elle la fenêtre.

Juste à côté, sur l'étagère, se trouvait le contrepoids :

des orchidées de Sainte-Lucie séchées, offertes par Bessi, dans un vase beige en forme de cloche. Et une photo : *Bessi à Trinity, avec des lunettes de soleil.*

Elle était revenue l'année dernière la peau plus café que jamais, avec une nouvelle démarche et des souvenirs étrangers. Georgia, penchée au-dessus de la balustrade avec Kemy, l'avait vue émerger au comptoir des arrivées, coiffée d'un drôle de bonnet vert très près du crâne, le sourire serein et plein d'attente, et les choses étaient redevenues les meilleures. Le monde était dans le bon sens. Les trous comblés. Il n'y avait plus rien à redouter. Bessi avait posé ses valises et elles avaient plongé dans un grand bonjour. « Salut, ma douce, lui avait murmuré Bessi dans les cheveux, je suis rentrée. »

La chambre faisait la moitié du grenier et le lit n'était pas très loin du sol. Il y avait deux cafards, elle le savait, elle les avait vus une fois, des petits, qui patrouillaient sous son bureau pendant qu'elle travaillait. Elle avait fermé les yeux et s'était tenu la conversation suivante :

— Bon, on en a déjà parlé, n'est-ce pas ?

— Oui.

— On a dit que si on voulait que ça marche, cette histoire de quitter la maison, il fallait recourir à des manœuvres.

— Oui. Des manœuvres.

— Des manœuvres en cas de cafards, des manœuvres en cas de cauchemars. Et quelle était la manœuvre en cas de cafards ?

— Un cafard est un insecte au corps plat que l'on trouve surtout dans les milieux tropicaux. À la propreté et la lumière, il préfère la saleté et l'obscurité.

— Oui, c'est ça.

— Robinsons, page 209.

— Bien. Très bien, ma fille.

Et depuis lors, plus rien. Ils la laissaient tranquille avec ses livres d'histoire. Elle s'intéressait à la façon dont le passé nous avait produits et se souvenait de ce que Gladstone lui avait dit de nombreuses années plus tôt, que tout était déjà arrivé.

— Vous savez ? dit-elle à Cynthia et Jo, autour de la table de la cuisine où elles se rencontraient le soir. Aujourd'hui est l'avenir du passé, et aujourd'hui est aussi le passé de l'avenir. Nous nous sommes déjà produits.

— Tu tiens peut-être une idée, là, George, dit Jo, qui avait la manie de raccourcir le prénom des gens et qui s'était récemment rasé la tête. Si ça se trouve, c'est ce qu'on appelle le déjà-vu.

— Elle a de la sagesse, hein, dit Cynthia, qui ne parlait jamais beaucoup.

L'histoire était une façon d'observer de l'extérieur. Elle regardait les gens dans le passé de la même façon qu'elle regardait les gens dans le présent, comme s'ils appartenaient à un lieu situé au-delà de son propre instant. Elle les regardait comme s'ils étaient des photos.

S'ajoutant aux manœuvres d'urgence, il y avait des méthodes préventives, des activités qui apaisaient et remontaient le moral, destinées à combattre les jours orange et rouges. Quand elle sentait la grande main noire rôder dans son dos, elle devait s'immobiliser et respirer dix fois, du fond du ventre, pour reprendre des forces. Tout en respirant, préconise Carol Fielding dans *Votre respiration, votre vie*, imaginez une lumière blanche qui brille au-dessus de vous ; à chaque inspiration, vous vous emplissez de cette lumière réparatrice. Au sortir d'un cauchemar, Carol proposait également, dans le chapitre intitulé « Se défaire de l'angoisse », de se rallonger entre les draps, les bras sur le côté, et de détendre tous les muscles un à un en descendant le long du corps pour finir par les pieds, tout en inspirant et expirant. Un autre livre, *Le Guide essentiel de l'aromathérapie*, recommandait vivement les huiles essentielles de camomille, de lavande et de rose pour recouvrer un sentiment de calme. Toutes ces techniques contribuaient à cultiver non seulement un esprit sain, mais aussi un corps sain, en améliorant sensiblement les trajets circulatoire et respiratoire, tout en ouvrant l'esprit à l'idée d'une attention à soi-même holistique et alternative, expliquait Carol.

Elle parlait du bonheur fait maison (était-ce ce que Bessi avait voulu dire dans sa lettre ?). Le bonheur, c'était d'être en bonne santé. Les bons aliments, les bonnes combinaisons de vitamines, de sels minéraux et de protéines glissant dans le corps apportaient un sentiment de bonheur agréable et purificateur. Faire descendre le tout avec deux litres d'eau de montagne par jour (comme le recommandait la *Bible de la désintoxication*) constituait une sorte de baptême mineur du fait maison, le retour du soi à un état de pureté. Et l'exercice physique fournissait une défonce naturelle. Vingt minutes de jogging, quelques longueurs de bassin, une heure d'aérobic pouvaient provoquer une telle euphorie, un tel sentiment de bien-être, que Carol voulait bien rendre son tablier si ça ne marchait pas. Bien sûr, il était utile aussi de faire de l'exercice pour ne pas trop grossir, et Georgia ne voulait surtout pas devenir une grosse boule balourde, ce en quoi elle se transformait dès qu'elle dépassait les cinquante kilos. Le but était la légèreté, glisser, fendre l'eau, prendre très peu de place. À quarante-sept kilos le monde était plein de la possibilité de jours jaunes. Pendant ses cures de désintoxication de trois jours à base de fruits et d'eau, elle savourait la sensation de rétrécir. Assise à son bureau, elle sentait qu'elle prenait moins de place sur la chaise et c'était un sentiment agréable, un sentiment de bonheur fait maison. Inspire, expire.

Sur le trajet de retour de l'aéroport, Georgia remarqua également que Bessi avait de nouveaux yeux. Ils s'étaient endurcis. Ils avaient vu des volcans et ils en voulaient davantage.

— Tu as maigri, dit Bessi.

— Vraiment ? demanda Georgia, flattée.

— Elle a fait un nouveau régime, dit Kemi, qui l'avait essayé elle aussi mais qui avait jugé déraisonnable de ne pas pouvoir manger de biscuits fourrés.

À cette époque-là, les livres de développement personnel par l'approche holistique de Georgia n'occupaient qu'une petite portion de l'étagère du grenier. Bessi rentra et le grenier renoua avec la magie (sans Saccos, sans fraises, mais quand même). Elle raconta à Georgia les souvenirs de sable noir, lui raconta qu'elle allait à la ville debout à l'arrière des camions, par une route qui serpentait, qu'elle avait assisté à un concert de gospel en plein air et que les gens se tordaient sous la main de Dieu, qu'elle avait vu par les hublots du minuscule avion des îles qui ressemblaient à de gros ours noirs dormant sur la mer. Elle lui dit :

— C'est tellement beau là-bas et il fait si chaud. J'aimerais pouvoir nous emmener toutes vivre là-bas. Londres, c'est tellement moche comme lieu, hein.

— Oh, oui, dit Georgia, stupéfaite que Bessi ne s'en aperçoive que maintenant, qu'il lui ait fallu l'effet comparatif de six mois sous les tropiques pour voir quel réseau toxique, étroit, sale et froid tissaient les rues de la ville.

Les trajets de métro quotidiens entre la maison et les

assurances Lint à Bond Street en avaient apporté la confirmation. Georgia avait élaboré un rituel. Avant de partir, elle se disait : « Maintenant tu vas compter jusqu'à cinq et quand tu auras fini tu seras morte jusqu'à ton retour à la maison ce soir. Un. Deux. Trois. Quatre. Cinq. »

Elle voulait simplement s'allonger dans un coin de vert où elle pourrait entendre les oiseaux, la mer et la bonté du ciel. Elle voulait apprendre à se promener dans le temps, et même à s'en défaire.

Bessi avait trouvé un hiver rigoureux à son retour. À table, elle claquait des dents et portait deux gilets de laine l'un par-dessus l'autre. Elle grattait ses bras qui se couvraient d'éruptions et regrettait cruellement le manque de vitamine D. Le café de Sainte-Lucie se retira à reculons de sa peau. Trinity, Pedro, la poitrine de Pedro, voilà le paradis qu'elle avait perdu (même si, pour être honnête, vers la fin elle avait plutôt tendance à s'ennuyer et si elle avait été soulagée de s'éloigner des bananes).

— À Trinity, les oranges sont vertes, vous savez, pas orange, disait-elle. À Trinity il y avait de la musique partout, ici c'est tellement silencieux ! Et : À Trinity, Mrs John ne se sert pas de liquide-vaisselle, c'est pas la peine, elle se sert juste d'une brosse.

Kemy dit que c'était un cas classique de blues de retour de vacances.

— Mais c'était plus que des vacances ! geignit Bessi. C'était toute une autre *vie*.

— Ouais, ben de toute façon, tu t'en remettras, dit Kemy. Alors, comment tu trouves mes dreadlocks ?

Les dreadlocks de Kemy n'avaient pas encore atteint le degré de densité feutrée qui caractérise des dreadlocks. Bel lui avait expliqué que vu la douceur de ses cheveux, cela pourrait prendre des années. Pour l'instant, au grand dégoût d'Ida, des touffes de cheveux agglomérés par des applications quotidiennes de cire d'abeille pendaient sans trop rien promettre autour de la tête de Kemy. Elle avait décroché son poster de Michael Jackson – lequel garderait néanmoins toujours une place dans son cœur – au profit de Maxi Priest, et Lace et elle avaient fait l'amour dans sa chambre, portés par la marijuana et les accords de *You're Safe*, pendant qu'Aubrey était au travail, Ida à son cours de cuisine brésilienne, Georgia partie se promener à Gladstone Park, et que tous pensaient qu'elle faisait ses devoirs dans sa chambre. Quelques jours plus tard, elle l'avait avoué à Georgia, en ajoutant : « Lace est mon prince nyabingi. »

Bessi renifla les cheveux de Kemy.

— Ils ont une drôle d'odeur, dit-elle. Et ils ont l'air pleins de poussière. Si tu voyais les locks qu'ils ont à...

— Trinity, ouais, ouais, ouais.

Le printemps sembla remonter le moral à Bessi. Les sycomores de Neasden se gonflèrent en nuages rose-fleur qui rappelaient les cheveux d'Edith aux flapjacks. Tandis que Georgia s'occupait de son potager, qui n'était en fait qu'un carré de légumes, et, comme toujours, des roses, Bessi se remit à chanter. Elle chantait « Streetlight » de Randy Crawford et « Thinking About Your Love », dans son bain, dans le jardin, dans l'escalier, de sa nouvelle voix plus forte, comme si elle espérait que quelqu'un la repère, comme c'était arrivé à Sasha Jane Sloane à Waitrose. Elle écrivit une chanson consacrée à Pedro, intitulée « Luciamour », et dont voici les paroles :

Mon Luciamour est hier
Jusqu'à ce que s'ouvrent les mers
Lucia Boy pour retrouver ton cœur

Je quitterai ma demeure
Bel amour de Lucie Luciamour
Oh bel amour de Lucie Luciamour

Elle la chantait au grenier pour Georgia et Kemi en faisant un micro de son poing, le front crispé par la passion. Georgia dit qu'à son avis il fallait retravailler le refrain, et Kemy que c'était pas mal mais que par moments sa voix tombait trop bas et qu'elle devrait peut-être faire mieux que ça si elle visait le top 50. À part ça, Bessi ne donnait aucun signe d'élaborer des projets de carrière.

« Tu as intérêt à commencer à penser à la suite, lui disait Aubrey. Aucun cheval ne bouge sans quelques coups d'éperon. »

Ida disait : « Pourquoi tu pars pas avec ton sœur ? À Muddlesex ? »

Kemy : « Ne pars pas, Bessi ! Ne me laisse pas seule ici la nuit avec Mr Hyde ! »

Et Georgia : « Mais je ne pars nulle part. Je ferai l'aller-retour tous les jours. »

C'était du moins l'idée jusqu'à ce qu'elle commence les cours – sans Bessi car Bessi, après avoir feuilleté la brochure de « Muddlesex », avait jugé que l'université, c'était bidon si on voulait être dans la musique, et que prendre un boulot de serveuse dans un restaurant de Soho ouvert toute la nuit était une bien, bien meilleure façon de se faire repérer.

Les couloirs avaient des portes bleues et résonnaient d'échos, et les salles avaient des chaises bleues. Georgia se sentait perdue et inquiète au milieu des foules d'étudiants et elle avait tendance à entrer vite en cours et à ressortir tout aussi vite pour les éviter. Au bout d'un moment, elle commença à reconnaître certains visages.

Un matin dans le métro, Cynthia entra dans son wagon. Georgia se souvenait de l'avoir vue en salle commune, et Cynthia sourit et s'assit sans rien dire. Georgia avait beaucoup de respect pour les gens qui savaient garder le silence, qui savaient aller leur chemin en douceur dans le monde.

Elle songeait maintenant à partir, de la même façon que Bessi était partie pour Trinity. Ce serait un geste fort et audacieux, hein, d'être celle qui part pour de bon, d'être la première à le faire. À Noël, trois semaines après que la décision de Charles et Diana de se séparer eut été annoncée, Georgia en vint à la conclusion que si elle en était capable, si ça semblait sans danger (et elle en était capable, bien sûr qu'elle en était capable), alors, après tout, il était bien possible qu'elle parte.

Charles et Diana étaient très attristés par toute cette histoire. La reine était déçue. Ça avait été une *annus horribilis* pour la famille, dit-elle, la bouche pincée, lors de son discours devant le sapin de Noël à Sandringham. Ida, qui avait pris froid, le regarda du fond de son rocking-chair et Aubrey l'écouta les yeux fermés dans son fauteuil chocolat.

Georgia confia à Bel ce qu'elle avait en tête. Elles étaient assises toutes les deux sur le rebord de la baignoire.

— Pourquoi pas ? dit Bel. Partir de la maison, c'est ce que j'ai fait de mieux jusqu'à présent. Ça te fera du bien.

— Oui, hein, tu crois ?

— Oui, bien sûr.

Bel avait des rennes en plastique pendus à ses boucles d'oreilles, qui venaient de la papillote de Noël de Jay. Elle posa la main sur le poignet de Georgia et ajouta : Mais toi seulement, toi toute seule – sans elle.

— Je sais, Bel, marmonna Georgia.

Et Noël fut *vraiment* horrible. Le rhume d'Ida la mettait de mauvaise humeur, par conséquent ce fut au tour de Georgia de préparer la dinde (Bessi ne faisait jamais de volaille à cause du Nez de Parson et Kemy ne savait pas cuisiner). Georgia étant végétarienne, sa dinde fut loin d'être la dinde des rois et reines et Ida lui reprocha d'être « pas douée pour le manger ». Pour arranger les choses, deux jours avant le soir de Noël, Aubrey avait surpris Kemy et les jumelles en train de fumer de l'herbe au grenier (Kemy était la pourvoyeuse, Georgia et Bessi y touchaient à peine). Il avait senti une drôle d'odeur et frappé à la porte, avait ouvert et les avait trouvées, les petites, assises par terre avec une cigarette de forme insolite, laquelle avait jailli de la main de Bessi pour tomber sur la moquette tandis que la dégoûtante fumée traçait des volutes dans la pièce. Plus tard dans la soirée, Mr Hyde avait explosé. TRENTE-CINQ ANS QUE JE TRAVAILLE ET VOILÀ LE REMERCIEMENT ! SACRÉES SALETÉS DE MÔMES ! Le matin de Noël, il dormait toujours profondément dans son fauteuil et personne ne savait s'il valait mieux le réveiller et renoncer à Noël ou le laisser dormir et renoncer à Noël. Ils déjeunèrent extrêmement tard, d'une dinde insipide et de légumes préparés par Kemy, avec une créature qui n'était pas tout à fait Mr Hyde mais tout juste Aubrey, en gilet de laine, et qui bannit du repas tout esprit de fête, toute joie ou bonne humeur.

En fin de journée, Georgia et Bessi montèrent au grenier prendre un Baileys et un choco sprit.

— Bessi, dit Georgia. J'ai vraiment, vraiment, *vraiment* envie de me tirer de cette maison.

Et Bessi répondit :

— Je sais ce que tu veux dire, ma douce. Moi aussi.

Elles sirotaient le Baileys. Elles pensaient à leur avenir.

Georgia était prête.

— Je vais emménager à Tottenham avec Cynthia.

Bessi se gratta le bras et hocha la tête, trop vite.

— Ouais, ça fait sens, dit-elle.

— Pourquoi t'emménages pas avec nous ? se surprit à dire Georgia. (« Si elle dit non, pensa-t-elle, je pars quand même – il y aura des manœuvres. »)

Bessi réfléchit à la question.

— Fais goûter, voir.

Elle tendit la main. Georgia lui passa le gâteau au chocolat.

Elles laissèrent leur esprit voguer entre les possibles. Bessi fumait. Georgia attendait. Puis Bessi se mit à secouer la tête.

— Non... non, ça ne marcherait pas. C'est trop loin, je m'ennuierais et on ne peut pas laisser Kemy toute seule.

Georgia respira à fond trois fois, comme le recommandait Carol dans le chapitre sept, « Urgences ! ».

— Bessi, dit-elle. Je me tire.

Oh, mais c'est plein d'au revoir, écrivit Georgia, une fois prête et valises faites, assise seule sur son lit – ce serait toujours son lit, il l'avait emmenée chez Gladstone, sur la lune, à Sainte-Lucie et à l'arbre vert, c'était un lit sans limites. Elle se leva et regarda par la fenêtre. Elles étaient en bas près des pommiers dans leurs anoraks et Bessi attendait les bruits de chutes.

— Je crois qu'Ham est déprémié, dit Georgia.

— Est-ce qu'il est dans la salle de bains ? demanda Bessi.

— T'as pas besoin de prendre un bain, dit Georgia. Qu'est-ce qu'on va faire ?

Elles montèrent au grenier et s'assirent dans les coins à la fraise. Georgia les regardait et voulait décider avec elles, mais il n'y avait aucun endroit où elle pouvait s'asseoir.

Elle passa le doigt sur le fantôme crayeux du 26a, sur la porte. Les jumelles restèrent là où elles étaient. Elles ne levèrent pas la tête lorsqu'elle sortit de la pièce.

Bessi pleura au moment des au revoir. Elle travaillait quatre nuits par semaine et ne s'était toujours pas fait repérer.

— N'oublie pas d'arroser les roses et les laitues, lui rappela Georgia.

Elle arriva à Seven Sisters et dépouilla sa fenêtre qui n'avait ni arbre vert ni coucher de soleil. Elle alluma un bâton d'encens, comme le lui avait conseillé Bel, pour laver la pièce de la personne précédente, et plaça délicatement les orchidées de Bessi sur le dessus de la bibliothèque. Lorsque Bessi lui rendait visite, accompagnée parfois de Kemy, elles s'asseyaient ensemble sur le lit et la chambre devenait plus lumineuse. Ni Georgia ni Cynthia ne recevaient grand-monde à l'appartement. Les gens qui venaient étaient surtout des amis de Jo, qui se rassemblaient dans sa chambre pour écouter de la musique en hurlant de rire. De temps en temps, Toby, le frère de Cynthia, venait, toujours tard le soir. Georgia entendait, filtrant de la chambre de Cynthia qui était voisine de la sienne, des voix basses et par intermittence le son d'une guitare.

Peu à peu, le grondement de la circulation de Tottenham envahit sa tête. C'était comme s'il y était présent en permanence, comme si les gens poussaient en permanence, comme si les voitures la narguaient en permanence et comme si les hommes de West Green Road criaient en permanence. Il y avait peu de collines. Ici, c'était Londres d'une façon autre que Neasden. Il n'y avait pas de rivières et aucun des bons fantômes, pas de ruelles striées d'argenté ni de greniers pour les royaumes à deux.

À Downhill Park elle trouva trois saules disposés en triangle. Ils formaient une maison verte et silencieuse où la blanche lumière du jour perçait à travers le toit comme une multitude d'étoiles. Des feuilles mortes brunes jonchaient le sol. Elle se plaçait à l'intérieur, tandis que des oiseaux passaient dans le ciel et qu'une femme maigre, affaissée dehors sur un banc, fredonnait toute seule en regardant fixement par terre.

La première manifestation du rouge eut lieu pendant un cours magistral, quand Georgia leva la main pour poser une question qu'elle oublia sitôt la main levée. Quel était le... ? Comment est-ce que... ? Des mots apparurent, en lettres floues, formant les véritables questions, flottant au-dessus de sa tête. Et comment, au juste, demandaient-ils, vas-tu t'y prendre ? Est-ce une question qu'eux, les autres, trouveront valable ? Et quelle était la question ? *Qu'est-ce que c'est ?*

Elle était assise la main en l'air et n'arrivait pas à la redescendre. Les yeux des autres étudiants attendaient. Les questions fondirent du plafond, se disputèrent la place. Elle hissa l'autre bras et s'en servit pour rabattre celui qui était en l'air. Elle se leva, quitta la salle de classe et rentra directement à la maison. S'allongea.

Il devint difficile, certains jours, d'acheter du lait.

11

Musique

Le Digger's, à Soho, jouxtait une boîte de nuit du nom de Spicey Riley's. Au petit matin, entre 3 et 6 heures, des clubbers fumant de sueur passaient en titubant de Spicey Riley's chez Digger's pour y prendre des frites, des club sandwiches, des pizzas et des roulés de tortillas, qui étaient sa spécialité. Beaucoup d'entre eux hallucinaient encore, partis dans des trips d'acide ou d'ecstasy. Il arrivait, certains soirs, que quelqu'un grimpe sur sa chaise, en paillettes et mini-top, et se mette à crier après les écrans vidéo qui dansaient sur le mur d'en face. Plus d'une fois, des gens étaient rentrés dans le mur de miroir en croyant que Digger's se dédoublait.

Le temps que débute l'afflux des clients de Spicey Riley's, Bessi avait sommeil. Une part importante d'elle-même ne comprenait toujours pas cette histoire de passer toute la nuit éveillée. Cette part-là nourrissait des fantasmes du grenier éclairé par une lampe et de magnifiques duvets. Mais l'autre part d'elle, celle qui voulait à tout prix *ne pas* servir des frites et des expresso en tablier Digger's en pleine nuit ni rentrer à la maison en métro au petit matin avec les infirmières et les vigiles, pendant que les éboueurs emportaient les sacs d'ordures puants des rues de Soho, mais faire des disques (ou quelque chose qui impliquait de voyager beaucoup, d'aller au restaurant et de porter des fringues super sexy), l'envoyait aux toilettes se remettre du brillant à lèvres pour ressortir dans la musique et les miroirs avec un sourire de battante. Parce qu'on ne pouvait jamais savoir qui allait entrer. Sasha Jane Sloane ne se doutait sans doute pas que quelqu'un allait la repérer mais je parie, pensait Bessi, qu'elle avait mis son brillant à lèvres et que, sans ça, elle ne serait pas là où elle en était aujourd'hui. Et Bessi avait entendu de la bouche de Digger en personne, l'homme au tee-shirt marqué « Digger » sur le devant qui passait beaucoup de temps assis, que Spicey Riley's était fréquenté par certains membres de l'industrie de la musique.

Elle allait et venait, la démarche élastique et le plateau à la main, le long du couloir métallique, qu'elle préférait voir comme une scène de défilé de mode (un truc de ce genre). Quand les clients faisaient signe, criaient ou réclamaient d'un geste plus de ceci ou de cela, elle répondait en pétillant, même à 5 heures du matin. Elle surveillait la porte du coin de l'œil, à l'affût du repéreur. Au début de son troisième mois, un homme aux larges épaules en chemise turquoise scintillante était entré avec deux femmes à l'allure très glamour. Quand Bessi prit leur commande, souriant de toutes ses dents, elle remarqua que l'homme l'examinait et eut la conviction que c'était lui (en général, supposait-elle, les repéreurs étaient des « lui »). Elle s'éloigna d'un pas dansant, dit au cuisinier de se dépêcher, au barman de se dépêcher, et, quand elle accourut avec le plateau, elle sentit les yeux du repéreur sur tout son corps, qui mesuraient, qui imaginaient. « Vous m'y voyez ? disait Bessi avec ses hanches, avec ses dents. Vous me voyez, là-haut, comme Mary J. Blige ? »

Le repéreur paya la note. Quand Bessi se baissa pour rendre l'argent, il mit la main sur sa taille et lui murmura quelque chose à l'oreille.

— Quoi ? cria Bessi. Je n'ai pas entendu. Quoi ?

L'homme laissa glisser sa main sur la hanche de Bessi, ce qu'elle n'était pas du tout sûre d'apprécier.

— J'ai dit, fit-il d'une voix traînante, tu veux rentrer avec nous, ma beauté ?

Oh, pensa Bessi. Ce n'est pas lui.

Elle se redressa, arracha l'argent et rétorqua :

— Non *merci*.

— Le sale porc ! dit-elle à Georgia au téléphone le lendemain après s'être réveillée à 4 heures de l'après-midi.

Le petit déjeuner était à 4 heures, le dîner à 11 ; il n'y avait pas de déjeuner. Elle vivait dans le monde de la nuit et son teint devenait cireux.

Georgia lui conseilla de faire attention à ce genre d'hommes.

— Ne rentre pas à la maison le matin avant qu'il fasse jour. Pourquoi tu ne travaillerais pas le jour à la place ?

— Ils ne sont pas ouverts dans la journée.

— Je veux dire travailler dans un endroit qui le soit.

— Oh, *non*, Georgie ! Tout l'intérêt, c'est que les gens se font repérer plus souvent la nuit, dans les boîtes, les bars et tout ça. Alors c'est mieux. Il faut faire des sacrifices, tu sais, si on veut conquérir le monde.

Georgia grogna. Conquérir le monde, c'était ridicule.

— Je t'ai pas raconté ? Bessi s'excitait. Digger dit qu'il y a des mecs de l'industrie de la *musique* qui vont à la boîte d'à côté, Spicey Riley's, des producteurs, des artistes, des journalistes, ce genre de gens. On pourrait y aller une fois, pour voir.

— Oui, sans doute.

Bessi eut soudain une idée. Toutes les deux, avec un look d'enfer. Les jumelles sexy. Si c'était pas un rêve de repéreur, ça.

— Georgia, demanda-t-elle. Tu t'es jamais imaginée à la télé ?

— Non, jamais, répondit Georgia.

Bessi continua de s'entraîner à chanter à la maison et d'être pétillante chez Digger's. Avec ses pourboires, elle s'acheta une paire de lentilles noisette mordoré pour donner du piquant à ses yeux. Elle demanda à Kemy si ça lui allait et Kemy lui dit : « Princesse à la noisette, qu'est-ce que tu reproches au marron ? » Bientôt, cinq mois se furent écoulés, puis sept, l'été arriva et finit, les dreadlocks de Kemy feutrèrent ; Georgia entamait sa deuxième année. Il y eut plusieurs autres propositions indécentes et Bessi perdit de son pétillant. Elle devint fumeuse à part entière ; elle prit de l'acide avec une autre serveuse et vit un ours polaire remonter Regent's Street au petit matin. Il commença à lui venir à l'esprit qu'il y avait peut-être une infime possibilité que ce ne soit pas chez Digger's que ça se passe, qu'en fait il ne se passe jamais rien chez Digger's. Peu après avoir eu cette révélation, Bessi se disputa avec un autre « repéreur » et le gifla à toute volée quand il voulut lui attraper la cuisse. Cela ne plut pas à Digger. Il lui dit que le client avait toujours raison quoi qu'il fasse parce que c'était le client qui payait son salaire, pas vrai ? Et que, si elle voulait avoir la chance de rester dans l'équipe de Digger's, elle avait intérêt à traiter la clientèle de Digger's avec un peu plus de reconnaissance. « Tu joues le jeu, hein, et ils te donneront de plus gros pourboires ! »

Bessi se traîna jusqu'à Tottenham sous le vent et la pluie. Elle s'assit à la cuisine et Georgia prépara des toasts aux champignons avec peu d'huile. Georgia lui avait fait mettre le tricot de Noël de Bel. Il était beige avec des fleurs rouges et un grand col, et Bessi semblait toute pâle et menue dedans. Elle serra les mains autour de son mug de thé et ferma les yeux. La cuisine était un ventre maternel. Georgia était gaie aujourd'hui, remarqua-t-elle. Elle dit à Bessi que ça commençait à lui plaire de vivre là et que Toby, le frère de Cynthia, avait promis de lui apprendre à jouer de la guitare. Elles mangèrent et allèrent ensuite dans la chambre de Georgia. Était-ce la sécurité de la chambre et le danger au-dehors, le fait que ça lui manquait d'entendre Georgia respirer la nuit, que Trinity était hier et Digger's aujourd'hui, que l'avenir pouvait la détruire, ou simplement qu'elle était fatiguée et un peu paumée, toujours est-il que Bessi s'assit sur le lit de Georgia et fondit en larmes.

— Oh Bess ! dit Georgia, en lui tapotant le dos. Ne pleure pas !

— Je ne pleure pas.

— Qu'est-ce qu'il y a ?

— Tout !

Georgia lui frotta l'épaule et la serra dans ses bras.

— Il faut que tu t'en ailles de cet endroit, tu sais. Tire-toi. Tu peux trouver un boulot ailleurs – tu peux faire tout ce que tu veux.

— Vraiment ?

— Bien sûr que oui. Tout ce que tu veux.

— Mais, Georgia, je veux être... Je veux être... *plus*.

— Je sais.

— Et c'est tellement *dur*.

— C'est dur. Ce n'est pas facile, dit Georgia.

— Et je suis tellement fatiguée et je n'ai même pas encore commencé, je suis juste serveuse chez Digger's...

— Tu n'es pas serveuse chez Digger's. Tu es Bessi. C'est beaucoup.

Bessi commençait à se sentir mieux. Elle posa la tête sur l'épaule de sa sœur.

— Allonge-toi avec moi, Georgie. Tu écoutes tellement bien.

Elles s'allongèrent. La fenêtre grise les observait. Bessi s'endormit quelques minutes et se réveilla dans le silence de l'après-midi. Elle se souvint, si loin et si longtemps en arrière, de deux petites boules de poils aux yeux pétrifiés, fascinées par les phares, le moteur qui enfle, les phares qui menacent de les aveugler.

— Tu es réveillée ? demanda-t-elle.

— Oui, répondit Georgia.

Au bout d'un moment de silence, Bessi dit :

— Quelquefois, je pense que nous ne sommes pas faites pour ce monde.

Georgia lui donna une caresse. Elle s'en souvenait aussi.

— Je sais, ma chérie. C'est ce que j'essaie de te dire, depuis tout ce temps.

Il ne téléphonait pas très souvent et, quand il le faisait, il demandait à parler à Cynthia. Elle reconnaissait sa voix, maintenant : mélodieuse, somnolente, avec un point d'interrogation au bout des phrases. Quand Cynthia était absente, ils parlaient longuement, comme s'ils se connaissaient bien. Georgia s'asseyait dans le hall, jouant du bout du pied avec une de ses pantoufles, et oubliait ses livres. Quand il parlait, elle l'imaginait comme ce matin de septembre où elle était passée devant la chambre de Cynthia et l'avait entrevu à la fenêtre, le torse illuminé par une explosion de soleil.

Au début du nouveau trimestre, Jo avait convoqué Cynthia et Georgia au bar du campus pour fêter son anniversaire. Cynthia, qui détestait les pubs, avait accepté d'y aller pour la seule raison que Toby y jouait parfois.

— J'aime bien regarder mon frère se ridiculiser, dit-elle.

Elles étaient assises à des tables poisseuses, parmi les conversations bruyantes et décousues et les bières éclusées à grands traits. Georgia sirotait son vin en faisant de vagues tentatives pour bavarder avec insouciance et en regardant Jo se saouler. Elle s'apprêtait à rentrer à la maison quand les attractions commencèrent, deux garçons hirsutes aux cheveux longs qui jouaient de la guitare, l'un des deux étant Toby, les lacets défaits.

— Jimi Hendrix, annonça Toby, ne mourra jamais. Il vit dans une cabane dans la forêt de Friston à Eastbourne, où il m'a appris cette chanson.

Il y eut quelques rires paresseux dans le public. Les conversations reprirent. Toby jeta un coup d'œil à son partenaire et leva sa guitare. Ils jouèrent « Belly Button Window », timidement au début, puis plus fort. Toby repoussa ses cheveux de son visage. Georgia regarda ses doigts courir sur les cordes comme des danseuses sur pointes. Elle pensa à Hendrix dans sa cabane avec Toby et ne put s'empêcher de sourire. Les gens criaient par-dessus la musique, Jo cancanait avec une copine ; il vint à l'esprit de Georgia que les êtres humains étaient absurdes.

— Il n'est pas si mauvais que ça, dit-elle à Cynthia. Il est très bon, en fait.

Après, il vint à leur table et Cynthia lui dit :

— Georgia est ta seule fan, t'as intérêt à lui payer un verre.

Ils étaient assis tout près l'un de l'autre. Elle tourna la tête et le surprit à la regarder. Ses yeux furent attirés vers sa bouche, une bouche gentille, qui semblait avoir été laissée là après coup.

Toby était étudiant de dernière année en sociologie. Quatre après-midi par semaine, il travaillait dans une usine où il insérait des piles dans des réveils. La musique, expliqua-t-il à Georgia au téléphone, était entièrement une question de rythme et de symétrie, mais la musique devait être créée en dehors du temps, c'est pourquoi l'usine était une bonne formation – il pouvait s'entraîner à se perdre dans les réveils tout en étant entouré d'eux. Toby pensait que la musique ne devait rien avoir de lucratif ; il s'agissait d'être pur. Il s'entraînait le soir avec Carl, son partenaire, dans une salle au-dessus d'un pub, et finissait toujours tard, allant parfois passer la nuit chez Cynthia parce que c'était plus près.

Elle se mit à le guetter, à guetter les petits coups à la porte d'entrée quand elle sombrait dans le sommeil, ses pas qui se rapprochaient de la chambre voisine. À 1 heure du matin, par une nuit d'automne plus douce que d'habitude, il frappa à sa porte. Il était debout dans le couloir avec sa guitare, portant une chemise bien trop grande pour lui. Georgia remarqua qu'il avait les omoplates saillantes.

— Je pensais que tu étais réveillée, chuchota-t-il. Une leçon de guitare ?

Il lui apprit une mélodie simple composée de cinq notes. C'était une chanson terriblement triste, trouvait Georgia, mais très belle. Ensuite ils firent du thé et Toby mit des tonnes de sucre dans chaque tasse. Il avait l'air enfantin, flottant dans sa chemise sous la lumière de la lampe, et il parlait de Cynthia comme si elle était son aînée et non plus jeune que lui. La forêt de Friston, dit-il à Georgia, était leur endroit préféré quand ils étaient petits.

Juste avant de partir, Toby s'attarda à la porte.

— Il n'y a pas beaucoup de gens, dit-il, qui aient le visage symétrique, mais toi oui, exactement pareil des deux côtés, comme les réveils.

Et il fut pris de timidité, comme s'il n'était pas arrivé à exprimer ce qu'il voulait dire. Ils se tenaient là dans l'aube qui approchait, sans trop savoir quoi faire de leurs mains à part se toucher d'une manière ou d'une autre, tout en sachant que se toucher trop tôt pourrait gâcher un univers entier de contacts.

— Merci pour la leçon, dit-elle.

— On recommencera.

Les jours devinrent jaunes. Toby invita Georgia à venir le voir répéter et passa davantage de nuits à discuter avec elle dans sa chambre. Il croyait en Hendrix comme Georgia croyait en Gladstone. « J'avais quatorze ans. Je l'ai trouvé dans la cabane et la première chose qu'il m'a dite, ce fut : “Toby, on surestime les amis et la conversation.” » Ils allaient se promener dans le noir. Une nuit, ils escaladèrent le mur du jardin public et elle l'emmena à la maison de saules, où elle n'allait jamais que toute seule. Ils étaient debout dans les froides feuilles de novembre. Ce fut facile. Tout le temps qu'il l'embrassa, il tint l'arrière de sa tête dans sa paume, comme si c'était la tête d'un bébé. Elle eut le sentiment que plus rien ne ferait mal, désormais, et qu'elle pourrait peut-être avoir, après tout, la capacité à un bonheur autre que du fait maison, au type de bonheur qui venait tout seul et qu'on ne pouvait pas apprendre auprès de sources comme Carol.

— Qu'est-ce que tu as fait à mon frère ? lui demanda Cynthia.

Ils décidèrent d'aller en train à Brighton pour voir la mer. Toby portait un bonnet de laine rouge enfoncé sur ses oreilles et Georgia un manteau blanc à boucles. Ils descendirent la longue colline vers le bleu, tout au bout. C'était un dimanche, les rues étaient vides. Des allées partaient en pente douce de la route principale, paisiblement, et Georgia y plongeait le regard en passant. Elle s'imaginait vivant dans une des maisons pastel avec Toby, un grenier sous le toit pour quand Bessi leur rendrait visite.

Ils s'assirent au pied du vieux West Pier, sur les galets, tandis que les vagues s'écrasaient sur le rivage, et mangèrent des beignets. Le West Pier était le fantôme de la jetée principale, celle avec la fête foraine, les lumières et les magasins psychédéliques. Le West Pier était une ombre sur l'eau. Il avait les pieds de travers et des balustrades rouillées ou cassées, englouties par la mer. « Je parie qu'il y a des fantômes, ici », dit Georgia.

Elle entama un deuxième beignet sans se soucier de ce que diraient Carol ou la *Bible de la désintoxication*. Avec Toby – qui était un homme à sucre, aux lèvres couvertes de sucre en cet instant –, la nourriture était une aventure et ne présentait aucun danger ; pas plus dans les sandwiches au fromage de halloumi grillés et le gâteau au chocolat réchauffé, que dans les bagels au saumon frais de la boulangerie de Bruce Grove en pleine nuit avec du jus de mangue.

— Est-ce que tu aimes Londres ? lui demanda Georgia.

— Pas trop, dit Toby. C'est marrant, des fois, mais je crois que c'est surtout étouffant et complètement fou.

Georgia rit. Son rire devenait plus sonore.

— C'est vraiment ça, hein. Elle réfléchit un moment, puis ajouta : J'aimerais habiter un endroit comme ici, un endroit calme avec un West Pier. Je serais beaucoup plus heureuse si je pouvais descendre la rue pour aller m'asseoir sur la plage et réfléchir.

— Tu réfléchirais à quoi ?

— Bessi dit que je réfléchis trop, et quelquefois ça me rend tellement triste – alors je ne penserais à rien.

— C'est dur de ne penser à rien. J'ai essayé. Tu finis par penser à tout à la fois et flipper. Il vaut mieux penser juste à une seule chose. À une bonne chose.

Il passa son bras autour de son épaule.

— La tristesse va et vient comme les saisons. Regarde la mer, dit-il. Pense à ça.

Ils restèrent sans rien dire un long moment. Georgia regardait. Le soleil accrochait des diamants sur les vagues. Aux abords du crépuscule, il y eut un changement de couleur. Elle en fut étonnée. Toby s'était endormi, la tête rejetée contre le mur. Dans le train du retour il dormit de nouveau, tandis que derrière eux les galets se fondaient dans le béton et les maisons pastel basculaient dans la mer. Georgia écrivit dans son carnet, pour ne pas l'oublier : *Tranquillité d'esprit, donne-moi assez de calme pour remarquer qu'il y a un point sur l'horizon de l'océan où le bleu liquide se change en un ton de bleu plus foncé. Quand je n'arrive pas à penser à rien, il faut que je parte et vienne trouver la mer.*

Comme c'était un jour qui ne devait pas finir, Toby ne rentra pas chez lui. Ils s'allongèrent côte à côte dans la chambre de Georgia et leurs yeux entrèrent en contact. Sa gentille bouche ; son corps mince et enfantin. Les seuls fantômes présents dans la pièce étaient de bons fantômes qui étaient venus avec eux du West Pier. À lui, ils dirent d'aller lentement. À elle, ils dirent d'être calme. Il me fait m'allonger, c'est loin d'ici et je n'ai pas peur. Son souffle, brûlant, s'échappait d'elle pour courir vers lui ; ils partagèrent sueur, langues et jambes, et Georgia sentit que la chair ne suffisait pas, qu'elle voulait aller au-delà de la chair. Emmène-moi à l'eau, au bord, au bord, soulève mes vêtements, écarte les draps, et Toby s'enfonça. Ils s'emboîtèrent. C'était l'être-deux, c'était le silence, ils étaient partis au-delà d'eux-mêmes.

Dans les heures qui précédèrent l'aurore, il se réveilla trois fois. À chaque fois, il caressait une partie d'elle. Sa tête. Sa jambe. Le côté de sa taille. « Je veux t'emmener », murmurait-il. Et il se rendormait.

Waifer Avenue devenait un lieu plus silencieux. Bessi passait presque toutes les nuits chez Digger's et quand elle rentrait, elle dormait toute la journée. Kemy avait commencé la fac à Camberwell – où, comme par hasard, habitait Lace – et elle passait de plus en plus de temps dans le sud de Londres. Elle n'avait pas perdu l'intention de devenir couturière ; en fait, elle nourrissait des projets d'empire. À l'université, elle tentait maintenant diverses manipulations avec le tissu. Elle plongeait de la soie dans du jus de pelure d'oignons, y faisait des nœuds et la regardait virer au caramel. Elle utilisait aussi des peaux de mangue et de la betterave, qui prenaient des couleurs superbes à la lumière.

Ida sortait davantage, elle aussi, de temps en temps pour aller à l'église, parfois pour rendre visite à Bel et Jay à Kilburn et régulièrement pour assister à ses cours à Willesden, auxquels elle avait ajouté les maths et la poterie. Elle ne s'était pas encore aventurée jusqu'à Tottenham, mais elle appelait souvent Georgia pour vérifier qu'elle mangeait comme il faut et qu'elle travaillait sérieusement.

Quelques semaines avant Noël, désireuse d'échapper à une nouvelle version des hostilités de l'année précédente, Kemy quitta abruptement Waifer Avenue. Lace lui avait demandé d'être sa reine nyabingi et elle ne pouvait pas refuser. Elle emporta tout avec elle, les posters sous le lit, les vêtements qu'elle ne mettait plus, tout ce qui pouvait bien avoir un rapport avec Michael Jackson et la photo d'elle, Georgia et Bessi devant la clôture du jardin.

— Je suis la dernière ici, gémit Bessi. Je n'aurais jamais cru que je serais la dernière à partir.

— Je m'en fais pas pour toi, Noisette, dit Kemy. Puis elle sauta en l'air et cria : Plus de Mr Hyde !

Aubrey avait soixante-trois ans. Il avait des douleurs dans les jambes et la peau qui s'était affaissée. Certaines nuits, il disait qu'il était fatigué et s'installait au jardin d'hiver avec Jack pour regarder les étoiles. Il se souvenait de Judith lui disant, quand il était petit : Savais-tu que les étoiles meurent ? Vraiment, maman, c'est vrai ? avait-il demandé, stupéfait. Oui, Aubrey, mon chéri. Et avant de mourir, elles brillent comme elles n'ont jamais brillé.

Le vieil homme traversa Londres pour conduire sa plus jeune fille de l'autre côté de l'enfance. Debout sur le pas de la porte, Ida les regarda partir, tandis que Nne-Nne murmurait : On dit que l'enfant le plus jeune est l'enfant le plus fort parce qu'elle a dû te forcer à l'aimer alors que tu étais fatiguée, que tu avais déjà aimé les autres.

Kemy s'était accrochée longtemps à Ida, au vieux châle rouge et à l'histoire. Ida avait pris une des dreadlocks de Kemy dans sa main : « Mon Dieu, ma fille, avait-elle dit, je veux que tu arrêtes ces cheveux ! »

Quand Georgia vint rendre visite, elle fut frappée de trouver la maison aussi vide. Elle s'assit par terre dans le grenier et écouta consciencieusement la version remaniée de « Luciamour », ainsi que le début d'une autre chanson que Bessi écrivait dans le cadre d'une nouvelle grande tentative pour quitter Digger's. Récemment, Bessi avait lié conversation avec le DJ de Spicey Riley's, Master Spice, et il lui avait donné un conseil d'une grande profondeur : *Montre-toi*. Ce dernier était maintenant écrit en capitales sur un carton, à côté du miroir. Master Spice lui avait aussi dit qu'il pourrait lui accorder un petit créneau au club une nuit, devant les gars de la musique, si elle était suffisamment bonne. Georgia lui assura qu'elle l'était. Et parfois elle passait la nuit à Waifer Avenue, juste pour que Bessi ne soit pas toute seule.

Elles étaient allongées dans le noir, à une heure avancée de la nuit.

— Je suis surprise que tu supportes de passer une nuit entière loin de Toby, dit Bessi, ne plaisantant qu'à moitié.

— Il a des répétitions, il va jouer bientôt au Danemark, dit Georgia. De toute façon, on n'est pas collés.

— Pratiquement, si. Vous êtes comme un couple marié, tous les deux.

Georgia sourit à part soi.

— Tu veux que je te dise un secret ?

— Quoi ?

— Je crois que je suis amoureuse de lui.

— C'est pas un peu rapide – au bout de deux mois ?

— Trois, en fait.

— C’est ridicule. Il faut plus de temps que ça pour tomber amoureux.

— Apparemment, il ne t’avait pas fallu très longtemps pour tomber amoureuse de ton Pedro, à Trinity.

— Je n’étais pas amoureuse. C’était du désir. Il avait des muscles. Toby, il y a pas de quoi en faire tout un plat.

Georgia se tourna face à la fenêtre. Elle ferma les yeux et se sentit plus âgée que Bessi.

— J’ai des saisons dans la tête, Bessi, et quelquefois elles changent. Toby les a fait changer.

Le lendemain de Noël elle amena Toby à la maison avec elle. Ils s’assirent l’un tout contre l’autre sur le canapé, de la même façon que Georgia et Bessi pouvaient le faire quand elles s’asseyaient ensemble, et Georgia ne lui lâcha pas la main. Elle lui lançait de fréquents coups d’œil pour vérifier qu’il était toujours là à côté d’elle, qu’il était à l’aise. Toby parla beaucoup de son voyage à venir au Danemark avec Kemy, et visiblement ça l’amusait de voir Aubrey pester contre ses légumes. Ida se tut, à part pour insister afin que Toby mange plus de ragoût de dinde et de pommes de terre parce qu’il était « mince comme un adolescent ».

— Alors, quels sont tes projets d’avenir, Toby ? demanda Aubrey après le déjeuner. Tu as bientôt fini tes études, n’est-ce pas ?

Les yeux de Toby et Georgia entrèrent en contact.

— Je vais rester un moment à Londres, pour continuer de travailler ma musique.

Bessi leva les yeux.

— Toby joue de la guitare, dit Georgia. Il est vraiment bon, d’ailleurs.

— Enfin, je suis pas Hendrix, loin de là...

Ils rirent d'un rire secret, exactement au même moment.

— Mais j'ai un boulot, aussi, ajouta Toby avec une pointe d'ironie.

— Il fabrique des réveils, dit Georgia.

— J'aide à les fabriquer, plus exactement. J'insère les piles...

— ... à l'arrière...

— ... c'est pas sorcier, vraiment...

— C'est bien quand on fait de la musique, dit Georgia. Hein.

Elle lissa l'arrière des cheveux de Toby. Referma la main sur son genou.

À la cuisine, Bel lavait la vaisselle, Kemy essuyait. Bessi avait disparu en haut.

— J'aime bien Toby, dit Kemy. Mais qu'est-ce que ça fait *bizarre.*

Il partit avant l'arrivée de la nouvelle année. Il lui avait acheté un collier de perles d'ambre et le lui avait passé autour du cou. Georgia se concentrait dur sur ses études et essayait d'oublier qu'il n'était plus là. Il y avait d'autres distractions : Bessi et elle auraient bientôt vingt et un ans et Bessi prévoyait une sortie au Spicey Riley's pour fêter ça, vu qu'elle pouvait avoir une réduction du fait qu'elle trimait comme une bête juste à côté et, surtout, que Master Spice lui avait pratiquement promis un créneau.

C'était un samedi soir. Quand Georgia avait fait le trajet de Seven Sisters au 26a dans l'après-midi, il tombait un petit crachin. Sans Toby, la semaine avait été bleue avec quelques touches de jaune et un moment d'orange. Elle était sortie et s'était acheté des crayons de couleur. En orange, elle avait écrit une lettre à Toby. *Il y a toujours tant de questions, Toby*, écrivait-elle. *Comment vit-on avec toutes ces questions ?*

Le grenier était empli de bruits de chute, de sœurs, de vêtements et de Soul II Soul. Bel avait apporté ses talons aiguilles rouges, quatre boas en plumes et tout ce qu'elle avait de brillant et de tintinnabulant. Bessi était debout devant le miroir, les yeux noisette, et elle essayait une robe bustier avec ses bottes blanches.

— Salut, jumelle, dit-elle. On va s'éclater cette nuit. Elle rejeta la tête en arrière et rit de son rire sonore. Vas-y, prends un peu de champ'. On est des femmes.

Kemy, en sous-vêtements et dreadlocks, tendit un verre à Georgia puis le remplit.

— On t'attendait, dit-elle. Bel nous maquille les yeux. Bessi et toi, vous devez porter quelque chose d'argenté.

— Mais pas *exactement* la même chose, hein, dit Bessi.

— Nan, dit Georgia, et je veux rien porter de court.

— Viens là, Georgie, dit Bel. C'est toi qui as les plus beaux yeux.

Elle lui couvrit les paupières d'orange qu'elle fondit progressivement dans du vert. Georgia sirotait son champagne.

— Tu as le sens des couleurs, dit-elle à Bel.

Et elle ferma les yeux. Kemy prit une photo – l'énorme chevelure noire de Bel, le visage de Georgia tourné vers le haut. Elle l'appela *La Rose et Mystic Bel.*

Georgia n'avait pas dîné avant de venir pour avoir le ventre plat. Elle mit un pantalon brillant et un petit haut court à pompons. Bel vérifia les chignons afro et enfila des perles au bout des tresses. Il y eut beaucoup de décisions, de pirouettes, d'hésitations et de changements et au final cela donna toutes les quatre en plumes, épaules nues – les jumelles avec les yeux ombrés de vert. En l'honneur des vingt et un ans, Aubrey appela un taxi. Au moment de leur départ, Ida, sur le pas de la porte, leur dit de ne pas parler aux garçons.

— Bel, tu surveilles, dit-elle.

— Oh, m'man, fit Bel du haut de ses talons aiguilles rouges. Ce sont des femmes !

Alors que la ville venait les prendre, Bessi chuchota à l'oreille de Georgia, sur la banquette arrière du taxi :

— J'ai quelque chose pour nous.

— Qu'est-ce que c'est ? demanda Georgia.

— De l'acide.

— Vraiment ? Pour quoi faire ?

— Pour fêter nos vingt et un ans. Je veux le prendre avec toi. Ce serait géant avec toi.

— J'en ai jamais pris. Est-ce que c'est bon ? s'enquit Georgia.

— Ensemble ce sera bien. Ce sera super extra bien.

— Où tu l'as eu ?

— Par quelqu'un au boulot.

— Ah.

— Alors, on le prend ?

Le West End arrivait. Les lampadaires, les ombres et la beauté tordue de Londres traversaient le visage de Bessi.

— Alors ? répéta-t-elle.

— D'accord, dit Georgia. Un petit bout.

— Un bout *minuscule*, dit Bessi.

Arrivées à Spicey Riley's, elles allèrent directement aux toilettes et entrèrent dans le même cabinet. Bessi donna à Georgia le quart d'un cachet argenté à mettre sur la langue.

— Tu resteras avec moi ? lui demanda Georgia.

— Oui, ma douce, dit Bessi.

Ensemble, elles avalèrent et ressortirent dans la foule.

Les spots fluorescents déposaient de la neige sur le visage des gens, sur leurs cils, et de l'électricité dans leurs dents. Le sol était transparent et des flaques de lumière y affleuraient. La bière tremblait de blanc sur le dessus des bières. Les danseurs jerkaient et tanguaient contre les lumières scintillantes. Ladies ! tonna Master Spice. Sur la piste ! et Bessi lui lança un clin d'œil en passant. Des femmes allaient et venaient dans leurs plus beaux atours de clair de lune, bretelles noires ultrafines, cheveux lourds de parfum, lèvres pleines, ouvertes et rutilantes de gloss.

Bel et Kemy se faisaient kès' tu dis par deux hommes, l'un en pantalon de cuir et l'autre en costume et lunettes de soleil inutiles. Kemy lui demandait pourquoi il portait inutilement des lunettes de soleil dans l'obscurité.

— T'y vois quelque chose ? Je parie que tu ne me voies même pas. Tes yeux vont tomber si tu les enlèves ?

L'homme gloussait. Il vit Georgia et Bessi approcher et s'exclama :

— Encore d'autres sœurs ! D'où elles sortent ?

Kemy enlaça Georgia. Bessi et Bel se dirigèrent vers la piste de danse, suivies de Pantalon de cuir. Kemy dit :

— On est quatre, et trois d'entre nous sommes des triplées. Pas vrai, Georgie ?

Les lunettes de soleil de l'homme brillèrent. L'espace d'un instant, on aurait dit le sosie de Jimi Hendrix. Georgia ne sentait pas encore l'acide. Mais elle s'entendit penser : Il doit avoir chaud avec ces lunettes ! Et une autre Georgia penser : Il doit avoir chaud dans ce costume.

Elle aperçut Cynthia et Jo qui entraient et se débarrassaient de leurs manteaux.

— Bon anniversaire ! lui dit Cynthia d'une voix suave, avant de l'embrasser.

Le volume de la musique monta. Une demi-heure plus tard, Anna arriva dans le voile tombant de ses longs cheveux roux. Et Reena, avec un homme beaucoup plus grand qu'elle, puis une amie de Kemy, deux copines de Bel. Tout le monde bavardait et riait, les dents électriques. Les gens qui dansaient sur la piste devinrent des sorcières jacassantes et trébuchantes entre les flaques de lumière.

Spicey Riley's vibrait.

Les voix, la musique, les lumières et l'obscurité ralentirent.

Gladstone entra, vêtu de sa robe de chambre. Il était chauve, à présent. Il s'approcha d'elle en traversant les lumières et les sorcières et disparut à l'intérieur d'elle.

« Où étais-tu passé pendant toutes ces années ? dit-elle en pensée.

— J'étais dans la maison, dit-il. Dans la maison vide. Elle ne part jamais. »

Georgia sentit qu'on la tirait par le bras.

— Viens danser avec moi, ma puce, dit Bessi.

Elle suivit ses bottes blanches jusqu'aux sorcières. Elles dansèrent sur « Mr Loverman » de Shabba Ranks et le rythme de leur corps était le même. Leurs épaules remuaient dans la même direction, elles secouaient les hanches du même côté du tempo ; ce que faisait un corps, l'autre devait le suivre. Kemy et Bel revinrent de la cabine du DJ en riant. Master Spice se racla la gorge entre deux mesures. « J'ai une demande spéciale pour les jumelles, vingt et un ans aujourd'hui, bon anniv' les jumelles, et voici une chanson pour *vous* ! »

Bessi jeta les mains en l'air en poussant des cris stridents. Elle tournoya sur la musique et Georgia trouva qu'elle ressemblait à Diana Ross, avec ses cheveux qui moussaient sur les épaules et sa robe minuscule qui scintillait. Elle avait la bouche grande ouverte. Elle jeta de nouveau les bras en l'air et, les rabattant, enlaça Georgia dans le mouvement.

— Tu vois ?

La musique était forte mais Bessi se contentait de murmurer. Georgia l'entendait parfaitement.

— L'herbe ? dit Georgia. Oui. Là-bas.

— Elle est rose ! Bessi rit. Un champ rose et des papillons, des centaines de papillons ! Tu vois ? Je savais bien que ce serait du délire ensemble. On voit les mêmes choses !

Elles gravirent en courant la colline rose, jusqu'à un grand arbre solitaire dans le champ. Il avait des feuilles épaisses et le tronc gonflé. Elles y grimpèrent et s'assirent dans les branches, et le ciel était bon et bleu. Elles entendirent l'arbre chanter et murmurer, sans savoir ce que ça voulait dire.

— Je t'aime, dit Georgia. Restons ici.

Sur la piste de danse, Bessi se mit à sauter sur la musique de Chaka Khan.

— Viens danser, danse avec moi, Georgie ! cria-t-elle, et Georgia redescendit de l'arbre.

Bessi avait le plus grand sourire que Georgia lui ait jamais vu. Elle riait de son rire très sonore mais il donnait maintenant l'impression de provenir d'ailleurs. Il se transforma en gloussement à deux bouches. Georgia reporta le regard vers le super champ rose. Les papillons avaient disparu. Au loin, elle vit deux petites filles qui avançaient vers elle. Elles descendaient la colline en faisant la roue.

Elles cessèrent de glousser et se concentrèrent sur les roues.

À leur arrivée, elles se postèrent sur la piste de danse. Un espace se vida autour d'elles. Georgia les voyait distinctement, à présent, leurs robes blanches et le même visage, main dans la main. Une des deux mains était brûlée.

« Je vous connais, dit Georgia.

— Oui, répondirent-elles. Tu nous connais. »

Georgia tourna la tête vers Bessi et lui montra les petites filles du doigt. Bessi rit et tournoya. Il y avait le son des tambours, et, à l'intérieur des tambours, un double battement de cœur. Les lumières sous le plancher étaient des phares, des soleils de glace. Les petites filles fixaient Georgia, leurs robes volant au vent bien que l'air soit parfaitement immobile. Elles sourirent gentiment et Georgia se sentit bénie.

« Est-ce que c'est agréable là où vous êtes ? dit-elle.

— Oui, dirent-elles d'une seule voix. C'est le meilleur bout. »

Georgia gloussa.

« Oui, hein », dit-elle.

Une brise paisible lui caressa le visage. Elle entendit au loin le crépitement du feu. Une des filles se tourna et murmura à l'oreille de l'autre.

Main dans la main, elles lui firent face.

« Regarde ce que nous pouvons faire. »

Leurs sourires s'agrandirent et perdirent leur gentillesse. Ils s'agrandirent trop. Georgia ne voulait pas regarder mais c'était plus fort qu'elle. Elle était incapable de tourner la tête pour capter l'attention de Bessi et incapable de parler. Une des petites filles ouvrit tant la bouche que son visage disparut. Alors, dans cet espace noir, grimpa la fille à la main brûlée. Ça se fit sans histoires. Elle ne dit pas au revoir.

Georgia pleura un moment.

« Es-tu Ode, maintenant, ou Onia ? demanda-t-elle.

— Oui, dit la petite fille.

— Est-ce que ça fait mal ? demanda Georgia.

— Oui. Mais nous oublions. »

Georgia pleura de nouveau.

« Si jamais je voulais le faire, demanda-t-elle lentement, pourrais-je apprendre moi aussi ? »

La fillette tourna le dos et s'éloigna en gravissant la colline. Elles se retournèrent une fois et murmurèrent : « Tu le sais déjà. »

Elle les regarda jusqu'à les perdre de vue. Le champ et l'arbre commençaient à s'estomper et il y avait d'autres gens, très près d'elle, d'autres voix dont la plus forte était celle de Bessi, qui paraissait bizarre et laborieuse, comme si elle était distendue. Juste avant que l'arbre ne disparaisse complètement, Georgia vit quelqu'un sortir de derrière, une femme à l'épaisse chevelure noire qui portait des chaussures rouges et lui tendait les bras.

— Qu'est-ce qu'il y a ? demanda Bel. Pourquoi tu pleures ?

La voix de Bessi chanta plus fort. Georgia leva les bras et s'accrocha à Bel. Lorsqu'elle rouvrit les yeux, elle vit Bessi de l'autre côté des flaques de lumière, un micro à la main. Sa bouche se tordait. L'argenté de sa robe avait perdu son éclat. Georgia la regarda peiner sur sa chanson de Lucie et elle eut l'impression qu'elle ne l'avait pas vue depuis un temps très long, irrattrapable.

Le mal de crâne arriva comme un nouveau pays et resta. Sa nuque explosa, des volcans firent éruption dans ses tempes, des coulées de lave bouillonnante parcoururent son visage et s'infiltrèrent dans ses oreilles. Il la quitta quand elle s'endormit. Elle rêva qu'elle était dans le bateau, allongée, et qu'elle partait à la dérive vers la montagne. Le soleil brillait sur sa robe – une robe blanche à la ceinture jaune. Elle leva la tête et regarda la brume d'argent, au-delà des mouettes, la sentit tomber sur ses yeux.

— Devine quoi ? dit Bessi au téléphone.

— Quoi ? dit Georgia.

La migraine lui dévorait la paupière.

Quelqu'un avait offert à Bessi un boulot dans une maison de disques, un homme qu'elle avait rencontré chez Digger's (« Je savais que ça arriverait ! »). Bessi avait insisté pour qu'il la teste, alors qu'elle buvait une vodka-citron en uniforme, à 4 heures du matin, en débitant les noms et les titres de chansons de tous les clips sur les écrans au-dessus de leurs têtes. « Je n'en ai pas eu un seul de faux. Il a été *drôlement* impressionné. » Et, même si c'était vrai qu'elle ne serait pas payée grand-chose au début, que le boulot se résumait essentiellement à du travail de bureau et qu'elle ne chanterait pas vraiment – peut-être n'était-elle pas faite pour être chanteuse, de toute façon –, elle pourrait gravir les échelons, n'est-ce pas, et finir par avoir l'occasion de voyager, tout ça, de rencontrer des gens *vraiment* intéressants, en plus le bureau était juste derrière Oxford Street.

— Cool, non ?

Georgia avait des élancements à la paupière.

— Oui, dit-elle.

— C'est tout ?

— J'ai mal à la tête. Il faut que j'y aille.

— Qu'est-ce qu'il y a ? dit Bessi.

— Ma tête. Il faut que j'y aille.

— Georgia ?

Elle raccrocha. Elle se tamponna les tempes d'huiles de rose et de camomille et alla se coucher trois jours. Elle se réveilla dans l'obscurité intemporelle. Il y avait comme une pression qui l'enfonçait dans le matelas. Qui lui disait : « Nous sommes là. » Et peut-être n'était-il pas vrai (mais si ça l'était ?) que des mains arrachaient les draps et les couvertures du lit. Et si c'était réel ? Un étranger dans la chambre, pas un étranger humain, une créature, un démon, qui l'examinait attentivement, qui se penchait pour l'agripper par les épaules et la secouer, poser sur elle les mains de la mort. Il y avait une voix, une voix d'horreur. Elle disait : *Lève-toi, tourne et tourne et tournoie, tu ne trouveras jamais le sommeil !*

— Je ne comprends pas, dit-elle à l'obscurité.

Elle resta allongée sans bouger. « Faut que ça aille, faut que ça aille. Pense à quelque chose de bon. »

Les deux petites filles, toutes les deux dans l'une des deux, entrèrent par la fenêtre en faisant la roue. Leur robe voletait dans l'absence de vent.

« Es-tu prête ? dirent-elles.

— Non, dit Georgia.

— Ça ne fait pas mal.

— Non », dit Georgia.

Elle se rendormit à l'aube, quand la lumière emporta les créatures. Dans le long bain de l'après-midi (trois heures et demie, car l'eau était apaisante et l'eau était sans danger), il y eut beaucoup à discuter :

« Les jours sont rouges. Quelle est la manœuvre en cas de rouge ?

— Je ne me souviens pas.
— Quelle est la manœuvre en cas de rouge ?
— Mais pourquoi est-ce rouge ? Je veux savoir.
— Parce que tu as mal à la tête.
— Oui.
— Et parce que tu as peur.
— Oui.
— Et nous devons restaurer ta force.
— Oui.
— Alors. La manœuvre en cas de rouge ?
— Je bois de l'eau. Je ramène mon corps à un état de pureté.
— Oui.
— Je mange des pommes et du yaourt comme petit déjeuner et de la salade à midi.
— Oui.
— Je respire, je cours entre les arbres et je sens battre mon cœur.
— Oui. C'est ça.
— Et de toute façon, ça ira mieux au printemps.
— Ça s'arrange toujours au printemps. »

Elle décida de nettoyer l'appartement pour le ramener à un état de pureté. Au salon, elle retira les coussins du canapé et passa l'aspirateur en dessous, puis elle retira les housses des coussins (on ne savait jamais) et les mit à tremper dans un seau. Elle passa la salle de bains et la cuisine à la serpillière quatre fois chacune avec de l'eau de javel, astiqua les miroirs sans regarder dedans et déblaya sous son lit. Elle était allongée là dans l'obscurité sur le ventre quand un éclair de quelque chose traversa la pièce.

À Middlesex, elle alla voir le directeur du département d'histoire. Il portait toujours un pull marron léger et gardait un moulin à poivre à côté de sa corbeille de courrier. Georgia s'assit dans un fauteuil bleu, à l'autre bout de la pièce. Elle ressentait confusément la crainte étrange de se mettre à crier brusquement une absurdité sans s'adresser à personne en particulier. Le doyen du département d'histoire la regarda et attendit.

Le fauteuil de Georgia faisait face au mur adjacent au bureau.

— C'est juste. Enfin, c'est, dit-elle. Euh.

— Ah, fit-il. Oui.

— Je me disais. C'est, très difficile.

— Ah, fit-il, touchant un papier sur son bureau.

Elle se recroquevilla dans l'obscurité.

— Alors j'ai pensé. Peut-être que...

— Hmm ?

— Peut-être que je devrais faire un break, d'un an, pour le moment, et revenir quand...

— Une raison en particulier, euh, Georgina ?

— Je croyais que ça s'arrangerait. Je n'arrive pas à faire face à...

— Oui, dit le doyen, c'est fréquent à ce stade. Mais il faut avoir une très bonne raison pour cela. Nous n'aimons pas voir des étudiants talentueux abandonner leurs études à mi-parcours. Il se cala dans son fauteuil et regarda par la fenêtre. *Y a-t-il* une raison spécifique ?

Elle était assise dans une grotte. Il n'y avait pas d'air dans la grotte. Elle essaya de respirer. Faut que ça aille, faut que ça aille. Une raison spécifique.

— Rouge, dit-elle, et ses yeux s'embuèrent (oh non pas ici, pas ici).

— Pardon ?

Elle ne pouvait plus arrêter la déferlante. Elle se mit à trembler dans le coin de la pièce, renifla et s'essuya sur sa manche. Les étagères, la porte bleue et le doyen du département d'histoire s'éloignaient d'elle à reculons. Il allait falloir la ramasser et la mettre dehors.

— Georgina, il y a...

Le doyen se frotta les genoux, se leva et se rassit. Il toucha du papier.

Ce qu'elle devait faire c'était se lever et fiche le camp. Ce n'était pas facile.

Tandis qu'elle courait par les couloirs résonnaient de violents échos. *Sors, tournoie, tourne tourne tourne et tournoie.* Elle fuit dans le jour qui n'était pas joli et courut vers la maison de saules. Le ciel d'hiver s'assombrissait quand elle approcha. Elle fut prise dans ce moment où le lilas vire à l'indigo, cet entre-deux qui ne contient rien que la venue du repos. Les oiseaux de nuit chantaient. La terre dégageait une odeur de pluie ancienne. Elle s'appuya contre le tronc d'un saule. Elle sentit battre le pouls de la paix.

En bleu très clair, elle l'écrivit, sur des lignes séparées :

Je veux être le crépuscule
je veux être
une couleur solitaire et magique
et tomber tomber irrésistiblement
dans l'obscurité

12

Une petite maison sur une colline

Plus tard dans l'année, Bel fit un rêve qui lui déplut. Une femme grimpait un escalier. En haut des marches, une ampoule nue pendait au plafond. La femme, dont elle ne voyait pas le visage, tendait le bras vers l'ampoule. Elle avait la tête rejetée en arrière, les doigts très écartés. Elle grimpait, grimpait. Bel avait peur qu'elle se brûle la main si elle touchait l'ampoule. Lorsque la femme arriva en haut des marches, Bel se réveilla.

Elle téléphona à Georgia à Tottenham. Elle lui demanda où en étaient les couleurs.

— Ne t'inquiète pas, Bel, dit Georgia, on va bien. Toby m'aide pour mes révisions.

Bel lui rappela de ne pas trop travailler le soir, ce n'était pas bon pour les migraines. Avant de raccrocher, Georgia demanda :

— Je peux te dire un truc ?

— Quoi, ma puce ?

Elle baissa la voix en un murmure.

— Je fais des rêves. Je veux marcher vers lui et il m'attend, un anneau à la main.

Bel les avait vus, et vu comment ils étaient. Elle avait

vu à quel point ils étaient semblables dans leur distance aux choses, dans leurs yeux. À son retour, en février, Toby avait pratiquement emménagé chez elle. Ce n'était pas toujours sage, pensait Bel, de s'unir à un autre qui vous ressemble tant. Les couleurs pouvaient croître ; elles pouvaient se dédoubler.

— Réfléchis bien, dit-elle à Georgia.

Il prit l'arrière de sa tête dans la paume de sa main. Elle y réfléchit. « Je voudrais marcher vers toi, et disparaître là. »

Toby était revenu avec de nouvelles chansons et le souvenir d'une petite maison sur une colline. Elle appartenait à un musicien danois qu'il avait rencontré et il y avait passé une nuit entre deux concerts. Il la décrivit à Georgia comme un lieu de paix absolue : le son des oiseaux, le calme de l'aube.

Ses cheveux lui tombaient au-dessous des épaules, à présent. Ils s'allongèrent sur le côté, face à face, dans la chambre de Georgia, qui était immaculée. Ils avaient laissé son sac à dos près de la porte pour plus tard, quand il le rapporterait à la maison et déballerait ses affaires. Elle passa les doigts sur ses lèvres. Elle l'attira plus près d'elle jusqu'à effleurer sa clavicule de ses cils.

— La prochaine fois, dit-elle, emmène-moi avec toi.

Elle ne lui raconta rien de Spicey Riley's. Toby dit qu'elle avait maigri et que ses yeux étaient différents, et il voulut savoir ce qui n'allait pas.

— Si tu m'avais dit de rentrer plus tôt, je l'aurais fait, dit-il.

— Je ne pouvais pas te demander ça.

— Si, dit-il en caressant son dos, tu pouvais.

Les nuits étaient paisibles. Parfois, s'il n'était pas là, elle dormait la lumière allumée. Toby faisait davantage d'heures à l'usine et l'aidait pour sa dernière année à Middlesex. Elle ne parla pas du cafard qu'elle avait repéré dans la salle de bains, allongé sur le dos les pattes en l'air.

À Waifer Avenue, les absences traversaient les pièces en coup de vent et s'engouffraient dans l'escalier. Elles se rassemblaient dans le grenier, où l'air était lourd, où les portes de saloon pendaient sur leurs gonds.

Bessi partait travailler le matin, maintenant, plutôt que le soir. La maison de disques l'avait rapidement fait passer du poste de la fille qui prépare le thé à celui d'assistante au service de presse, où elle s'avéra très douée pour les contacts. Elle était particulièrement douée pour assister aux séances de photos et emmener les gens déjeuner, toujours habillée à la dernière mode d'Oxford Street, en vraie représentante motivée de l'industrie de la musique. Elle portait des extensions appliquées au salon de Bel, des mèches bouclées, et avait fait l'acquisition de lentilles bleues.

Bessi organisait la campagne de presse d'un nouvel artiste du nom de Leopard doté d'une voix au timbre étrangement faux, ce qui était salué comme une révolution vocale dans la pop music (ainsi qu'elle l'avait formulé dans son communiqué de presse). Leopard adorait les manteaux de fourrure et il exigeait toujours qu'on lui en fournisse quand il posait pour des photos. Pour s'assurer qu'il soit content et bien disposé envers la presse, il fallait l'emmener beaucoup au restaurant et Bessi en profitait, afin d'éviter le grenier plein de courants d'air et les dîners sombres et solitaires entre Ida et Aubrey, pour veiller dehors le plus souvent possible.

Ham était décédé le 30 septembre 1980. Bessi avait oublié, mais pas Georgia. Ce n'était pas un anniversaire, car les anniversaires étaient pour les naissances et les mariages. C'était un prendre-note. Ceux qui avaient perdu et se souvenaient fermaient les yeux et tournaient pour quelques instants le regard vers l'intérieur, puis ils continuaient. Le 30 septembre 1995, un samedi blanc et brumeux moucheté de pluie, Georgia vint à Waifer Avenue parler à Bessi pour une raison spécifique. Ce n'était pas une question de permission. C'était qu'elle avait besoin de sa bénédiction, ce qui était d'une certaine façon une permission.

Dans le jardin d'hiver elle se plaça près de l'ancienne table de Ham, ferma un œil, puis l'autre, et tourna le regard vers l'intérieur. Ensuite elle monta.

Les rideaux étaient encore tirés. Bessi était allongée dans son lit depuis deux heures parce qu'elle n'aimait pas le brouillard. Elle portait toujours ses lentilles bleues mises la veille au soir. Georgia s'assit à côté d'elle. Elles se calèrent des oreillers dans le dos et tirèrent les couvertures sur leurs genoux. Il faisait sombre, ici, avec la fenêtre à l'autre bout de la pièce et le brouillard derrière les rideaux. Et dans l'obscurité vivaient d'autres formes d'incertitude.

— Tu as décidé ce que tu allais faire ? demanda Georgia à Bessi.

— À propos de quoi ?

— De là où tu vas vivre.

— Non, dit Bessi. Mais j'y réfléchis beaucoup. Certainement pas le sud de Londres, c'est trop loin.

Ce n'est pas *aussi* loin, pensa Georgia, pas aussi loin qu'un endroit qui est mieux.

Avec précaution, elle dit :

— Moi et Toby, on y réfléchit aussi.

Bessi hésita.

— Ah bon ?

Elle avala une gorgée de thé et regarda au bout de son lit.

— J'en ai assez de Londres. Ce n'est pas un endroit où vivre. Toby dit que c'est complètement fou et étouffant. Je sais pas comment tu fais, tous les jours, pour aller à Oxford Street.

— C'est pas si terrible que ça, les magasins sont d'enfer.

Bessi se rappela un nouveau jean qu'elle s'était acheté la veille et qui était d'un bleu tellement pile-poil bleu de l'industrie de la musique qu'elle n'avait pas pu résister ; elle allait demander à Georgia si elle voulait le voir, mais Georgia ne lui en laissa pas le temps.

— C'est pas ce que tu disais à ton retour de Trinity. Tu disais que Londres était moche et qu'il faisait froid. Tu disais que tu voulais nous emmener toutes à Sainte-Lucie pour vivre au bord de la mer, c'est ça ce que tu disais.

— Ben c'est à croire que je m'y suis habituée. J'y ai pris goût.

Georgia trouva cette réflexion agaçante.

— Enfin en tout cas, reprit-elle, Toby et moi, on pense à déménager dans un endroit calme, en dehors de la ville. On veut vivre dans une petite maison sur une colline.

Bessi se mettait parfois à chanter quand les choses la troublaient. Ça la troublait, la façon dont Georgia avait mis l'accent sur « Toby et moi ».

— « A little cottage in Negril », dit-elle. Tu te souviens de cette chanson, Tyrone Taylor ?

Elle se mit à chanter.

— Bessi, je parle sérieusement.

La chanson s'arrêta, remplacée par un semblant de rire.

— Tu veux vivre dans une petite maison sur une colline ? Quelle colline ? Elle est loin, ta colline ?

— Il y a des collines à Brighton et autour de Brighton. Je me verrais assez bien vivre à Brighton – avec Toby, on en a beaucoup parlé. On pourrait même aller à Eastbourne. Toby dit que c'est superbe, là-bas.

— *Eastbourne* ! Putain ! Mais pourquoi tu veux aller vivre à Eastbourne !

— C'est pas tant où, Bessi, répondit Georgia avec passion. C'est l'idée, près de la mer, l'espace, ça pourrait être à des tas d'endroits. De toute façon qu'est-ce que tu reproches à Eastbourne ? Tu n'y as jamais mis les pieds.

— Georgia, ma choute, dit Bessi.

« Ma choute » était une expression qu'elle s'était mise à employer récemment – Georgia se sentit gagnée par une bouffée de rage. Il y a des rêves qui ne sont que des rêves. Les petites maisons sur des collines ne sont que des rêves. Elle changea de position comme un professeur qui s'apprête à expliquer quelque chose à son élève. C'est comme moi et la chanson, d'accord ? J'en ai rêvé pendant toutes ces années et en fin de compte ce n'était pas ce que j'étais appelée à faire, c'était autre chose de similaire, mais pas *exactement* ça.

— C'est pas vrai ! Georgia repoussa les couvertures et sortit du pas-bon lit de Bessi. S'il y a bien quelqu'un qui devrait savoir que c'est ridicule de dire ça, c'est toi. Tu es partie toute seule à Trinity – c'était un rêve, ça, non ?

— Oui, mais c'était seulement pour six mois, objecta Bessi.

— Oui, et six mois ça peut être très long !

— Bon, bon, bon, calme-toi.

Georgia ouvrit la fenêtre et laissa entrer le brouillard. Elle inspira, expira.

— J'essaie de rendre ma vie plus facile, dit-elle froidement, en maîtrisant sa voix. J'essaie de trouver un endroit où je serais à ma place. N'est-ce pas la raison d'être des rêves, de trouver sa place ? Ce n'est pas parce que toi, tu as perdu le tien, que je devrais le perdre moi aussi.

Bessi accusa le coup. Elle le masqua derrière un haussement d'épaules, ce qui énerva encore plus Georgia. Soudain, ça l'irrita au plus haut point que Bessi n'ait jamais connu la terreur qu'il pouvait y avoir à acheter du lait, à faire une tasse de thé, à se réveiller seule au milieu de la nuit, ou à être parfaitement heureuse et voir alors le rouge ramper vers vous pour vous priver de tout ce bonheur. Elle lança les mains au ciel.

— Franchement, Bessi, tu n'as pas la moindre idée, hein ?

— La moindre idée de quoi ?

— Oh, laisse tomber.

— Mais qu'est-ce que tu as, aujourd'hui, de toute façon ?

C'est alors que Georgia déballa tout. Les mots tombèrent de sa bouche, sortirent en trébuchant, d'une drôle de voix :

— Tout est si facile pour toi, hein, tu fais tout les doigts dans le nez, c'est rien pour toi, c'est rien, rien du tout. Georgia haussa les épaules et ses mains dessinèrent des gestes de rien-rien du tout, sa voix grimpa dans les aigus et se mit à trembler. Tu vas au coin de la rue acheter du lait, tu pars à l'autre bout du monde toute seule, tu fréquentes des pop stars et tu n'as pas besoin d'y réfléchir plus que ça, je le sais, je te regarde, il suffit que tu décides d'une chose et ça y est, c'est fait. Ça me rend dingue !

Bessi n'était pas sûre de comprendre toutes les subtilités de ce que disait Georgia. Elle croisa les jambes et se redressa.

— Bon, d'accord, OK, dit-elle, adoptant une démarche mathématique. Tout d'abord, OK, tout d'abord, ce n'est pas facile de trouver un boulot, hein, tu te rappelles Digger's ? Pas facile, pas facile du tout. Et deuxièmement, trouver un boulot, c'est pas comme acheter du lait et *troisièmement...*

— Tu vois ? Georgia lança de nouveau les bras au ciel : Pas la moindre idée ! Elle s'avança vers le lit de Bessi, approchant son visage tout contre le sien. Elle plongea un regard sévère dans les faux yeux bleus de Bessi. Acheter du lait, ça peut être pareil que tout le reste. Sortir du lit, aller jusqu'à la porte de la maison, se retrouver dans la rue au milieu de la foule, tout ça c'est pareil quand... quand tu as tellement peur que tu ne peux même pas lever le bras ni faire un pas en avant, pas un seul pas, tu comprends ? Bien sûr que non.

— Mais si je comprends ! dit Bessi. Je sais ce que c'est que la tristesse, on l'éprouve tous, il n'y a pas que toi, parce que ce n'est pas facile – bien que Bessi n'ait pas vraiment saisi en quoi acheter du lait n'était pas facile – et quelquefois c'est une telle *lutte* qu'on a des coups de blues, moi aussi j'ai des coups de blues. Tu es tellement loin à l'intérieur de ta tête, Georgia, que tu ne...

— Non.

Georgia était assurée, sa voix était forte mais ferme. Elle paraissait plus grande, comme si une ficelle la tirait vers le plafond. Le grenier l'écouta parler.

— Le bleu du blues n'est pas la seule couleur. Non. Tout le monde ne le ressent pas. Depuis tout ce temps, tout ce temps, je te porte et je te protège pour que les choses restent toujours faciles pour toi, pour que tu n'aies jamais à ressentir ce que je ressens. Et tu ne le vois même pas.

Bessi en resta bouche bée.

— *Quoi ?*

Georgia se retourna vers la fenêtre et aperçut l'arbre vert au loin. Elle porta les mains à la bouche et fixa l'arbre, les yeux humides et exorbités. Puis elle fit de nouveau face à Bessi, qui s'était avancée sur le bord du lit, en proie à une totale incrédulité.

— Tu me *portes* ? C'est ça que tu as dit ?

Georgia laissa retomber ses mains.

— Tu ne comprends pas. Tu ne peux pas...

— Ben voilà au moins une chose sur laquelle tu as raison.

— Écoute-moi Bessi. Tu ne comprendras sans doute jamais ça parce que tu ne m'as jamais demandé ni mon aide ni ma protection...

— Protection ?

— Je t'ai dit d'écouter !

Bessi cilla. Georgia poursuivit ; des larmes coulaient le long de ses joues.

— J'avais besoin d'un endroit qui ne soit pas moche. Je voulais être lumineuse et heureuse comme toi, et je voulais que tu ne voies jamais le noir. J'avais peur de te contaminer avec des sentiments horribles et des images dans ma tête où je me vois marcher au-devant des voitures et... Non. Ce n'est pas pour toi, ça, tu comprends ? Pas pour tes oreilles. J'avais besoin que tu sois mon soleil, Bessi. Et là, Georgia se tut et ses mots devinrent tout petits : J'ai perdu le mien, je l'ai perdu.

Bessi regardait Georgia d'un œil noir, mais derrière

ce regard noir il y avait le désir de la prendre dans ses bras, d'arrêter ses larmes et de la réconforter. Elle s'accrocha au regard noir.

— Tu te comportes comme si ce que j'étais dépendait de toi, un truc comme ça, genre je ne peux être heureuse que si tu ne l'es pas. Mais c'est absurde. Nous sommes deux personnes différentes, Georgia, et ce que je ressens ne dépend pas de toi.

— Mais si, *justement*. C'est ce que j'essaie de te dire !

Bessi se leva et attrapa le tabac sur sa coiffeuse d'un geste brusque. Son envie de consoler sa sœur avait disparu. Elle était une personne entière, à part entière, elle faisait des choses toute seule et ne dépendait de personne.

— Pour qui tu te prends ? cria-t-elle.

Elle avait arpenté les rues de Londres, *elle*, et bu un grand verre frais d'être-un. Elle était allée à Trinity, *elle*, et avait découvert son entièreté et elle ne devait rien de tout cela à Georgia, rien de tout cela. Bessi se roula furieusement une cigarette entière. Elle se mit à secouer la tête, par petits coups secs et obstinés. Georgia se sentit soudain prise d'une envie irrépressible de gifler sa jumelle en pleine figure.

Elle plissa les yeux.

— Elizabeth, murmura-t-elle. J'ai fait des sacrifices.

Personne n'avait appelé Bessi Elizabeth depuis ses six ans, quand Aubrey l'avait surprise à rayer le côté de sa voiture avec sa pédale de bicyclette. Elle avait presque oublié, en fait, qu'elle s'appelait Elizabeth. Elle partit d'un rire bizarre, hystérique, et c'est alors que Georgia, incapable de se contenir un instant de plus, laissant échapper un hurlement incontrôlé, bondit et gifla Bessi de toutes ses forces.

— J'ai fait des sacrifices ! hurla-t-elle.

Bessi lâcha sa cigarette et tomba à la renverse sur le lit. Rien ne bougea, rien ne parla. Elle regarda tout autour d'elle comme si elle ne se souvenait plus où elle était, puis, exactement au même instant, elles éclatèrent toutes les deux en sanglots.

Georgia tendit les bras et s'avança vers le lit.

— Tu m'as *giflée !*

— Je ne voulais pas... Excuse-moi, Bessi...

— Tu m'as giflée, ça m'a fait mal, j'arrive pas à croire que tu m'as *frappée !*

Bessi se leva ; le côté de son visage virait au cramoisi. Elle bouscula Georgia, ouvrit brusquement la porte et dévala l'escalier pour aller à la salle de bains, laissant Georgia seule au grenier, avec une migraine qui venait.

Au bout de dix minutes de silence, Georgia entendit le bruit de l'eau qui coulait en bas dans la salle de bains.

Elle s'assit par terre. Elle regarda le brouillard s'estomper.

Une heure plus tard, Bessi était toujours dans la salle de bains. Georgia descendit à la cuisine chercher la brique de jus de tomates qu'elle avait laissée au frigo, but et pensa à Toby, à une petite maison sur une colline, au musc de ses cheveux, à ses mains sur son dos, sa bouche sur sa cicatrice. Elle pensa à Bessi dans son bain et marmonna : « Alors, tu sors ? » Elle s'assit dans le jardin d'hiver et regarda le jardin. Au fond, du côté de la cabane aux araignées, l'herbe s'était transformée en forêt. Ode et Onia étaient debout, des feuilles dans les cheveux. Les pommes étaient tombées. Elles pourrissaient, talées parmi les brins d'herbe.

Il s'écoula encore une heure et la porte de la salle de

bains était toujours fermée. Georgia se dit que c'était Ida qui était à l'intérieur, pas Bessi. Elle frappa à la porte d'Ida.

— Entre, dit Ida.

Georgia avait des élancements à la tête. Elle serra les perles autour de son cou.

— Rien, m'man. C'est Bessi que je cherchais.

— Bessi est dans son bain, dit Ida.

Georgia s'approcha de la salle de bains, qui était en face de la chambre d'Ida.

— Bessi ? murmura-t-elle.

À travers la porte, elle vit Bessi allongée dans l'eau. L'eau était très froide. Bessi était sous la surface, les yeux ouverts. Elle ne bougeait pas du tout. Au-dessus d'elle, tout en haut près du plafond, une brume rouge rampait dans l'air.

Et Bessi ne connaissait pas les manœuvres en cas de rouge.

Georgia frappa du poing contre la porte, deux fois.

— Bessi !

Pas de réponse. Le rouge descendait vers la baignoire en se déployant.

— Bessi ! Sors de la baignoire ! Sors de la baignoire, s'il te plaît !

De l'autre côté de la porte, Bessi se redressa. Elle avait la joue endolorie et elle était gelée.

— Qu'est-ce qu'il y a ? dit-elle.

— Sors, dit Georgia, brusquement affaiblie par le soulagement. Viens ici. S'il te plaît, sors, tu veux bien ? Ça fait trop longtemps que tu es là-dedans. Je suis désolée de t'avoir frappée.

— J'ai froid, dit Bessi en se soulevant. Je dormais.

— C'est dangereux, sors, maintenant.

Georgia attendit que Bessi ouvre la porte. Lorsqu'elle

sortit, elle avait le visage teinté de gris avec une touche de cramoisi sur une joue et ses yeux étaient creux et éteints. Elle fit peur à Georgia, cette expression. Elle l'avait déjà vue de nombreuses fois, dans le miroir. Elle n'avait rien à faire dans les yeux de Bessi. Il était capital que Bessi demeure dans un lieu strictement jaune. Je suis une voleuse, pensa-t-elle en montant l'escalier derrière elle. Je t'ai volé quelque chose. Mais il est vrai aussi que tu m'as volé. Tu es la lumière, je suis l'ombre.

Bessi se rassit sur son lit. Elle avait retiré ses verres de contact mais elle n'arrivait toujours pas à regarder Georgia dans les yeux. Georgia passa un bras autour de ses épaules.

— Une petite maison sur une colline, dit-elle. Ce n'est qu'un rêve.

— Non, dit Bessi. Tu avais raison.

Georgia et Toby emménagèrent dans un petit appartement au premier étage d'une maison de Bruce Grove, derrière le tumulte de Tottenham. Il était relié à Neasden par l'A406. Ils peignirent en lilas l'escalier qui partait de la porte d'entrée. Sur le palier, une ampoule nue pendait au plafond et Toby la couvrit d'un abat-jour en papier.

L'appartement se trouvait sur une colline et il était inondé de lumière. D'un fauteuil en rotin dans le salon on pouvait voir un green, et au pied de la colline il n'y avait pas la mer mais un étal de fleurs voisin d'un magasin où ils pouvaient acheter du lait. Pour la chambre, ils choisirent du jaune. Sur la porte de la chambre, à l'intérieur, Georgia écrivit à la craie : G+T. C'était leur maison.

Une fois par semaine elle passait cinquante minutes

assise sur une chaise en face d'une femme qui s'appelait Katya. Ses cheveux grisonnaient sur le devant et elle disait souvent « Hm-hm » en rejetant brusquement la tête sur le côté. Son cabinet dégageait les odeurs de nombreux tons de bleus différents et, à côté de la chaise de Georgia, il y avait une boîte en laiton fendue sur le dessus, d'où dépassait à demi un unique mouchoir en papier.

Georgia parlait à Katya de la peur et des silhouettes dans l'obscurité. Elle lui dit qu'elle avait beaucoup de questions, qu'elles étaient écrites en mots au-dessus de sa tête et qu'elles lui donnaient des migraines. Elle dit qu'il y avait parfois des couleurs qui rendaient les choses difficiles. Katya rejetait la tête de côté. Georgia sortait un mouchoir en papier et demi et Katya disait « Hm-hm ». Il y avait des échos d'italien dans sa voix.

— Il est possible, dit-elle, que la tristesse devienne quelque chose de vivant, un monstre, qu'elle revête sa propre chair. Et il est possible que le monstre puisse se multiplier.

Georgia se renfonça dans sa chaise et ses talons décollèrent du sol. Elle dit :

— Mais comment vais-je l'empêcher de se multiplier ? Comment puis-je le faire mourir ?

Katya dit qu'il ne mourrait peut-être jamais, mais qu'à force d'acceptation et d'endurance, on pouvait le calmer.

— C'est une question d'endurance, dit-elle (endurance était un mot que Katya utilisait beaucoup). Vous le dominez et vous le chassez, et vous devez être déterminée. Vous le fracassez par terre. Et si nécessaire, vous hurlez et vous lui dites : Je ne suis pas d'accord.

Les choses s'arrangèrent au printemps. Les herbes aromatiques que Georgia avait plantées sur le rebord de la fenêtre poussèrent et s'épanouirent et elle parla de chercher du travail chez un fleuriste. Toby resta à l'usine, jouant de temps à autre avec Carl. Le soir il s'asseyait dans le fauteuil en rotin et parfois il jouait la chanson qu'il lui avait apprise au début, une lune de réverbère qui plonge le regard à l'intérieur de la maison. Quand Carl décrocha un autre concert à l'étranger, il décida de ne pas y aller. « Je veux rester avec toi, dit-il lorsque Georgia lui demanda s'il était heureux. Je te l'avais dit. »

Parfois, Bessi venait passer le week-end. Elle vivait seule au dernier étage d'un immeuble de Kensal Rise. De sa fenêtre elle entendait passer les bus à impériale et voyait un cimetière avec une chapelle et des centaines d'arbres. Elle dit à Georgia qu'elle adorait le dernier étage la nuit parce que c'était comme si elle habitait au même niveau que les étoiles.

Elles s'asseyaient l'une à côté de l'autre sur le banc dans la cuisine de Georgia (« le bon banc de Bessi ») et leurs bras s'effleuraient. Bessi parla à Georgia d'un homme qu'elle avait rencontré à Oxford Street et qui s'appelait Darel. Il avait d'irrésistibles épaules genre joueur de basketball, et une belle voiture, un cabriolet. Il l'emmenait faire de grandes balades à travers la ville en passant du Louis Armstrong ; le vent obligeait Bessi à fermer les yeux, elle inspirait et expirait des soupirs de plaisir et se disait : « Ça, ça c'est une vie que j'aime. »

L'été s'acheva. Il clignota par les pièces et s'en fut. Georgia dit à Katya qu'elle avait des moments de panique. Elle était allée dans un magasin John Lewis acheter un cadeau d'anniversaire pour Ida et avait retiré un plat d'une étagère. En tenant le plat, qui était en terre, elle avait été prise d'une très forte crainte de le faire tomber. Ses doigts serraient les rebords. Elle l'avait tenu pendant une demi-heure, sans bouger. Elle avait alors plié les genoux, en se concentrant, s'était baissée, avait posé le plat par terre et était sortie. Une fois hors du magasin, elle s'était mise à courir.

— L'endurance, dit Katya. Dites aux monstres qu'ils ne sont pas réels.

Mais Georgia perdait ses mots. Il s'était passé quelque chose d'irréversible. La panique était liée au changement de saison et à la prise de conscience que ni la chaleur et la lumière, ni la possibilité de se fondre dans l'obscurité de l'hiver ne pourraient la sauver. Elle tomba avec les feuilles d'automne et en novembre elle contracta un mal de tête qui ne partait plus.

Toby lui mit un gant de toilette froid sur le front. Elle lui dit :

— Viens ici, viens plus près.

— Quoi ? fit-il.

— Toby. La tristesse n'est pas une saison. Maintenant je comprends.

Il lui prit l'arrière de la tête.

— Reste avec moi, Georgia, dit-il.

Et elle ferma les yeux.

Elle commençait à lui échapper comme un brouillard.

— Tu es la symétrie, lui dit-il, ne l'oublie pas.

Elle sourit. Mais le lendemain, qui fut une rude journée rouge foncé, elle fut incapable de sortir de la maison. Elle retira une assiette de l'étagère de la cuisine, la fracassa par terre et cria :

— Je ne suis pas d'accord !

L'air, dans l'appartement, devint dense et étouffant. Georgia remarqua, à travers un brouillard de questions, que Toby avait arrêté de jouer de la guitare. Elle ne pouvait pas permettre cela. Elle dit à la douleur dans sa tête : « Je ne dois pas tuer sa musique. » Il l'emmena à la mer, ils regardèrent l'indifférence du crépuscule en silence, comme regarderaient des étrangers, et le crépuscule leur dit : « Vous ne devez pas tuer sa musique. »

À Waifer Avenue, les Hunter et Toby chantèrent « Auld Land Syne[1] » en se donnant le bras. Georgia scrutait les zones invisibles et Toby essayait de les voir lui aussi. Bel prit peur. Elle dit à Georgia, dans leur lieu à elles, sur le rebord de la baignoire : « Parle-moi. » Georgia regarda le vert des yeux de Bel et parla, très peu. Elle avait découvert quelque chose et elle voulait s'en souvenir jusqu'à son retour à la maison. C'était là dans les yeux de Bel, c'était dans la voix pleine de vie de Kemy, en elles toutes, elle l'avait vu quand ils avaient chanté. Mais, surtout, c'était en Bessi.

L'être-moi, écrivit-elle. *Je suis en elles. Tant qu'elles demeureront, je demeurerai.*

Georgia passa son vingt-quatrième anniversaire avec Toby et elle pleura de nouveau ce jour-là, le matin, ce qui était le moment le plus dangereux pour pleurer.

— Toby, dit-elle, je me sens comme le vieux West Pier.

— Ne pleure pas maintenant, dit-il.

Dans la chambre, dans leur maison, ils s'allongèrent.

— Viens là, dit-elle. Il y avait des ombres. Dehors, la lune virait au rouge. Couche-toi avec moi, Toby, dit Georgia.

Elle grava le battement de son cœur dans sa mémoire. Elle dit :

— Pardonne-moi, mon chéri, je suis une voleuse. Il faut que tu partes.

---

1. Chanson qu'on chante traditionnellement à minuit, la nuit du Nouvel An. (*N.d.T.*)

13

À lundi

Comme une magicienne, tu tournes. Entière et neuve, tourne tourne tourne. Magie tragique, libère-moi. Ton visage d'or tournera au vent de la spirale et jamais il n'y aura eu pareil courage, jamais il n'y aura eu pareille gloire. Tu dérives vers la barque à rames, traversant l'eau, le grand bleu lumineux, et elle tend la main vers toi. Du haut de la montagne, la brume d'argent tombe sur tes yeux. Voilà comment ça se passera.

En rentrant de chez Bessi ce matin-là, le jour de la Saint-Valentin 1997, Georgia s'arrêta à l'étal de fleurs au pied de la colline. Elle acheta deux grands lys avec de la gypsophile. Ce ne fut pas difficile parce qu'il n'y avait pas de couleur. Le vieil homme à la grosse casquette de tweed sur sa petite tête disposait les tulipes dans leurs seaux. Elle pensa : « Ça m'aurait plu, oui, de mettre des tulipes dans des seaux le matin, de les emballer, de choisir la meilleure façon de produire de la beauté, de les tendre à quelqu'un. Rien de plus compliqué. » Elle dit à l'homme :

— Ça m'aurait plu.

Avant de rentrer chez elle, elle fit le tour du jardin

public d'en face, le bouquet de fleurs dans sa main gauche, légèrement devant elle, les tiges dépassant du bas du papier. De sa main droite elle tenait son sac (brosse à dents, un livre, des vêtements de rechange). Elle avait un anorak à capuche qui lui donnait l'air d'une enfant et ses cheveux étaient attachés en deux couettes ébouriffées. Elle s'assit un instant sur le banc, mais se releva rapidement et rentra chez elle.

Quand elle grimpa l'escalier lilas, elle trouva Ode et Onia qui attendaient en haut des marches. Leurs yeux étaient devenus très grands et leur robe très sale.

« C'est bien, là où vous êtes, hein ? » dit Georgia.

Six semaines plus tôt, après le départ de Toby, elle s'était assise dans la cuisine sur le bon banc de Bessi (où elle est assise à présent, dans le crépuscule, pour réfléchir, pour décider, la tête étrangement inclinée). Elle avait eu la sensation d'être dans les vêtements de quelqu'un d'autre, dans la maison de quelqu'un d'autre, de ne pas avoir le droit d'être là, avec la bouilloire qui chauffait, les pousses de luzerne qui germaient près de la fenêtre, un saladier vide dans l'évier, tout déboussolé, et le sucrier sans son couvercle. Ils avaient pris un dernier thé, c'était un homme à sucre. Il était parti, avait disparu, s'était retourné une fois en faisant signe de la main.

Les nuits lui accordaient le sommeil jusqu'aux heures les plus sombres et les plus profondes, où elle se redressait dans son lit en entendant des bruits – pas de doute, quelqu'un est sur le palier derrière la porte de la chambre, vêtu de noir, là, des bruits de pas, d'ongles contre la rampe, alors elle allumait la lampe de chevet et attendait le retour de l'aube. (Rien de plus lent que l'aube.) À ce moment-là elle prenait un bain. Puis elle sortait se promener, un foulard de coton blanc avec un motif de silhouettes bleu foncé noué autour du cou.

Il faisait très froid cet hiver-là. Il y avait du brouillard.

— Viens chez moi, lui dit Bessi. Je m'occuperai de toi. Ne reste pas seule.

Elles dormaient dans le bon lit de Bessi près de la lune, la lumière allumée. Bessi tenait Georgia dans ses bras ; elle lui disait : « Dors bien maintenant, pense à de bonnes choses. » Au milieu de la nuit, Georgia sentit qu'on frappait contre son crâne. C'était un diable. Il lui raconta une histoire. C'était l'histoire d'une femme qui a perdu son âme, qui l'a laissée quelque part un jour et qui n'arrive pas à se rappeler où. Bien sûr, dit le diable, cette pauvre femme ne pouvait pas vivre sans son âme, alors elle se mit à la chercher partout. Elle demanda à tous les gens qu'elle connaissait, fouilla dans tous les coins et recoins, regarda par ci, regarda par là. Et, quand elle la retrouva, la femme disparut.

« N'est-ce pas une bonne histoire ? dit le diable.

— Non ! cria Georgia. C'est une histoire terrible, je la déteste ! »

Que ce soit Carol Fielding, Katya, la *Bible de la désintoxication* ou, plus récemment, *Sauvez votre âme* aucun n'avait de conseil à donner en cas de visite du diable.

À moins – à la condition – qu'il n'y ait un crucifix.

Bessi se réveilla. Georgia arpentait, arpentait la pièce sous le clair de lune, les mains plaquées contre les oreilles, en criant : *Pas ça, pas folle, pas ça !* Bessi l'appela ; à huit reprises elle dut prononcer son nom, frottant avec le pouce l'espace entre les sourcils de Georgia, y gommant les tours et détours. Le diable battit en retraite. Bessi le vit s'envoler des yeux de

Georgia, une distorsion, une chose totalement dépourvue de pitié qui la fit frissonner.

(La Saint-Valentin. 3 heures. Quelqu'un a trempé l'après-midi dans le soleil. Elle entra dans le salon de coiffure de Bel avec son pantalon jaune vif et on aurait dit que l'air venait tout juste de la fabriquer. « Tu es superbe, aujourd'hui », dit Bel. Elle lui avait tressé les cheveux. Ode dans Onia l'avait aidée.

Georgia et Bel se dirent au revoir. Elles s'embrassèrent et Bel tint la nuque de Georgia dans sa paume magique. La paume ne se rendit compte de rien.

À présent, elle se lève du banc. *Tourne tourne tourne*, écrivit-elle, *comme une magicienne tu tournes*. Elle se dirige vers l'escalier.)

Le lendemain de la visite du diable, Bessi emmena Georgia à Waifer Avenue pour la confier à Ida et partit travailler.

— Je reviendrai plus tard, dit-elle.

Ida fit du poulet en sauce et de l'eba parce que Georgia aimait l'eba. Elle frictionna du Vicks sur les tempes de la migraine.

— Ça va aller, dit-elle. Allonge-toi.

Ida s'assit sur le fauteuil, à côté du canapé, et caressa la tête de Georgia. Ses bracelets étaient des cloches très lointaines dans le rêve.

Elle entendit d'abord les mouettes qui appelaient, puis elle entendit l'eau, qui disait : « Allonge-toi, maintenant, et repose-toi, ma chérie, allonge-toi là et repose-toi. »

Georgia était assise dans la barque en robe blanche à ceinture jaune. Elle tendit sa main, qui était trop petite pour son poignet. Elle était plus ravissante que tout ce que Georgia avait jamais vu. Doucement, elle dit : « Il faut que tu demandes à Bessi. »

Les bracelets d'Ida la ramenèrent. Le paon au plafond, le rocking-chair, les bonshommes argentés immobiles. À la lisière de son champ visuel, Georgia apercevait les longs ongles rouges d'Ida qui ne cessait de lui caresser la tête.

— Maman, dit-elle, raconte-moi quand tu es partie du village.

Ida raconta à Georgia comment elle s'était sauvée de la maison avec son sac et comment elle avait attendu la bicyclette près de la pompe à eau, et le bruit des arbres, le bruit des phalènes.

— Est-ce que tu avais peur ?

— Oui. J'avais très peur. Je quittais ma famille et ma maison.

Georgia leva la tête.

— Comment savais-tu que c'était la bonne décision ?

Ida arrêta ses caresses et hocha lentement la tête quand lui vinrent les mots justes.

— Ma vie m'appartient, dit-elle. Il n'y avait pas d'avenir pour moi là-bas et je ne peux pas vivre pour quelqu'un d'autre. Elle reprit son geste de caresse et ajouta : Sauf pour vous mes enfants.

— Est-ce qu'il t'arrive de regretter d'être partie ? demanda Georgia. Est-ce que ça t'a fait mal ?

— Non. Le regret ne vaut rien. Et la douleur, elle s'en va, tu vois, elle s'en va. Tout ira bien.

Georgia se rallongea. Le crépuscule entrait par le bow-window d'un pas intrépide et élancé.

Elle dit :

— Tu as été courageuse, maman, de quitter le village.

(Georgia est au salon, maintenant. Elle tient son foulard dans une main. Elle a décidé que c'était le bon : blanc, le retour à un état de pureté ; des silhouettes bleu foncé, parce qu'on se connaît bien. Et y aura-t-il de la musique ? Elle se penche, passe les disques en revue de la main droite. Quelle chanson ? Quelle musique ? Ou vaudrait-il mieux le silence ?)

Une semaine après Ida, l'eba et les câlins, par une vaste matinée ensoleillée, Georgia et Bessi accompagnèrent Kemy et Lace à l'aéroport. Ils partaient au festival de Trinidad. Kemy emportait un minishort doré à paillettes, leur dit-elle, et Lace mit la musique à plein volume. Marcia Griffiths et Tony Rebel chantaient « Ready to Go » et Georgia et Bessi, sur la banquette arrière, se tenaient par la main, en cas de diable. Tony et Marcia chantaient :

Viens allons au pays de l'amour
Où la lumière de l'amour brille si fort
Nous serons si heureux si libres
Toutes tes douleurs te laisseront tranquilles.

Georgia aimait cette chanson. Elle était grande et joyeuse, elle avait des ailes. Penchée en avant, elle y plongeait le regard comme autrefois Ham sur ses pattes arrière en écoutant « No Doubt About It ». Un brusque rai de soleil rebondit contre l'autoroute et fit scintiller la chaussée. Georgia ouvrit le visage. Ils fonçaient en fendant le scintillement. Moi, Kemy et Bessi, ailées dans le soleil. Ça change, comme ça change, si facilement et si soudain, ça change !

En lui disant au revoir, Kemy embrassa Georgia et lui enfonça les doigts dans le dos.

(Georgia abandonne les disques, maintenant. Elle a décidé que ce serait silencieux. Les oiseaux de nuit, dehors, c'est tout. Sauf que le téléphone sonne. Bessi ?)

Elles rentrèrent en voiture ensemble de l'aéroport en chantant sur tout le trajet. Bessi dit :

— Tu es revenue, je croyais que tu étais partie, j'avais tellement peur.

Elles s'arrêtèrent chez Georgia pour reprendre des vêtements, des vêtements blancs parce qu'elle était à nouveau pure. Comme ça change.

— Ça, ce sont mes vêtements *à moi* ! dit-elle en riant.

Elle lança un tee-shirt à Bessi, qui le reçut sur la tête. Elle redoubla de rire et Bessi lui lança un oreiller. Petits hauts, jupes et chapeaux volants dansèrent, dans un sens, dans l'autre, et puis après elles s'allongèrent et Bessi murmura :

— N'oublie pas, ma douce, comme ça change.

(Non. Bessi est au concert avec Darel. C'est la Saint-Valentin.

« Allô ?

— Oh, Georgie, Dieu merci, c'est Bel. Tout va bien, ma puce ?

— Oui. Je vais bien.

— Tu es sûre ?

— Absolument, oui, c'est une soirée délicieuse. N'est-ce pas que c'est une très belle soirée, Bel ? »

Le truc, c'était qu'elle ne pouvait pas dormir. Elle passait les nuits chez Bessi et Bel, les journées avec Ida, et où qu'elle aille, le diable la trouvait.

Un soir, elle dit à Bel qu'elle était perdue. Bel l'emmena devant le miroir de sa chambre. Debout face à la glace, elles scrutèrent le reflet.

— Regarde-toi, dit Bel. Te voilà, tu vois ?

— Non, je ne la vois pas, dit Georgia. Elle n'est pas là.

Et derrière les portes elles disaient : « Qu'est-ce qu'on va faire pour Georgia, oh qu'est-ce qu'on va faire pour Georgia ! »

Un mercredi après-midi, trois semaines auparavant,

elle était assise dans le fauteuil en cuir de Bel. Elle resta longtemps sans bouger. Ses yeux étaient à des kilomètres. Jay, qui avait maintenant dix ans, vint se placer à côté d'elle. Il lui dit :

— Tatie Georgia, est-ce que tu veux du chocolat ? C'est une gourmandise.

Elle se tourna vers Jay et lui adressa un sourire mécanique.

— Non merci. C'est trop sucré.

Elle avait contracté une vive aversion pour le sucre. Le sucre était comme les fêtes foraines et l'amour, comme de la musique avec des paroles ou du rouge à lèvres avec du gloss, c'était un scintillement soudain sur une autoroute et des minishorts de carnaval, des empires de flapjacks qui n'étaient pas célèbres, des champs sauvages et Hendrix dans la forêt, c'était marcher sur les nuages avec Bessi, regarder la mer avec Toby, c'était tout cela, tout cet extérieur. Le sucre était vivant. C'était une accusation.

Jay eut l'air désemparé. Pas d'accélération du souffle. Pas de vrai sourire. Tatie Georgia l'embrassa sur la joue comme si ça faisait mal et partit s'allonger dans la chambre de Bel, parmi les bâtons d'encens.

Il n'y avait aucun danger à s'allonger parce que c'était le jour. Georgia du lac tendit le bras. Elle tenait une jonquille à la main. Elle dit : « Ah, c'est tellement *paisible*, ici », tandis que Georgia, la fausse Georgia, celle du squelette, abordait le soir en s'agitant sur le lit, en frottant sa poitrine avec les jointures de ses doigts parce qu'il y avait quelque chose à l'intérieur, quelque chose de pire que tout ce qu'il y avait eu jusqu'alors.

Après le boulot, Bessi alla chez Bel. Elle était crevée. Le deuxième album de Leopard allait sortir et il refusait d'accorder une interview à *Melody Maker* parce qu'ils avaient décidé de ne pas le mettre en couverture. Bessi avait déjeuné avec lui et, pendant que Leopard pérorait sur son quatrième Glenfiddich et qu'elle tentait de suggérer que le succès de son album dépendait en quelque sorte de la presse, elle avait vu Georgia traverser le restaurant en chemise de nuit, les mains plaquées sur les oreilles, criant : *Pas ça, pas folle.*

Bel avait allumé des bougies. Des silhouettes se déployaient sur le plafond. Lorsque Bessi vit Georgia s'agiter ainsi, en se frottant la poitrine, ses jambes se mirent à trembler.

Elles étaient debout devant le lit. Georgia se servait de son poing tout entier, maintenant, et frottait fort, contre l'os.

— Qu'est-ce que c'est, Georgie, qu'est-ce qu'il y a *à l'intérieur* ?

À moitié réveillée, à moitié endormie, elle dit ceci :

— Je la vois, là, ma pierre tombale dans ma poitrine ! Je n'arrive pas à la retirer !

Bessi et Bel se penchèrent. Elles se couvrirent la bouche.

Ni Carol ni les autres n'avaient de bons tuyaux en cas de pierres tombales dans le cœur.

Alors, il y avait de cela deux semaines, dans son calepin, Georgia écrivit une lettre à Bessi. Les paroles de la lettre vinrent naturellement sur la page. Il y avait du triomphe dans l'encre. Après avoir fini, elle sourit d'un vrai sourire. C'est tout bon, Eve.

Elle paya la facture d'électricité de 44,12 £ en souffrance avec de l'argent emprunté à Aubrey.

— Tu as bonne mine, lui dit-il.

Elle n'avait jamais eu l'air aussi radieuse. Ses cheveux brillaient aux pointes et ses joues avaient de l'éclat. Son visage affichait l'extrémité rougeoyante de la vie au bord d'elle-même.

Derrière les portes ils disaient : « Dieu merci, elle est revenue. »

(Elle retourne à la cuisine, maintenant, au banc, et s'assoit. *Jusqu'au bord, jusqu'au bord, laissez-moi partir*. Elle pose le stylo. Dehors, quelqu'un siffle. Elle fume une cigarette et retire un brin de tabac sur sa lèvre. « Prête maintenant, dit-elle, fin prête. » Elle se lève du banc. Elle a de l'effervescence en elle.)

Il ne restait plus qu'à demander à Bessi. Ça remontait à dix jours. Elles avaient dormi tête-bêche dans le lit de Bessi. Bessi était épuisée.

Georgia se leva à l'aube et alla pieds nus au salon. À présent, sa façon de marcher avait changé. Les pieds en dehors étaient comme hébétés, ils avançaient en tapotant le sol comme s'ils ne s'intéressaient plus à ce qu'il y avait devant eux. Bessi la trouva debout devant la fenêtre. « Souris pour moi, Georgia », pensa-t-elle.

Georgia se retourna. Elle passa les mains sur sa chemise de nuit. C'était une question de permission.

— Ma Bess, dit-elle, je veux que tu me laisses partir.

Ses bras se décollèrent de ses flancs comme s'ils envisageaient de voler. Le calme se formait, les lumières intérieures se retiraient.

— Aller où ? dit Bessi, mais elle savait où.

Georgia grommela.

— J'ai perdu ma fleur, il... faut que je trouve Georgia, faut que...

Non. Bessi décrivit un tour entier, les mains tendues, les doigts écartés. D'une voix aiguë elle dit :

— Non, Georgia, tu ne peux pas me demander ça.

— S'il te plaît.

Les yeux de Georgia étaient en lambeaux, maintenant. Ils s'accrochaient à leurs orbites comme du moisi à des vêtements.

— Non, Georgia. Mon Dieu, non.

(« Nous avons dansé ensemble la semaine dernière, n'est-ce pas. Je sens encore la chaleur, la basse et la tempête sous nos pieds. Et je suis désolée, chérie, mais je dois partir, car je ne trouve pas ma place. Et tu comprendras, bientôt, que je le dois. Entends-tu les oiseaux ? »

Elle sort sur le palier. Elle lève les yeux vers l'ampoule. Elle se touche le cou.)

Ce matin-là, Georgia regarda Bessi dormir d'un pas tout à fait sommeil. Les cils tremblant. Un bras rejeté au-dessus de la tête. Cette bouche pâle, fermée.

— J'y vais, dit Georgia.

— Où ça ? murmura Bessi.

— À la maison.

Georgia se tut. Elle avait peur.

— Est-ce que je peux revenir ce soir ?

— Je ne serai pas là ce soir. Je sors avec Darel. Reviens lundi, là tu pourras rester un bout de temps.

La voix de Bessi s'éteignit. Georgia ne bougea pas. Elle inspira, expira.

— À lundi, alors, dit-elle.

Bessi ouvrit les yeux et vit Georgia sur le pas de la porte, dans son anorak foncé. Leurs yeux n'entrèrent pas en contact.

— Salut, dit Bessi. À lundi.

Et Georgia rentra à la maison.

Il est 11 heures. La maison est obscure. Juste avant le crépuscule, il s'est produit un arc-en-ciel. L'as-tu vu ? Je vais chercher l'or. Un autre choc, une autre échelle, tout cela, c'est du passé. Elle est sur l'eau, tendant sa petite main que je peux presque toucher. Le vent forcit, la brume commence à tomber.

Georgia grimpe l'escalier. Elle rejette la tête en arrière, tremble et lève le bras vers la lumière. La main est tendue, les doigts très écartés. Fauche-moi du sol. Saute. Saute. Saute loin. Comme une magicienne tu tournes.

Et Bessi sent son visage tressaillir. Une fois.

LE MEILLEUR BOUT

14

Le meilleur bout

1.

Dans la vitrine des pompes funèbres, la pancarte annonce : *Nous prenons en charge tous les aspects de la mort.*

On est mercredi après-midi. Aubrey, Bel et Bessi, debout sous la pluie, regardent la pancarte paraphée d'un *J.P. Entrepreneurs de pompes funèbres* dans le coin inférieur droit. Perchés dans les branches du sycomore au milieu du rond-point herbu en face des pompes funèbres, deux merles les regardent. Des roses rouges traînent sur l'herbe, vestiges de la Saint-Valentin.

Bel lève la tête.

— Allons-y, dit-elle.

Tandis qu'Aubrey tripote ses clés et que Bessi se frotte les côtes, elle avance perchée sur ses talons aiguilles rouge vif et frappe à la porte. Bessi a un mouvement de recul – il fait froid, là-dedans, il fait froid et sombre et c'est plein de cercueils et de cadavres. C'est pourtant un homme aux joues roses et à moustache qui se tient maintenant devant eux, en costume de tweed et cravate de soie. Il a un morceau de corn-flake pris dans sa moustache.

— Bonjour, monsieur Hunter, dit-il. Jonathan Pole.

Aubrey et Jonathan Pole se serrent la main et échangent un rayonnant sourire rose. Au cours des derniers jours, Aubrey a mis au point ce sourire rayonnant pour les présentations qui se font dans les établissements afférents à la gestion de la mort. Il s'avance dans l'obscurité avec ses pieds mouillés et Bel suit, tirant Bessi derrière elle par la main.

Il règne un calme surnaturel à l'intérieur. Bessi imagine l'écho des corps qu'on décharge au sous-sol avant les obsèques, les proches qui frappent à la porte en pleurant, les cercueils et les pierres tombales qui gémissent à l'intérieur des catalogues de J.P. depuis tant et tant d'années. Un rire bizarre lui monte dans la gorge. Elle refoule le rire vers ses côtes.

— Venez donc, dit J.P., qui descend le couloir à grands pas, longeant une porte fermée sur la gauche et une volée de marches d'un ton gris doux sur la droite.

Il fait meilleur dans son bureau. Il y a un radiateur à gaz avec trois barres en fusion dans le coin et Aubrey et Bel s'asseyent dans de grands fauteuils en acajou luisant tapissés de cuir vert olive. Bessi choisit un trône victorien rembourré aux accoudoirs inclinés.

— C'est une pièce rare, leur dit J.P., acquise auprès d'un antiquaire de Seattle, unique en son genre (ce qui en fait bien sûr le bon fauteuil de Bessi).

J.P. soulève une coupe de bonbons de son bureau :

— Un bonbon à la menthe ?

Bien que Bessi ne soit pas vraiment d'humeur à manger du sucre, sa main se tend vers la coupe. Sa main n'est pas complètement reliée à ce qu'elle veut ou ne veut pas ; c'est, pour l'heure, une main sans domicile fixe. Bel et Aubrey en prennent chacun un par politesse et les bonbons se déballent. Le bruit explose dans le calme comme une brusque effervescence dans de l'eau.

Quand J.P. parle, le corn-flake coincé dans sa moustache bouge avec lui.

— Vous êtes allés à la morgue, donc ?

— Oui, dit Bel, on en vient.

— Je vois. Il se penche en travers de son bureau et joint les mains. Alors, reprend-il. Je crois qu'il est préférable d'être le plus direct possible... Qu'est-ce que nous envisageons, un enterrement ou une incinération ?

Aubrey et Bel se tournent tous deux vers Bessi qui a les yeux rivés sur une photo de Neasden Lane en 1902, au-dessus de la tête de J.P. Ils en ont déjà discuté. Ida ne croit pas dans l'idée de brûler des corps. Bessi a eu beau leur dire qu'elle sait avec certitude que Georgia préférerait que ses os soient réduits en cendres et éparpillés dans les Downs, qu'ils partent à la dérive, et disparaissent, et deviennent le tout – Ida s'est montrée catégorique. Il faut une pierre et de la terre, un endroit où aller, et peut-être un banc à proximité.

— Enterrement, dit Bessi.

Elle le dit dans un murmure, et juste après il lui semble entendre un bruit de chute dans la pièce d'à côté.

J.P. caresse sa manche de tweed. Il leur dit que la plupart de ses clients recourent au cimetière principal, à côté d'Harlesden, qui est justement le bosquet d'arbres et de pierres tombales que Bessi voit de la fenêtre de sa cuisine. Bel prend l'air inquiet.

— Il n'y a pas d'autre lieu ?

— Non, Bel, c'est parfait ! s'empresse de dire Bessi.

Elle sent un autre frémissement dans ses côtes. Il est en train de s'y passer quelque chose.

Bel examine un moment Bessi, elle est un peu haletante, tandis que les yeux de J.P. font rapidement le tour de ses hôtes pour évaluer le tact et le temps d'attente requis.

— Et préféreriez-vous une concession simple ou à double épaisseur ?

— Comment ça ? fit Aubrey.

— Qu'est-ce que c'est ? ajouta Bessi.

Un sourire secret affleure sur les lèvres de J.P., qui jette un coup d'œil à Bessi.

— Comme son nom l'indique, chère mademoiselle, une tombe à double épaisseur permet aux membres de la famille, aux conjoints, tout ce que vous voudrez, de reposer ensemble, l'un par-dessus l'autre. Des lits superposés, si vous voulez. En l'occurrence, ça pourrait être approprié, peut-être...

Aubrey sourit, rayonnant. Bel donne un petit coup de coude à Bessi. Mais Bessi a les idées qui s'embrouillent. Est-ce que ça veut dire, se demande-t-elle, que les deux personnes doivent être enterrées ensemble, auquel cas comment...

— Mais comment... ?

J.P. a l'habitude de ces questions. Fort de sa solide expérience de la gestion de la mort sous tous ses aspects, il explique aussitôt : la première personne est enterrée, on laisse un espace vide pour la deuxième sur la plaque ; il s'écoule des années, des mois, ce que vous voudrez, et le moment arrive ; on rouvre la tombe ; la seconde personne est enterrée ; la tombe fermée pour de bon ; la plaque complétée ; des lits superposés.

— Ah, dit Bessi.

Une tombe à impériale. Un sommeil à impériale.

— Oui, s'il vous plaît, dit sa voix.

Elle pense à sa chair et ses os allant rejoindre le

même sol que ceux de Georgia, à son corps suspendu dans la terre épaisse et humide et au corps défunt de Georgia qui lui sert de fondations ; c'est tout bon, Eve, ça nous convient parfaitement, merci J.P.

— Bien, dit-il. Les cercueils.

Il ouvre un tiroir et en sort quelques fiches cartonnées qu'il étale sur le bureau. Des photos de cercueils suspendus sur fond blanc, chacune dotée d'une légende déclinant les propriétés du modèle en termes de bois, de décor et de valeur.

— Nous proposons une vaste collection de bières et de cercueils, en chêne, noyer, sapin, acajou...

Il montre une des photos du doigt.

— L'olivier d'Afrique est de toute beauté, ils peuvent l'expédier d'Allemagne en un rien de temps, et puis nous avons toutes sortes de garnitures et de finitions. Je vous en prie, prenez votre temps.

Bel et Aubrey regardent les fiches en fronçant les sourcils. Bessi entend des pas. On frappe à la porte.

— Excusez-moi, dit J.P. Entre, entre ! crie-t-il.

Une femme entre, avec des cheveux qui ressemblent à une perruque et de longs bras, qui lui arrivent presque aux genoux. Elle porte une longue jupe noire qui touche le sol et fait paraître ses bras encore plus longs. Sa voix est un ronron monotone en bas de son visage.

— Quelqu'un aimerait-il une tasse de thé et un macaron à la noix de coco ? dit-elle.

La bouche de Bessi rit puis s'interrompt. Elle pose sa main sans domicile fixe sur sa bouche. Aubrey a l'air dérouté mais il ne peut pas refuser car il est un fan de longue date du macaron coco.

— Il y a des macarons, Dora ? Parfait !

Dora lève un bras, ce qui lui prend pas mal de temps. Elle regarde J.P. et place un doigt au-dessus de sa lèvre, là où serait sa moustache si elle en avait une. Elle plisse les yeux. J.P. ouvre la bouche, fait signe qu'il comprend et s'essuie la moustache du revers de la main. Le cornflake tombe et atterrit sur un cercueil.

Dora sort de la pièce.

Aubrey, Bel et Bessi se resserrent autour des fiches. Ils ne savent pas trop comment on s'y prend pour choisir une caisse où ranger un disparu dans la terre.

— Pendant que Dora va chercher les macarons, nous pourrions monter voir la salle d'exposition, peut-être ? propose J.P.

— Salle d'exposition ? demande Bel.

— Les cercueils.

— Où ça ?

— En haut.

— Ah.

J.P. sourit, rayonnant, se lève et déclame, avec un nouveau ton de grave dans la voix :

— Suivez-moi ! Il ouvre grand la porte et sort d'un pas leste dans le couloir. On arrive, Dora !

La salle d'exposition est en haut de l'escalier. Pendant qu'ils grimpent, la sensation s'accentue dans les côtes de Bessi. C'est une étrange sensation de sifflement, rapide et spectrale, comme l'intérieur d'une flûte. Bessi suit Bel le long des douces marches grises, la flûte chante sous sa peau et elle pense que ça pourrait être plus que du chagrin, cette sensation, en grandissant, qu'elle-même est peut-être en train de tomber malade et qu'elle va mourir elle aussi, ce qui ne serait pas une mauvaise chose maintenant, avec le sommeil à impériale et la promesse de Georgia qui attend. Elle a l'impression qu'elle peut presque entendre sa voix. Qui dit : « Trouve-moi, suis-moi et je t'attendrai. »

La salle d'exposition est petite et il y fait extrêmement froid. Il y a des étagères gigantesques chargées de différents cercueils des deux côtés de la pièce, avec une allée centrale, comme à Tesco. Le silence des cercueils vides cède la place au bruit des brindilles qui tremblent devant la fenêtre glacée.

J.P. sans son corn-flake ouvre les bras et recule vers la fenêtre. Il plonge la main dans la garniture blanche et lisse d'un superbe un-quatre-vingts de couleur sable, sur l'étagère du milieu.

— Le plaqué chêne est notre modèle le plus prisé, très traditionnel. Poignées nickelées, pour celui-ci, et nous vous offrirons la gravure sur la plaque gratuitement. Il désigne un autre modèle, plus bas : Celui-ci est dans un chêne plus foncé, très semblable, en dehors du travail des panneaux latéraux, là.

Puis il y a le noyer à finitions en laiton. Et le saule tressé à couvercle surélevé, qui plaît bien à Bel. Un modèle d'exposition seulement pour l'olivier d'Afrique qui, pour être franc, n'a rien d'extraordinaire.

Aubrey retire ses lunettes et fait comme si elles avaient besoin d'être nettoyées. Il penche la tête et s'essuie les yeux avec son mouchoir.

J.P. se dirige fièrement vers un cercueil cramoisi, tendu de velours, sur l'étagère du haut. Il le caresse du bout des doigts.

— Et voici le cercueil Garratt. Sapin massif. Et regardez-moi ce velours ! Celui-ci s'appelle « cerise mûre », mais nous avons d'autres couleurs, bien sûr : violet, doré, vert émeraude, tout ce que vous voudrez...

C'est grotesque. C'est un engin monstrueux et il n'est *pas question* qu'elle entre là-dedans, songe Bessi.

— ... et la garniture est en taffetas, ce qui est bien si vous voulez faire une présentation du corps.

Bessi a les côtes qui sifflent. La sensation se met à

grimper, os par os, et continue. « Oui, dit sa voix. Une présentation du corps. » C'est du mélodrame. C'est une comédie. La coquille qui la contenait sera ravissante quand elle rencontrera la terre pour son repos, impeccable, les cils allongés sur le haut des joues et les tresses déployées sur un oreiller de coton blanc, quand ils déposeront le corps dans le un-mètre-soixante-cinq, le saule à coussin de plumes, celui-là, celui-là, là, avec les fioritures vernies sur le côté...

— Elle veut celui-là, dit Bessi en touchant une des fioritures. Elle...

Bel se tourne vers Bessi d'une volte-face. Elle voit un éclair de quelque chose sur son visage. Bessi respire plus vite et se frotte les côtes et paraît désemparée et elle pense : « Est-ce que ? Se peut-il que ? Pourrait-elle ? Qu'est-ce que c'est ? »

— Non, dit Bel, qui se détourne, puis ramène le regard.

... et Bessi, il y aura des tambours et le tintement des chants qui s'élèvent dans le ciel sonné de soleil quand ils la descendront, de plus en plus bas, vers le double sommeil silencieux. Ils chanteront « Allons au pays de l'amour où la lumière de l'amour brille si fort », de plus en plus en bas, et les fleurs pleuvront joyeusement sur elle dans toutes leurs couleurs innocentes. Il n'y aura pas de larmes, pas de cris, rien que la joie, le soulagement, le rire et la paix, l'accompagnant en cascade dans sa chute. Voilà comment ça se passera.

— Nous allons prendre celui-là, alors, dit Aubrey à J.P. Bessi est la meilleure juge.

Il lui tapote le côté de la tête de la paume de sa main. Il n'a jamais eu ce geste auparavant. Sa paume est pleine de pitié.

— C'est un bon choix.

J.P. lance un regard rapide, lourd de regret au Garatt puis il les raccompagne en bas, où Dora a laissé les macarons sur le bureau. Ils boivent du thé et Aubrey et J.P. mangent des macarons en discutant des frais et de l'organisation. Aubrey remarque que le meilleur bout, dans un macaron, c'est le papier de riz.

Les côtes de Bessi sont tranquilles, maintenant. Elle est assise sans bouger dans le fauteuil rembourré et fixe la photo de Neasden en 1902. Bel ne la quitte pas des yeux, comme si elle voulait lui demander quelque chose.

— Les médecins légistes la ramèneront vendredi, dit J.P., une fois tous les aspects de la mort couverts. Si vous reveniez à ce moment-là avec quelques affaires, des vêtements pour elle, une de ses tenues préférées, peut-être ? Et puis il faudra s'occuper du maquillage...

— Je m'occuperai du maquillage !

Bessi s'arrache de son silence, parce que J.P. et Dora se tromperaient pour les couleurs et le fond de teint, c'est certain, et Bel pourra aider, elle aussi – Bel connaît les couleurs.

— Ça ne pose absolument aucun problème, bien sûr, dit J.P.

Il a un bout de macaron dans la moustache, maintenant.

Ils se lèvent tous les quatre. Aubrey et J.P. se serrent la main. Dora est dans le hall et elle pince les lèvres quand ils sortent, ce qui est peut-être sa façon de sourire.

« Nous reviendrons vendredi. Fais attention, J.P., à la façon dont tu la manipules. On connaît ces histoires de pompes funèbres où les corps sont balancés çà et là comme de vieux bouts de caoutchouc, alors manipulela délicatement, comme un pétale de rose qui flotte à la dérive sur le lac.

— Bessi, on y va ? »

Lorsque les policiers avaient décroché Georgia, elle s'était chiffonnée dans leurs bras comme du tissu. Les pieds pendaient vers l'extérieur. Elle portait un pantalon jaune vif avec un haut blanc décolleté et il y avait des contusions autour de son cou.

Il était minuit moins une demi-heure, lundi. Le bout des doigts était noir. La sœur attendait dans l'appartement du dessous où la voisine de la défunte lui avait offert du thé.

Les policiers, un homme, une femme, avaient enfoncé la porte et ils étaient montés. Ils la virent presque immédiatement car elle se balançait en tournoyant au-dessus de la rampe et de leurs têtes. L'homme fit volte-face. Il dit à la sœur :

— Attendez. Reculez.

La sœur cria le nom de la défunte.

Plus tôt, pendant qu'elle attendait l'arrivée de la police, assise sur le muret de devant, Bel avait frissonné et il lui était venu des pensées, certaines qu'elle avait dites tout haut, d'autres non. Elle était partie de chez elle précipitamment, en pantoufles, et c'était aux pieds qu'elle avait le plus froid.

Elle dit :

— Je la vois. Je la vois qui se balance.

Et le vent et le froid répondirent : « Oui. »

Chez Georgia, le téléphone n'avait cessé de sonner depuis le matin. Bessi, qui voulait qu'elles s'organisent pour son retour lundi. Bel, qui était inquiète parce qu'elle avait rêvé d'un mariage sous une grande tente rouge et d'un chien qui n'arrêtait pas d'aboyer. Georgia ne répondait pas. Elle tournoyait. À 4 heures, il ne restait plus de place pour les messages. Le répondeur répondait par une longue note terne, au lieu de sa voix qui disait, calmement, avec une guitare en fond sonore : « Bonjour ! Bonjou-our ! »

Toute la journée, à son travail, Bessi avait senti une immobilité qui pesait sur les choses. C'était une sensation d'absence, de silence, malgré les téléphones qui sonnaient tout autour d'elle, l'odeur de café et l'horloge au mur. Elle se sentait grise à l'intérieur, comme si elle était faite de poussière.

Elle appelait chez Georgia toutes les heures. Elle l'appelait tous les quarts d'heure. Et Bel aussi. Et Georgia tournoyait. Il y avait de l'effroi dans l'après-midi.

Sur son trajet de retour, Bessi pria pour la première fois depuis les pommes. Elle ferma les yeux : « S'il Te plaît mon Dieu, fais que Georgia m'attende à la maison quand j'arriverai, s'il Te plaît, elle est entrée avec sa clé, elle est assise sur le canapé avec son sac, et je dirai : "Où étais-tu passée ? Je t'ai appelée toute la journée", et elle me dira qu'elle était sortie faire une grande promenade et qu'elle a décroché, et je dirai : "Eh ben, te voilà, je suis contente." Amen. »

Bessi arriva à la maison à 6 heures et Georgia n'était pas là. Dans sa tête, une voix dit : « Et si ?

— Impossible, répondit Bessi. Absolument, catégoriquement impossible. »

Elle prépara des gros champignons et du maïs avec de l'huile d'olive et des conchiglie. Elle en fit pour deux parce que Georgia aurait peut-être faim quand elle viendrait et qu'elle *allait* venir et que Georgia aimait les gros champignons. Elle décida d'attendre qu'elle arrive pour manger.

À 8 heures, à Kilburn, Bel était à la maison avec

Jason. Ils venaient juste de finir de dîner et Bel s'était levée deux fois de table pour répondre au téléphone alors qu'il ne sonnait pas.

Bel alla se laver les mains à la salle de bains. Elle les savonna et les rinça. Elle regarda l'eau tomber de sa peau. Ensuite elle sortit de la salle de bains sans refermer le robinet et revint un quart d'heure plus tard pour trouver le lavabo qui débordait. Elle ferma le robinet et s'immobilisa.

— Georgia, dit-elle. Oh mon Dieu.

Elle partit de la maison les mains mouillées, un trou à sa pantoufle droite. Le trajet pour Tottenham se composait de longs feux rouges dans des rues obscures. Les étoiles étaient cachées par des nuages de pluie. Bel serrait le volant très fort parce que ses mains tremblaient, et, plus elle approchait de l'appartement de Georgia, plus elle serrait fort.

Toutes les lumières étaient éteintes. Elle monta les marches du perron et frappa à la porte. Elle recula et leva les yeux. À la lune du réverbère, elle distinguait le haut de la bibliothèque et la lampe qui pendait au plafond du salon. Rien d'autre que l'obscurité, plus quelque chose autour du bord de l'obscurité, quelque chose de tellement immobile.

— Bessi, dit-elle dans le combiné. Je suis chez Georgia. Elle n'est pas là. Je préviens la police.

— Où est-elle ? dit Bessi ; elle avait la voix desséchée, comme s'il n'y avait aucune humidité dans sa bouche. Je l'attends. Elle était censée venir. Où est-elle ?

— Je préviens la police.

Bessi attendit dans sa chambre. Elle portait une fine chemise de nuit en soie rouge à manches larges que lui avait faite Kemy. Elle posa le téléphone au milieu du lit. Elle s'allongea à côté et le ciel était rouge, ce soir-là, et chaque instant attendait le suivant. Elle tomba dans un de ces instants. Georgia était debout dans le salon avec des yeux de moisi. *Laisse-moi partir*, disait-elle, et ses bras se décollaient de son corps.

Bessi se leva et alla à la cuisine. Elle vit le cimetière par la fenêtre. Elle ouvrit le frigo et le referma. Elle le dit tout haut, à l'air qui commençait à bourdonner : « Je lui ai dit de revenir lundi. »

Juste avant que le téléphone sonne, Bessi était somnolente et elle s'autorisa à imaginer « Et si ». Elle se vit seule dans un tunnel, tournant en rond et tombant par terre. Elle se vit se relever et longer le passage, sans visage.

Sa dernière pensée fut la suivante : « Si elle est partie, je ne me le pardonnerai pas. »

Ensuite le téléphone sonna. Bessi répondit. Bel prononça les paroles.

Dans la nuit rouge, Bessi hurla.

Elle lâcha le téléphone et continua de hurler. Après, elle s'assit en tailleur au milieu de son lit. Elle ne comprenait pas quoi être.

Mais pas plus tard que la semaine dernière, dit-elle à la poussière, nous dansions !

À 1 heure du matin, Bel arriva à sa porte à la place de Georgia. Elles s'assirent sur le pas bon lit de Bessi et se tinrent enlacées dans le noir.

— Je lui ai dit de revenir lundi, dit Bessi, comme si c'était le laitier.

— Je l'ai vue se balancer, dit Bel.

Toute la nuit, Bessi essaya de se rappeler quelque chose. Le moment d'avant le hurlement. Quelle impression ça lui avait fait au juste, *exactement*, toutes ces années, d'être en vie avec Georgia en vie ? Comment était-ce ? Elle voulait le tenir entre ses mains avec sa chaleur et sa tendresse. Elle sentait que si elle ne parvenait pas à s'en souvenir elle aurait tout perdu y compris elle-même, et qu'elle ne s'en souviendrait jamais complètement à cause de ce qu'elle avait perdu.

Elle s'endormit à côté de Bel dans une position toute tordue. Quand vint l'aube, elle avait des mots pour les questions.

Premièrement : « Comment est-ce que je lui parle ? »

Et ceci : « L'être-un dans l'être-deux dans l'être-un – pour toujours ? Mais comment ? »

Elles arrivèrent à Waifer Avenue et entrèrent avec leur clé. Ida descendait l'escalier dans son vieux lappa champagne pour prendre un peu de pain et de pois indiens. Bessi et Bel s'arrêtèrent dans l'entrée et la regardèrent.

Ida fut contente de les voir. Puis elle cessa d'être contente.

Elle regarda leurs visages et elle y vit de la poussière. Elle se dit que c'était étrange qu'elles soient là, tout d'un coup, un mardi matin, alors qu'elles auraient dû être au travail. Et où était Jay ? Et qu'est-ce qui n'allait pas ?

— Où est Georgia ? demanda Ida.

Bessi se mit à pleurer.

— Mais où est Georgia ! hurla Ida.

Ni l'une ni l'autre ne pouvait parler mais Ida le vit. Sur le visage de Bel, dans la mémoire de Bel, elle vit l'écho d'un balancement fatal.

Alors elle entendit la voix de Georgia. Qui disait :

« Est-ce que tu avais peur ? Comment savais-tu que c'était la bonne décision ? »

Elle vit la cicatrice qui barrait le ventre de sa fille et

les yeux lointains, et elle sentit ses jambes se dissoudre sous elle. Dans un élan de mort, elle n'attrapa pas la rampe pour se retenir, ni ne protégea sa tête du danger. Elle tomba. Elle dégringola. Elle atterrit aux pieds de Bel au bas des marches et hurla :

— Vous me l'amenez ! Quand elle est malade, vous me l'amenez !

La chute abîma sa jambe. Bessi dut monter chercher la canne de Baba avec le serpent sculpté en spirale au milieu qu'Ida avait rapportée après l'enterrement à Aruwa. Toute l'après-midi, elle boita et répéta :

— Toute seule. Et : Vous me l'amenez.

Elle allait dans l'entrée en boitant, regardait le masque noir sans yeux aux cheveux de paille en haut de l'escalier et disait : « Le diable il a pris mon enfant. »

Ce soir-là, la table de la salle à manger changea. Elle vécut quelque chose qu'elle avait oublié depuis de nombreuses années.

Ce soir-là, la table de la salle à manger vit Ida et Aubrey se serrer dans les bras pour la première fois depuis les années 1970.

Aubrey rentra à la maison, des bouffées de froid accrochées à son manteau, et Bel lui fit immédiatement une grande tasse de thé car le thé était la façon de rendre les choses gérables même si personne n'en buvait. Elle mit du sucre dans le thé et le sucre se sentit mal à l'aise. Aubrey mit longtemps à retirer sa cravate, à ouvrir et refermer son attaché-case, à aller et venir dans l'entrée. Il redressa les stylos sur son bureau, il monta et redescendit, il se demanda ce qu'il y avait pour le dîner.

— Tu veux bien t'asseoir, papa, dit Bel.

Aubrey se sentit pris d'inquiétude. Elles avaient l'air de merles noirs, debout comme ça, à attendre. Qu'est-ce qu'elles attendaient toutes ? Ça commençait à l'effrayer. Bel avait les cheveux en pagaille, ce qui était inhabituel, et Bessi voletait au milieu du salon comme une guêpe.

— Bon sang, qu'est-ce qui se passe ? dit-il.

— Assieds-toi ! dit Ida.

— Qu'est-ce que tu t'es fait à la jambe ?

Ida tira une des chaises qui entouraient la table et le fit s'asseoir en le poussant par l'épaule.

— Il y a une mauvaise nouvelle, dit-elle. Concernant Georgia. Je suis tombée dans l'escalier, elle...

— Georgia est tombée dans l'escalier ? Georgia est là ?

— Non, dit Bel. C'est maman qui est tombée dans l'escalier, ce matin.

— À quel propos ? dit Aubrey.

— Oh, maman, dis-le-lui.

— Georgia...

— Est-ce qu'elle va bien ?

— Georgia a tué lui-même.

Aubrey tourna les yeux vers Ida comme si elle lui avait assené un coup de poing. Il essaya de se lever mais n'y parvint pas. Un petit garçon se mit à hoqueter comme un homme, jeta les bras autour d'Ida et enfouit le visage dans son ventre. Ida se pencha sur lui. Elle le prit dans ses bras et caressa ses cheveux blancs. Voilà.

— Bon sang de bon Dieu de nom de Dieu ! Dieu nous aide, putain de bordel, Dieu tout-puissant ! Je veux dire, quoi ? Comment ça ? Mais putain qu'est-ce que vous dites ?

Bessi se mit à hurler. C'était un hurlement grave, déchirant et pas tout à fait humain. Toute la maison s'y joignit. Au loin, dans sa rapide traversée, Georgia les entendait appeler.

Aubrey jeta un coup d'œil à Bessi, par-derrière Ida.

— C'est pour Bessi que ça doit être le pire, la pauvre, dit-il, et il hurla, et s'accrocha à sa femme.

La police avait emmené le corps de Georgia à la morgue de Hornsey. Le mercredi matin, en prévision de l'identification, ils placèrent le corps sur une table étroite derrière un mur de verre. Sur elle, lui couvrant le cou, ils drapèrent un épais tissu de velours brodé d'une croix. La croix allait de sa poitrine à ses pieds (c'était un petit gabarit).

Les parents et deux sœurs arrivèrent avec des gouttes de pluie sur les épaules. Dans la salle de réception, le père et la mère s'assirent côte à côte avec leurs lunettes à très gros verres, et les sœurs en face. La femme qui les accueillit remarqua qu'une des filles, celle au manteau bleu, était pareille à celle qui était sur la table.

Le père et la mère y allèrent les premiers.

Pendant qu'elles attendaient, Bessi regarda dans le bureau qui donnait sur la réception. Il y avait deux femmes en chemisier qui tapaient à la machine. De temps à autre leurs doigts s'arrêtaient et elles buvaient des gorgées d'un café dont Bessi sentait l'odeur. Elle se demanda si elles écrivaient quelque chose sur Georgia, et quel goût avait le café ; elle se demanda si le café avait un goût différent dans un lieu comme celui-ci, s'il y refroidissait plus vite qu'ailleurs.

Aubrey et Ida ressortirent. Ils avaient l'air plus petits que lorsqu'ils étaient entrés.

Bel prit Bessi par la main et l'emmena à l'intérieur. C'était spacieux et hors du temps. Il vint à l'esprit de Bessi qu'aujourd'hui – ceci – était peut-être la raison pour laquelle les mercredis étaient ce qu'ils étaient, des jours de dégringole et de bascule, la chose la plus ancienne qu'elle connût, parce que Georgia était allongée là-bas au fond de cette pièce nue, derrière du verre, sous une croix dorée.

Elles concentrèrent tous leurs efforts pour atteindre le verre. Au milieu de la pièce, il y avait un jardin intérieur rectangulaire délimité par un muret de briques. Les feuilles étaient vertes mais il n'y avait pas de fleurs. Bel et Bessi le contournèrent, penchées en avant comme de vieilles femmes, Bessi par un côté, Bel par l'autre.

Elles se rejoignirent à un mètre du verre et plongèrent le regard dans un très mauvais rêve. Elle était déjà de cire, s'apprêtant à disparaître. Les paupières étaient fermées pour toujours. La bouche était d'un ton de rubis plus foncé et plus dur qu'au moment d'avant, dont Bessi n'arrivait toujours pas à se rappeler. Les joues tombaient, tous les muscles du visage avaient expiré. Son cou était caché sous le tissu.

Est-ce que ça t'a fait très mal ? Comment as-tu pu le supporter ? voulait demander Bessi. Mais elle ne savait pas comment lui parler.

Elle s'avança dans le rêve. Elle appuya le pouce contre le verre, à l'endroit situé entre les sourcils de Georgia, et le fit remonter sur le front. Elle sentit de l'air frais autour de ses côtes.

Bessi penchait maintenant le corps tout entier contre le verre. Elle tomba dans le rêve et s'allongea sur la table à côté du reste d'elle. Elle dormit un moment sous le velours silencieux. Ce fut un long sommeil sans espoir et lorsqu'elle se réveilla, le corps à côté d'elle avait disparu. Elle essaya de sortir, mais le verre l'en empêchait.

Derrière elle, Bel disait : « Il faut une âme pour qu'un corps puisse se réaliser. »

2.

Dehors il fait noir et la pluie et la lune ont transformé les rues en verre. Sur le court trajet du retour à Waifer Avenue, Bessi regarde par la fenêtre de la voiture et elle a des questions dans la tête. « C'est toi ? » demande-t-elle. Elle a mal aux côtes, maintenant que je bouge et grimpe, que je lutte pour arriver complètement. Elle commence à avoir chaud et demande : « Est-ce que je vais mourir moi aussi ? »

Ida est assise dans son rocking-chair et toutes les lumières sont éteintes dans la maison à part celles du jardin d'hiver. Nous entrons par la porte arrière et le carillon sonne.

— Bon Dieu ! dit Aubrey, parce qu'Ida n'aime plus le carillon, maintenant.

Elle dit qu'il est trop bruyant. La maison devrait être silencieuse. Ce n'est plus un endroit réel avec des sons réels. Quand quelqu'un parle, c'est comme s'il parlait dans son sommeil.

Aubrey allume les lumières.

— L'enterrement aura lieu mardi prochain, maman, dit Bel.

— On va faire le maquillage nous-mêmes, ajoute Bessi.

Ida secoue la tête.

— Vous me l'amenez.

Elle porte un foulard de tête et beaucoup d'épaisseurs de tissu, un lappa, une robe, un châle noir en crochet. La canne de Baba est appuyée contre le radiateur à côté d'elle.

Derrière le rocking-chair, j'aperçois une silhouette voûtée, au visage très vieux. Sa main flétrie repose sur l'épaule de sa fille. Elle est floue mais je la reconnais immédiatement. Nne-Nne se penche en avant et me regarde en plissant les yeux.

— Toute seule, murmure Ida.

Bel retire lentement ses talons hauts et va à la cuisine faire du thé.

Nne-Nne me demande : « Comment es-tu venue ? »

J'essaie de le lui raconter, la forêt et ma course, de lui dire que c'était exactement comme Baba avait dit, mais je suis encore faible et mes paroles ne pourront pas l'atteindre.

Aubrey demande si Kemy a téléphoné de Trinidad et Ida dit que non. Il est plein de macarons coco. Il s'assied et n'allume pas la télévision.

Bessi quitte la pièce et monte au 26a. Elle veut voir.

Les lits sont dégarnis. Les portes de saloon ont fini par tomber. Il y a une odeur de renfermé et la penderie est vide, à part deux manteaux en velours côtelé blanc que papa dit de garder parce qu'il ne faut pas manquer et pas gaspiller. Il y a des fantômes de Sacco dans l'alcôve et une odeur de fraise qui n'est pas une véritable odeur.

Bessi regarde dans le miroir. Ses yeux clignotent. Elle manque me voir et s'écarte brusquement de la glace.

C'est toi ? pense-t-elle de nouveau, et elle se rapproche lentement du visage. C'est son visage, autant que ça ait jamais été son visage.

« Est-ce que... C'est toi ? »

Je hisse sa main vers la glace parce que je ne suis pas encore assez forte dans ses yeux. Nous touchons la joue du bout des doigts. Je suis fatiguée. Je suis tellement, tellement fatiguée. La main retombe et Bessi a un hoquet.

Il reste davantage à grimper. Les maux dans ses côtes s'accentuent. La chaleur emplit sa tête et palpite au bout de ses doigts qui se mettent à danser de leur propre chef. Je monte vers ses épaules et c'est serré, là, je n'arrive pas à entrer complètement. Je pousse et me hisse avec effort autour des os. L'habitation n'est pas une chose facile.

De l'escalier proviennent des bruits de pas qui montent vers le grenier. Bessi se lève et se concentre pour empêcher ses doigts de bouger.

Bel passe la tête par la porte.

— Le dîner est servi.

— J'arrive, dit Bessi.

Je sens l'odeur du riz et du poisson. Je sens l'odeur des tomates qui trempent autour du poisson.

Bel attend. Elle nous observe intensément. Dans un mouvement de lumière, quand Bessi se tourne vers la porte, son regard croise le mien. Elle a soudain l'air sur le point de pleurer.

— Là, pendant un instant, dit-elle, on aurait dit Georgia.

Ida et Aubrey sont assis à leurs places à table, l'un en face de l'autre. Avant de s'asseoir, Bessi déplace son set de table sur la droite pour s'asseoir à ma place. Ida s'arrête de manger.

— Assieds-toi au milieu, comme ton sœur.

— Non. Je veux m'asseoir là.

Aubrey se racle la gorge.

— Laisse-la s'asseoir là si elle veut.

Ils mangent leur riz et leur poisson dans les échos du soir. Le riz colle un peu. Dehors, la pluie tombe toujours sur le toit du jardin d'hiver.

Ida dit :

— À la maison, une femme ne vit pas seule, elle vit

avec sa famille. Ils s'occupent d'elle. Ils te demandent comment tu vas.

— Oui, m'man, dit Bel.

Bessi sent quelque chose de nouveau dans son cou, en haut de sa tête et dans toutes ses veines. Je me secoue, je me déploie à l'intérieur d'elle. C'est une sensation bien plus aiguë que la flûte et les maux, c'est très proche de la souffrance. Une tension de la peau et la sensation d'être remplie, de tituber au bord de l'explosion, comme tout en haut quand on fait l'amour. Ça la fait trembler et elle lâche sa fourchette. Je me suis entièrement installée dans ses jambes ses bras ses pieds, dans ses yeux, et je m'y sens presque confortable. Je suis presque en place. Ça a été plus difficile que je l'imaginais, de trouver comment prendre ma place en elle.

Oh ma douce, pense Bessi, c'est *vrai !*

Je pénètre finalement dans son cœur et je lui dis oui.

— Tu devrais manger plus lentement, dit Aubrey, Regarde, tu es essoufflée.

La sueur perle sur le front de Bessi et il y a du scintillement dans ses joues. Elle mange le poisson et regarde ses mains, se frotte le ventre, se frotte le cœur. Bel et Ida ne la quittent pas des yeux. Je vois distinctement Nne-Nne, maintenant, assise avec maman, quasiment en elle. Nne-Nne nous fixe elle aussi, comme si nous étions sous un microscope. Elle plisse des yeux de nouveau en me regardant, puis se tourne vers Ida et dit : « Les histoires que Baba racontait étaient toutes vraies. Tu le vois. » Elle se tourne vers Bel et pointe son long doigt flétri vers moi. « Tu le vois. »

Bel se renfonce dans sa chaise, stupéfaite.

— Georgia ? fait Ida.

— Bessi, tu veux dire !

Aubrey est bouleversé.

— C'est *Bessi* !

La veille, il a appelé Bessi Georgia sans le faire exprès et ensuite il est monté se cacher dans la salle de bains.

Ida baisse le regard sur son assiette, refusant de voir, et sa voix sonne bizarre et cassée quand elle dit à Bessi :

— Va t'allonger.

— Je vais bientôt rentrer à la maison.

Bessi sourit. Elle emporte son assiette à la cuisine. Les pieds ne marchent ni en dedans comme Bessi ni en dehors comme Georgia ; ils pointent vers l'avant. Elle rit dans le silence, et dans le rire il y a une trace de peur.

— Si tu restais ici avec maman ? dit Bel, sur le pas de la porte de la cuisine. Tu ne devrais pas être seule.

L'espace d'un instant, Bessi ne la reconnaît pas. C'est comme si elle se tenait très loin d'elle, dans un autre lieu.

— Ne t'inquiète pas, Bel, dit-elle. Elle va bien, maintenant. Je le sais.

Bel nous raccompagne à la maison par les rues de verre mouillées. Les maisons et les sycomores sont à l'envers, deux fois eux-mêmes. À la hauteur de Lanten Road, Bessi dit qu'elle aimerait faire le reste du chemin à pied toute seule parce que la nuit est ravissante.

Il a cessé de pleuvoir. Le soleil est lavé et les étoiles nous voient distinctement : une femme en manteau bleu, qui sautille à demi. Elle dépasse l'arrêt de bus et la station-essence. Elle presse le pas en descendant la colline. Elle court presque.

Bessi pose la question la plus urgente.

« Ça t'a fait mal ?

— Un peu, lui dis-je.

— Je suis désolée. Oh mon Dieu, je suis désolée.

— Ne parlons pas de la douleur. Cette douleur-là était moins forte que la douleur d'avant.

— La douleur d'avant, dit-elle, c'est encore pire d'y penser ! J'aurais dû faire quelque chose !

— Comme quoi ?

— J'aurais dû rester avec toi la nuit, toutes ces horribles nuits, j'aurais dû m'occuper de toi...

— Je ne suis pas une enfant, lui dis-je, et tu n'es pas ma mère. La douleur est finie.

— Je suis si contente que ce soit fini. »

Nous sautillons et courons avec des pieds qui regardent vers l'avant. Bessi dit que ça lui donne l'impression de voler. Nous arrivons à l'immeuble. Nous prenons l'escalier.

« Qu'est-ce qui s'est passé après ? demande-t-elle.

— Je ne sais pas trop.

— J'essaie d'y réfléchir. Les muscles et les côtes de Bessi sont chauds, comme un début de fièvre. Elle a la tête légère. Je lui dis ceci, j'imagine ceci : "C'était comme si je volais, exactement pareil. Un éclair, un saut. Je suis devenue lumière blanche, chair, os galactique." Vraiment ?

— Je suis arrivée à l'eau et je me suis allongée dans l'eau.

— Oui.

— Je t'ai entendue hurler et j'ai couru.

— Oui.

— Des kilomètres et des kilomètres à travers la forêt. J'étais transportée dans le corps d'une enfant et sa robe tombait en loques, son nom est Ode dans Onia. Il y avait des oiseaux qui criaient dans les arbres au-dessus de ma tête et les hurlements des sorcières en jupes de plumes. Il y avait un feu au loin.

— Je me souviens de cette histoire.

— Les épines du sol me tailladaient les pieds pendant ma course et je vous entendais tous à la maison, tout le grand hurlement. J'essayais de crier mais ma voix ne portait pas. J'ai commencé à me demander si j'allais y arriver. Mais alors je t'ai trouvée.

— Tu m'as trouvée.

— J'ai grimpé le long de tes côtes.

— Tu t'es installée à l'intérieur de moi.

— Oui. »

Bessi ouvre la porte d'entrée. C'est notre maison. Elle retire son manteau et pose son sac au salon. La porte du balcon tremble et grince sous le vent.

« Je n'aime pas ce bruit, dit-elle à la porte. On dirait un bruit de corde qui s'entortille. »

Le téléphone sonne ; Darel laisse un message demandant à Bessi où elle est passée. Elle l'ignore, fait sa toilette et va se coucher. « Demain ça va être encore une grosse journée, me dit-elle. On va au cimetière pour choisir un lit à impériale. Et on va chercher tes affaires. »

La pièce est sombre à part la lune qui projette le vase de jonquilles du rebord de la fenêtre en longues ombres audacieuses sur le plafond. Les ombres ondulent et Bessi pense à des fantômes.

« Est-ce que tu es un fantôme ? » demande-t-elle.

Je ne lui réponds pas.

Elle se lève et allume la lampe. Elle se rallonge, se tourne sur le côté, face à la fenêtre, remonte les jambes et prend une de ses mains dans l'autre.

« J'ai une idée, pense-t-elle.

— Qu'est-ce que c'est ?

— Tu es ma droite, je suis la gauche. »

La porte du balcon grince. Les paroles de Bessi s'accélèrent.

« Je te donne ma main droite et ma jambe droite et tout ce qui est à droite et quand je veux te toucher je prends ta main dans ma gauche.

— D'accord, c'est une bonne idée.

— Je suis nous deux.

— Oui. Comme une flamme. Elle tremblote – Georgia, elle tremblote – Bessi.

— Nous serons un feu. »

Elle s'est presque endormie. Elle n'entend plus la porte du balcon.

« Ce n'est pas vrai, hein ? dit-elle, presque en rêve.

— Quoi ?

— Ce n'est pas le pire pour Bessi. C'est au mieux pour Bessi. Hein ? Est-ce que tu vas rester pour toujours ? »

Je ne réponds pas.

Nous dormons d'un double sommeil profond, en nous tenant par la main.

Le gardien des tombes vit dans une petite maison près des morts. Il a une canne et porte une casquette. Sous le soleil du matin il nous guide le long des allées de bouleaux blancs, entre les ormes et les frênes, les ronces et les mausolées. Il y a une tombe ouverte sur le sentier de la chapelle. Je sens le parfum des fleurs de lavande, d'hysope et de romarin.

On dit que la nuit, dans les cimetières, les fantômes errent entre les pierres tombales. Ils sont blancs et troubles, leurs êtres sont transparents. Ils traversent les murs des cimetières et se tiennent immobiles dans les chambres des gens. Nous sommes la dentelle qui brille autour des vivants qui ont encore besoin de nous. Nous sommes ce scintillement dans leur visage qui est proche de la folie. Nous les soulevons et nous les poussons de l'avant.

« Certains des monuments funéraires, ici, dit le gardien des tombes à Bel, remontent au XVIIIe siècle. Il y a des Grecs, des Russes, des Éthiopiens et des membres de la famille royale. Il y a des mausolées assez grands pour être habités, avec des statues de chats et d'oiseaux sur le toit, d'autres stèles qui s'effritent et sont piquées et oubliées. »

Le dimanche on peut faire une visite guidée de deux heures, pour moins de cinq livres.

Bel et Bessi suivent le gardien des tombes jusqu'aux emplacements libres. Bel porte des bottes en caoutchouc pour protéger ses collants.

« Il faudrait un endroit où il y a plein de lumière, disje à Bessi.

— Oui, dit-elle. Et pas trop près du mur. »

— Ici ? dit Bel, sur une colline proche de la chapelle.

— Non, dit Bessi. C'est exigu, il y a trop de mauvaises herbes.

Nous reprenons. Il y a un site qui surplombe le pavillon du gardien et un autre près de l'entrée, visible de la route principale. Nous avançons avec précaution entre les sommeils.

Sur un terrain plat au pied de la colline, nous trouvons un arbre vert jouxté d'un banc. Il y a de la place pour nous entre deux pierres qui s'effritent. Une multitude de papillons ratissent les grandes herbes tandis que des troupeaux de nuages couvrent le soleil.

— C'est ici ? demande Bel.

— Oui, disons-nous.

C'est donc là, pense Bessi. C'est là qu'ils m'emporteront – drôle de chose à savoir. Il lui est venu une éruption sur le cou. Elle n'arrête pas de se gratter, de sa main gauche, et je lui dis d'arrêter avec ma droite.

La gestion de la mort demande du travail et de l'activité, des trajets et des signatures, des coups de téléphone et du sang-froid – pourtant le monde a changé. Les fleurs deviennent plus vives que le béton. Chaque couleur a plus de couleur. Bessi observe une femme aux cheveux auburn qui longe Neasden Lane, après la station de métro, en balançant un parapluie violet par la poignée. Elle voit deux jumeaux dans leur landau, endormis, des garçons aux cheveux noirs, sous un édredon blanc. Ils sont tournés l'un face à l'autre. Il lui vient à l'esprit que ces rues ne porteront plus jamais les pieds en dehors de Georgia, mon propre corps en mouvement, et que c'est pour cela qu'elles ont changé.

Ida est contente que nous ayons choisi une tombe près d'un banc.

— C'est ça, dit-elle.

Et elle approuve totalement le fait que le cimetière soit visible de la fenêtre de Bessi. C'est comme ce doit être, comme Cecelia sous la planche à lessiver à Aruwa et Baba à côté des légumes. Ils doivent rester avec nous, dans notre vie quotidienne.

Ni Bel ni Ida ne m'adressent la parole directement, mais elles savent que je suis là. Elles regardent Bessi avec suspicion, avec stupéfaction. Elles la regardent doublement, en réfléchissant fort avec leurs yeux. C'est la même expression qui monte au visage de Toby quand nous marchons à sa rencontre, dans la rue vide de Bruce Grove, devant la maison que nous partagions.

Il a coupé tous ses cheveux. Des touffes parsèment son crâne. Il a l'air plus maigre que jamais, enveloppé dans son manteau avec ses lacets défaits, si maigre et sale que j'éprouve un sentiment proche du regret. La flamme tremblote – Georgia. Je m'approche de lui. Il y a une trace de terreur dans ses yeux.

— Je suis désolé, dit-il. Bessi... J'arrive toujours pas à y croire. Je suis vraiment désolé.

— C'est pas ta faute, Toby, lui disons-nous.

Il détourne le regard. Bessi se fait toute petite pour que je puisse, un instant, prendre le bras gauche en plus du droit. Je l'entoure de ces bras et le sens qui tremble contre moi comme un petit garçon.

— Qu'est-ce que tu as fait ? Qu'est-ce qui s'est passé ? dit-il.

Il prend l'arrière de ma tête dans le creux de sa main.

— Ça fait longtemps que tu attends ? demande Bel.

Toby se dégage et passe la main dans ses touffes de cheveux.

— Pas longtemps, dit-il.

Il regarde autour de lui d'un air affolé, comme s'il allait partir en courant.

— Tenez, donnez-m'en quelques-uns.

Chargés de cartons vides et de sacs en plastique, nous grimpons les marches et Bel ouvre la porte d'entrée. À l'intérieur, l'air est nu, il y a une absence d'attente. Une maison guette, elle attend, elle guette les coups à la porte, les sonneries de téléphone, les voix ; cette maison-ci n'attend rien. Dans les ombres lilas, passé le hall, mon manteau blanc effleure la joue de Toby et il détourne vivement la tête.

— Allons, dit Bel. Allons.

Bessi monte l'escalier en s'agrippant au bras de Toby. Elle entend un bruit de corde, qui tourne et s'entortille ; elle imagine le petit corps se balançant là-haut, au-dessus de nos têtes.

J'essaie de lui parler. N'y pense pas, lui dis-je. Mais elle ne veut pas écouter. Ne pense pas au tournoiement, pense à ce que je t'ai dit la nuit dernière, la lumière blanche, j'ai couru vers toi, la douleur est finie.

Toby entre directement dans la chambre et s'assied sur le lit. Je le regarde par la rainure de la porte, qui fixe un des oreillers sans bouger. Bessi continue jusqu'au salon. La pile de disques est ouverte à Roberta Flack, le fauteuil en rotin est face à la fenêtre. Elle se demande comment c'était cette nuit-là.

« Y avait-il de la musique ? me demande-t-elle, mais je refuse de répondre.

— Est-ce que ça s'est passé comme ça ? Est-ce que tu t'es assise dans le fauteuil en rotin et tu as regardé la lune et tu t'es levée, est-ce que tu as cherché le son parfait dans les disques ? »

Elle sort sur le palier et passe la main sur la rampe froide.

« Comme ça, est-ce que tu es sortie sur le palier le cœur calme ? Étais-tu très sûre, était-ce très clair pour toi, que tu partais, que tu t'en allais, que tu explosais au-delà de toi-même ? C'était comment, Georgia ?

— J'étais une magicienne, lui dis-je faiblement. J'étais magique.

— Ou bien as-tu été chassée, mordant ton poing, t'accrochant à tes vêtements. Pendant que tu étouffais, as-tu regretté ? Parce que le souffle met longtemps à partir, n'est-ce pas, Georgia ? Le corps refuse de le laisser partir. Il se crispe et se tord. Il crie jusqu'à ce qu'il ne reste plus le moindre souffle, juste une poussée finale, un chuchotement qui dit : “Je faisais un avec cet air.” Comment puis-je savoir avec certitude ? »

Bessi tape du pied sur le plancher.

« Le regret ne vaut rien, dis-je. Je tournoyais ! Le tournoiement m'a libérée. »

Elle débranche le téléphone. Elle décrit un cercle. Elle veut tournoyer elle aussi.

« Non ! lui dis-je. Tu ne peux pas ! »

D'un autre coin de l'appartement, Bel appelle Bessi. Bessi se rue vers la cuisine et trouve Bel debout près du bon banc, un carnet ouvert à la main. Elle passe le carnet à Bessi et quitte la pièce.

Nous nous asseyons sur le banc.

« C'était ici, n'est-ce pas, me dit-elle en pensée. Tu étais assise ici. »

Il y a des pages entières coloriées de rouge et des passages écrits en jaune, bleu et orange. Il y a des lettres à Dieu et à quelqu'un du nom de Carol. Il y a une lettre qui commence par *Chère Bessi*. Elle est datée de quinze jours avant la Saint-Valentin.

Bessi lit la lettre. *Crois en moi,* dit-elle. *Crois en moi jusqu'à la fin.*

Je découvre que je peux la quitter quand elle dort. Je m'étire et pénètre dans la bouche des oiseaux de nuit. Je peins la nuit avec les fleurs et je découvre que je suis tout ceci, tout ce que mon corps me faisait oublier.

Je rends visite à Bel dans son rêve. Elle est debout dans le jardin de Sekon et elle attend. J'entre dans le jardin en pyjama et gilet de laine et je suis beaucoup plus jeune que je ne l'étais. Bel dit : « Viens là, ma puce, laisse-moi te protéger. »

Sedrick sort des taillis en rampant. Bel lui crie après. Elle agite les bras et jure. Je pointe du doigt vers Sedrick et secoue la tête. « Non, Bel, dis-je, tout m'était étranger. »

Au matin, il y a deux pigeons perchés sur la balustrade du balcon de Bessi. Elle se redresse dans son lit, désemparée, et les examine. Elle se demande de quoi ils parlent. Les chants d'oiseaux étaient très forts ce matin. Ça l'a réveillée.

Quand je reviens (je suis en retard) les pigeons s'envolent et Bessi bâille comme si elle venait juste de prendre vie.

« J'ai rêvé que tu mourais, me dit-elle.

— Oh.

— Tu étais morte et j'étais bouleversée, alors je pleurais toute la nuit dans mon lit. Le matin je me levais et j'allais au salon, et devine qui était sur le canapé.

— Moi ?

— Oui ! Imagine comme j'étais heureuse. Tu avais les cheveux attachés en arrière avec une rose jaune piquée dedans et tes joues brillaient. Je faisais tout un cirque mais tu te comportais comme si de rien n'était. Tu avais l'air plus âgée.

— De quarante-cinq minutes ?

— Plus que ça. Bien plus.

Elle se lève et commence à faire le lit.

— Qu'est-ce qu'on fait aujourd'hui ? je demande.

— On va la maquiller, dit-elle. »

Bessi prépare une trousse de maquillage. Nous marchons au soleil le long de Kilburn Lane – l'ensoleillement est anormal pour cette période de l'année. Elle marche d'un pas rapide, en balançant le sac d'affaires. Le sang fonce dans ses jambes, tourbillonne dans sa tête, et elle se gratte le cou de la main gauche. Elle n'attend pas que les voitures s'arrêtent pour traverser. Je suis invincible, pense-t-elle, le pire cauchemar s'est réalisé et n'importe quoi derrière serait moindre. Si j'étais soldat et qu'on m'envoyait au cœur meurtrier des combats, j'irais en courant car, que je vive ou meure, je suis invincible.

Bel l'attend aux pompes funèbres. J.P. a un flocon d'avoine dans sa moustache et il offre des bonbons à la menthe, ce à quoi Bessi dit non merci ; elle a chaud, sa bouche est sèche et elle se sent une aversion pour le sucre.

J.P. les avertit pour l'embaumement, qui peut avoir modifié les traits de son visage. Il les avertit pour le bout des doigts.

Les rideaux blancs bruissent quand la porte se referme derrière eux. Il y a au mur une croix d'argent toute simple ; au-dessous, sur une table, un vase de grands lys blancs.

Georgia est allongée. Une poupée dans une boîte. Elles se sont préparées à la fraîcheur de porcelaine.

Bessi tient le sac à deux mains. Elle sent son côté droit faiblir, tout à coup, et, lorsqu'elle est entrée dans la pièce, quelque chose a tiré craintivement depuis l'intérieur de sa peau. À présent elle sent cette chaleur, cette fièvre, ramper sur les deux côtés de son visage et grimper dans ses cheveux.

Elles se tiennent de part et d'autre du cercueil, regardent l'étrange visage. La peau qui entoure le nez, le menton et le front virant au gris. À partir de la poitrine, elle est recouverte d'un brocart blanc qui empêche de voir ses mains. Les rideaux soupirent à nouveau ; on les croirait vivants.

Bessi approche le bout des doigts du visage. Elle touche le front de Georgia puis s'écarte. Elle le touche de nouveau, reste là, et bouge les doigts de haut en bas sur deux ou trois centimètres. « Froid », dit-elle.

Elle dispose le fond de teint, le rouge à lèvres et la

vaseline, ainsi que le Vicks dont Ida a exigé qu'elles frictionnent la poitrine de Georgia pour la protéger des esprits en colère, qui pourraient désapprouver ce qu'elle a fait. Aubrey l'avait entendu dire et bougonné : « Quelles âneries. »

Bessi prend l'éponge puis y étale du fond de teint qu'elle applique et estompe jusqu'à ce que le gris disparaisse. Voilà, pense-t-elle, c'est mieux. Elle inspire et expire, sent la fièvre se propager en elle. Elle touche les lèvres froides comme des galets et ses doigts s'enfuient chercher la vaseline.

— Je vais le faire, dit Bel. Bessi s'adosse au mur, bouillante.

Bel rend aux lèvres leur rouge rubis. Elle étale du Vicks par-dessus le cœur. Alors Bessi sort un des deux anneaux d'argent qu'elle a dans sa poche.

— Aide-moi à soulever son bras – le bras droit.

Elles rabattent le brocart et soulèvent la main de Georgia, dont les doigts sont noirs aux extrémités. Bessi pense : C'est un bras très lourd pas le bras de Georgia, il est trop gros pour être le vrai bras de Georgia, hein ! Les doigts, les doigts noirs et les doigts vivants, se bousculent. Bouge pas bouge pas ! Avec ces anneaux d'argent, marions-nous par-delà les tombes. Bessi enfonce la bague. Elle enfile l'autre au même doigt de sa propre main gauche.

« Maintenant je vis pour nous deux, tout comme tu dors pour moi, tu m'attends, dans la double terre. »

Elles regardent leur travail. Bessi trouve que le visage lui adresse un sourire narquois. Peu à peu, elle remarque une teinte rouge à la lisière de sa vision. La zone qui entoure le cercueil vire au rouge. Cela commence par une nuance de rose fièvre et s'intensifie.

Cela plane au-dessus du cercueil et jette une ombre rose moqueuse sur le visage.

Bessi recule, agrippant le sac. Le rouge se met à bourdonner. Il lui coupe le souffle, traverse la pièce et embrase les rideaux blancs. Bessi lâche le sac et sa main saute à sa gorge.

— Bessi, qu'est-ce qu'il y a ! crie Bel.

Elle cherche la porte derrière elle à tâtons et se rue dans le couloir. J.P. sort en trombe de son bureau :

— Qu'est-ce qui se passe ici ?

Bessi tournoie sur elle-même.

— Rouge ! crie-t-elle, Rouge !

Elle déboule en courant dans la rue. Elle voit Kemy qui avance vers elle en veste orange et l'orange la fait pleurer. Ida et Aubrey encadrent Kemy et tous les trois se mettent à courir. Les jambes de Bessi disparaissent. Elle tend les bras vers Kemy et tombe dans la rue brûlante.

— Bessi va mourir, Bessi va mourir ! dit la voix d'Ida, qui disparaît aussi.

Elles sont au grenier, toutes les deux, debout face à face. Il y a de l'herbe sous leurs pieds et des fleurs allongées. Elles portent leurs robes d'été, qui sont déchirées et poussiéreuses. Elles ont pris leurs dispositions pour partir. Bessi partira la première, Georgia suivra et elles se retrouveront devant l'arbre vert. Bessi noue l'écharpe et saute. Elle court à l'arbre vert. Mais, lorsqu'elle arrive, Georgia est déjà là.

— Noisette ?

— Chut, dit Bel.

— Elle se réveille, dit Aubrey.

— Les gens frappent à ta porte, ils te demandent c'est comment ton corps.

Les mains de Bel caressent sa tête. Il y a des gens sur le plafond du grenier. Ce sont tous des gens énormes avec du bleu sur la figure.

— Dieu merci – aide-nous, dit Ida.

Les lèvres de Bessi sont collées. Kemy lui tend un verre d'eau où flotte une rondelle de citron vert.

— Tu t'es évanouie, explique-t-elle. Tu n'arrêtais pas de tournoyer sur place. C'était assez flippant.

— Tu étais bouleversée, dit Aubrey.

— Mais ça va maintenant, fait Bel, qui appuie la paume de sa main contre la nuque de Bessi. Tu n'es plus aussi chaude. Laissons-la tranquille un moment.

Kemy reste au grenier avec Bessi. Elle a le café de Trinidad dans la peau et sent l'huile de noix de coco. Elles s'allongent sur le dos et regardent au plafond. Elles sont les deux tiers de trois.

— Je savais qu'elle allait faire quelque chose, dit Kemy. Quand je l'ai embrassée à l'aéroport, je l'ai senti confusément. Je lui ai dit : « Tu vas pas faire de bêtises, hein ? » Et elle m'a dit : « Mais non, idiote ! » Elle ne m'écoutait jamais, cette tête de mule.

Bessi se met à rire et Georgia est dans le rire.

— Ensuite ce matin-là quand Bel a téléphoné, j'étais en train de me préparer pour le carnaval et j'ai tout de suite su. Dès que le téléphone a sonné, j'ai su que c'était Georgia.

Kemy pense aux yeux de Georgia. Elle pense à la façon qu'ils avaient d'être toujours ailleurs.

— Ça ne lui a jamais vraiment plu, ici, hein ?

— Non, dit Bessi.

— Où est-ce qu'elle est, à ton avis ?

Bessi ferme les yeux. Il reste des bouts de rouge dans l'obscurité.

— Je ne sais pas.

Kemy se tourne face à Bessi.

— Dans l'avion, en rentrant de Trinidad, j'ai regardé les nuages par la fenêtre. J'ai regardé longtemps et j'ai pensé à elle. Et alors je l'ai vue. Elle était assise toute seule sur un nuage et laissait pendre ses pieds au bord. Elle m'a fait signe de la main. Je crois qu'elle est partout.

— Pas tout le temps, dit Bessi.

Kemy regarde les yeux de Bessi et voit qu'ils ont changé.

Le mardi, ils chantèrent à l'église entourés de cierges qui dansaient dans des lacs de chaleur. Avant qu'on ne fixe le couvercle à la boîte, Bessi et Kemy regardèrent pour la dernière fois. Bessi se pencha vers le corps et embrassa les lèvres de galet.

Après ça ils la mirent en terre, J.P. en queue-de-pie, le gardien des tombes dirigeant les coups de pelle, et ils chantèrent à nouveau, hissèrent son souvenir vers le soleil. Bessi baissa les yeux. Le cercueil était sous la terre. Elle oublia, l'espace d'un instant, que Georgia n'était pas dedans. Elle pensa : « Je veux descendre, je veux descendre et te sortir de là. »

Toby déchira le plastique des fleurs pour que leurs tiges, feuilles et pétales soient libres. On l'étouffa sous les fleurs, roses jaunes veloutées et lys allongés, branches de lilas et tulipes jonchant le dôme de double terre. J.P. expliqua que ce dernier mettrait un an à se tasser. Après, ils pourraient apporter sa pierre.

Aubrey était debout près du monticule de fleurs. Il tripota sa cravate et se racla la gorge.

— Il y a des sandwiches et des macarons à la maison, dit-il à l'assemblée.

La maison fut surprise par le bruit, par les voix, qui

s'engouffrèrent dans le salon, dans la cuisine et jusque tout en haut de l'escalier. Kemy passa du Michael Jackson et Bel envoya balader ses chaussures pour danser avec Jay. Elle dit que ça portait malchance à l'esprit qui s'en va si personne ne dansait à son enterrement. Aubrey frappa des mains sur la musique, un peu à contretemps, et dit :

— Dieu te bénisse, Georgia !

Il ne but pas beaucoup. Mr Hyde n'était pas invité à la fête.

Cette nuit-là, allongées dans leur lit, Bessi et Georgia convinrent que l'enterrement avait été merveilleux. Bessi demanda à Georgia avec une grande délicatesse à quoi ressemblait la pierre tombale qu'elle avait vue dans sa poitrine, la pierre malfaisante, pour qu'ils puissent en choisir une qui n'ait rien à voir. Georgia dit qu'elle n'arrivait pas à se le rappeler exactement, si ce n'est qu'elle tombait en ruine. Elle s'efforçait de garder les mauvais souvenirs pour elle. Cela s'avérait difficile car elle n'était pas entièrement elle-même.

Cette nuit-là fut très silencieuse, en dehors de la porte du balcon. Pas de voix, pas de vent, pas de bruit de voitures. La période de gestion de la mort était terminée. Il n'y avait plus rien à faire.

3.

Bessi retourna travailler, le cou toujours couvert de rougeurs. Elle n'avait plus ses mèches bouclées. Elle portait ses cheveux en nattes couchées terminées par une perle, la coiffure qu'aimait Georgia. Une après-midi, elle décrocha le téléphone et composa par erreur l'ancien numéro de Georgia. Un homme dit :

— Rob à l'appareil.

Et Bessi dit :

— Mais qui êtes-vous, putain ?

— Non, putain, *vous*, qui êtes-vous ? dit l'homme.

De la main droite, Georgia la força à raccrocher.

Bessi eut le sentiment, pour la première fois de sa vie, que l'industrie de la musique était une immense baudruche. Son intuition lui disait que Leopard n'était peut-être pas un génie, pionnier d'un nouveau mouvement vocal destiné à changer le visage de la pop, mais quelqu'un qui ne savait pas chanter. Elle s'efforçait de son mieux d'être pétillante mais passait beaucoup de temps à rêvasser, et encore davantage dans son bain. Il y avait des jours qu'elle pensait devoir qualifier de lilas, et elle aimait bien ces jours-là, et puis d'autres où la couleur orange la perturbait. Les nuits étaient parfois rouges, Georgia ne pouvait rien contre cela, malgré tous ses efforts, et, ces nuits-là, Bessi, assise au milieu de son lit, la suppliait de revenir pour de vrai.

Une fois par semaine elles allaient au cimetière avec des fleurs. Bessi touchait l'arbre vert et restait un moment près de la croix en bois qui portait le numéro. Elle ne savait pas trop si elle devait se parler à elle-même, à la partie Georgia en elle, ou bien à la croix ou l'arbre, aussi ne disait-elle pas grand-chose. À la différence de Kemy, qui avait toujours un tas de choses à dire – elle s'asseyait et racontait à Georgia tout sur les teintures végétales et l'étal qu'elle projetait de monter au marché avec Lace et une copine de fac. Elle lui raconta un rêve qu'elle avait fait, dans lequel un minuscule oiseau vert acidulé entrait par la fenêtre et lui piquait l'épaule du bout du bec. Elle lui disait qu'elle aurait aimé qu'elle soit toujours en vie mais qu'elle comprenait bien qu'elle n'y arrivait plus.

Bessi se forçait à se rappeler, en regardant Kemy bavarder avec une telle facilité, que c'était au mieux pour Bessi, même si c'était compliqué et parfois difficile.

— Kemy, lui dit-elle une fois, Georgia est à l'intérieur de moi.

Cela faisait trois mois qu'elle voulait le dire à un autre être humain.

— Je sais, dit Kemy, en levant les yeux vers Bessi. Bien sûr. Vous êtes jumelles.

Elle se retourna vers la croix. Bessi ne sut pas quoi ajouter d'autre.

Elle allait plus souvent à Waifer Avenue qu'avant parce que Georgia se faisait du souci pour les roses. Elles les arrosaient de sa main droite. Elles s'asseyaient avec Ida qui disait : « Tu me l'amènes », et, parfois, quand ça tremblotait Georgia : « Pourquoi tu n'es pas venue me trouver ? »

Ida s'était mise à fréquenter l'église régulièrement, tous les dimanches sans faute, quelque part à Harlesden, avec son amie Heather du cours de cuisine brésilienne.

L'éruption de Bessi commença à se propager. Elle se faufila dans ses poignets et les rendit rouges. Elle trouva ses coudes. Bessi ne se grattait jamais que de la main gauche parce que Georgia refusait catégoriquement de la laisser se servir de la droite. Kemy surveillait les démangeaisons de Bessi. Elle lui disait : « Arrête de te gratter ! » chaque fois qu'elle la prenait sur le fait et elle lui concocta une crème à base de jus de melon, de vaseline et de granulés d'avoine qui n'eut aucun effet. Bessi ne se souvenait plus comment c'était de ne pas avoir d'éruption.

Un matin, elle se réveilla et les deux pigeons étaient à nouveau perchés sur la balustrade du balcon. Derrière eux, le ciel était bleu et limpide, l'air sentait l'été arriver. Bessi avait le côté droit inerte. Elle attendit et il ne se passa rien. Elle finit par se lever et enfila une robe de Georgia, qui ne changea rien à l'inertie. Les pigeons étaient toujours perchés sur la balustrade, tête contre tête, tressaillant. Elle décida d'aller à Gladstone Park avec des nectarines. Ses pieds étaient tournés en dedans. Elle prit le 52 pour Neasden, acheta deux nectarines au centre commercial puis marcha d'un pas inégal jusqu'au parc pour s'asseoir devant la mare aux canards, à côté de la maison de Gladstone. Elle entendit les canards cancaner en se déplaçant sur l'eau. Au pied de la colline un homme et une femme, assis dos à dos, mangeaient des sandwiches.

Bessi sortit une nectarine du sac mais elle ne la mangea pas tout de suite. D'abord, elle se concentra sur ce qu'elle devait se rappeler : le moment d'avant. Le moment d'avant – quand il était possible de s'asseoir le dos contre le dos de Georgia – était dans la nectarine. Elle était douce et sucrée, prête à être mangée.

Elle porta le fruit à sa bouche. Elle mordit dedans. Le jus de la nectarine coula sur son menton et elle le rattrapa avec un doigt. Elle se concentra sur la mastication et le goût. C'était une nectarine parfaite, mais quelque chose clochait. Bessi ne sentait pas le goût du coucher de soleil. Si Georgia était assise à côté d'elle, comme une autre personne à part entière, elle pourrait manger le coucher de soleil.

— Tu donnais meilleur goût au monde, dit-elle à voix haute.

Georgia ne rentra qu'en fin d'après-midi, alors que Bessi revenait à la maison à pied par Chamberlayne Road. Elle grimpa le long des côtes et se déploya. Les pieds pointèrent de nouveau vers l'avant. Le côté droit était redevenu égal au gauche.

« Où étais-tu ? dit Bessi. Tu t'es absentée toute la journée.

— Excuse-moi, dit Georgia, j'ai décroché. J'étais dans le rêve de Kemy la nuit dernière et je crois que nous sommes allées nager quelque part, je ne me souviens plus où exactement. N'est-ce pas que c'est une belle journée ?

— Tu te souviens des mauvaises choses mais tu ne te souviens pas des bonnes, dit Bessi avec amertume. »

Georgia se tut. Le côté droit se raidit.

« Je ne voulais pas dire ça, dit Bessi. J'ai cru que tu n'allais pas revenir, c'est tout. Je paniquais.

— Veux-tu que je parte ? demanda Georgia.

— Non. Jamais. J'aurais juste voulu que tu ne partes jamais. »

Elles ne parlèrent pas de tout le restant du trajet. À leur arrivée, elles eurent envie de se mettre dans des pièces séparées, comme font les gens après s'être disputés, mais ça n'était pas possible.

L'éruption empira avec la chaleur. Elle ravageait les bras de Bessi et l'arrière de ses jambes. Georgia dit que c'était insupportable et se mit à gratter elle aussi ; ça grattait de la main gauche et de la droite, il y avait des cloques, des écorchures et des insomnies, mille couteaux qui s'aiguisaient sous la peau. Bessi n'avait pas eu de poussée d'une telle ampleur depuis les bosses aux œufs de Sekon après les croquettes de poisson de Nounou Delfi. Elle bannit les œufs, les pois et les épinards de son alimentation ; elle alla chez le médecin, qui lui dit que de violentes poussées d'eczéma étaient fréquentes dans ce type de circonstances. Et Georgia rentrait plus souvent tard.

À présent, au téléphone, Ida disait : « Comment va ton éruption ? » au lieu de « Comment vas-tu ? ».

Elle avait commencé d'aller à l'église avec Heather le mercredi soir en plus du dimanche. C'était une petite église baptiste agrémentée d'une touche sioniste locale. Ida encourageait Bessi à venir avec elle parce que Dieu la sauverait. Elle lisait le Livre de Job, ces derniers temps, et elle s'était persuadée que Satan s'attaquait à Bessi comme il s'était attaqué à Job – les démangeaisons, la fièvre, la tristesse du visage de Bessi et les ombres foncées qui s'accumulaient autour de ses yeux –, par conséquent, que Dieu (et Vicks) étaient les seuls remèdes possibles. Elle essayait aussi de faire venir Aubrey pour laver définitivement son âme de Mr Hyde. Georgia, disait Ida, était le sacrifice offert pour tous les péchés des Hunter et c'était notre devoir de nous purifier du mal qui l'avait conduite à se tuer lui-même. Aubrey, qui n'était pas prêt à mettre un foulard blanc sur la tête et chanter des Alléluia à Harlesden, entreprit de refaire la salle de bains, ce qui lui donnait une excuse quand Ida se lançait dans un sermon.

Il voulait peindre les murs de la salle de bains de la couleur préférée de Georgia, mais il se rendit compte qu'il ignorait laquelle c'était. Il en tint Jack pour responsable, et conçut une aversion de plus en plus forte pour Mr Hyde. Par une fraîche nuit d'été, pendant qu'Ida, dans sa chambre, lisait le Livre de Job, Aubrey marcha jusqu'aux pommiers et fuma une cigarette. Il leva les yeux pour regarder les étoiles entre les branches. Il trouva la plus brillante et dit :

— Pardonne-moi.

Une unique pomme verte tomba à terre.

« Voilà la couleur », pensa Aubrey.

Dans la folie de l'éruption, il fallut quelques

semaines à Bessi pour se rendre compte que quelque chose à l'intérieur d'elle avait changé. La voix de Georgia baissait.

« Comment vas-tu, au centre de moi ? » demanda Bessi, et Georgia répondit d'un battement de cœur plus faible.

Bessi se mit à parler plus doucement et à passer davantage de temps seule pour qu'il y ait moins d'interférences quand Georgia voulait parler. Elle faisait de longues promenades au cimetière et les expéditions shopping à Oxford Street finirent par cesser. À la place, elle passait les samedis chez Bel, à garder Jay pendant que Bel était à son travail.

Ils s'asseyaient par terre devant la télévision, Bessi, Jay et (en faible filigrane) Georgia, et regardaient la gymnastique. Bessi buvait de l'eau glacée à petites gorgées et se tartinait les bras de crème hydratante. Jay avait décidé que, quand il serait grand, il serait gymnaste ; il avait de petits muscles qui poussaient dans les bras et se tenait le dos très droit. C'était le boulot le plus excitant qui soit au monde, disait-il, mis à part les collants qu'il fallait porter si on était un garçon. Il aimait beaucoup le cheval d'arçons mais Bessi et lui étaient d'accord que, de tout l'ensemble, la poutre était ce qu'il y avait de mieux.

Jay avait parfois l'impression, quand il était avec Bessi, qu'elle ressemblait davantage à Georgia maintenant. C'était une silencieuse et elle était ailleurs.

— Tatie Bessi, dit-il, est-ce que t'es toujours une jumelle ?

Le visage de Bessi se crispa. Elle se gratta violemment la main droite et lança :

— C'est une question idiote, Jay. Bien sûr que je suis toujours une jumelle.

Une petite Roumaine exécuta trois sauts périlleux d'affilée et se posa en grand écart. Un homme en collants décolla des barres et exécuta une torsion dans l'air. Une Russe qui n'avait que treize ans sauta d'un bond sur la poutre. Elle bombait la poitrine et se tenait droite, fière et prête, les pieds en dehors. Elle avait un équilibre parfait. Elle jetait les bras en l'air après les sauts et ne flageolait pas. Les mains tendues, elle fit la roue. La roue se déploya lentement. Et, à l'intérieur de la roue, il y avait des souvenirs de pieds d'herbe, une armée de cafards et un cri.

Bessi était vraiment dévorée par les démangeaisons. Elle sentit un élancement dans ses côtes, tomba à la renverse et éclata en sanglots.

— Là, c'est la cata, dit Bel. Je savais que ça arriverait.

Elle retire son manteau et allume des bâtons d'encens. Bessi est allongée par terre, les jambes serrées l'une contre l'autre. Une ombre hideuse s'est posée sur son visage.

— C'est Georgia, n'est-ce pas ?

Bessi s'accroche à ma main droite, plante les doigts dans la paume. Elle hoche la tête et ferme très fort les yeux.

— Bel. Pourquoi ne m'a-t-elle rien dit ?

Bel retire un flacon d'huile de lavande d'une étagère et nous tamponne les tempes.

— Je crois qu'elle ne voulait pas gâcher les choses.

— Nous étions au jardin, dit Bessi. Un si beau jardin. Nous étions assises près des orangers et il y avait un feu au loin.

L'ombre parcourt le visage de Bessi. Ça demeure un visage où les mauvaises choses ne devraient jamais arriver. Elle gratte l'arrière de son genou. De nouveau, il y a une douleur dans ses côtes.

— Lorsqu'elle sera prête, dit Bel, elle devra te quitter. Tu le sais, n'est-ce pas ?

— Me quitter ?

— Oui, Bessi. Et vous irez bien toutes les deux.

— Mais elle ne peut pas me quitter !

— Pourquoi ? Tu ne te souviens pas de l'histoire de Baba ?

— Si, je m'en souviens.

— Un an, pour que l'âme quitte la terre ?

Bessi avait oublié ce bout-là.

— Mais *non*, sanglote-t-elle. Elle *peut pas*.

— Pourquoi ?

Elle le dit dans un murmure. Elle attrape ma main et dit :

— Personne ne m'a appris à être seule.

En septembre, quelques mois à peine avant le prendre-note de Ham, Diana fut emportée dans une caisse à l'abbaye de Westminster. La procession faisait six kilomètres de long et, pour la première fois dans l'histoire, le drapeau qui surplombe le palais de Buckingham fut mis en berne.

Elle fut enterrée à la propriété familiale d'Althorp, sur une île.

Sous le regard de deux milliards et demi de gens.

Le pays se trouva plongé dans un état de deuil inhabituel. Le palais de Kensington étouffait sous les bouquets, la circulation ralentit, les gens prenaient note des moments d'avant, puis finissaient par oublier. Charles et sa mère devinent graves, leurs visages parurent plus âgés, préoccupés. Envers et contre tout, ils continuaient comme d'habitude.

Bessi se mit à paniquer. Elle dit à Kemy :

— Je ne l'ai pas vue depuis février, Kemy, ça fait huit mois que je ne l'ai pas vue pour de vrai.

Le corps de Bessi était plus âgé de huit mois. Le corps de Georgia s'était arrêté. Cela signifiait-il que Bessi était plus âgée que Georgia, ou que Georgia était plus âgée que Bessi ? Au travail, un jour, Bessi avait attrapé le téléphone comme il lui arrivait encore de le faire et s'était mise à composer le numéro de Georgia ; elle s'aperçut avec frayeur qu'elle avait oublié l'avant-dernier chiffre.

Forte de sa position d'un tiers de trois, Kemy s'était nommée meilleure amie de Bessi. Elle avait également offert d'être sa jumelle si jamais elle avait besoin d'aide pour prendre une décision ou envie de faire des flap-jacks. Parfois, Kemy entendait distinctement la voix de Georgia sortir de la bouche de Bessi et ça la réconfortait. Comme cadeau de Noël, elle fit à Bessi un Sacco d'agrumes en souvenir de la fraise. Elle avait fait tremper les haricots du rembourrage dans les zestes de cent citrons verts et les avait fait sécher pendant quinze jours. Le jour de Noël, elles s'y assirent ensemble au 26a, dos contre dos, et partagèrent un choco sprit.

— Ce n'est pas pareil sans elle, hein ? dit Kemy.

— Non, dit Bessi.

Et Georgia était assise entre elles, pensant aux étoiles glacées de l'hiver et au délicieux plaisir qu'il y aurait à languir longtemps, longtemps, sur les bords d'une étoile glacée.

Bessi signa toutes ses cartes de Noël *Bessi et Georgia.* Au déjeuner, elle n'eut pas le droit de prendre du Christmas pudding, ni de la crème ni de la dinde parce qu'elle était allée voir un homéopathe, un herboriste chinois et un allergologue pour son éruption, non sans essayer aussi de multiples pommades recommandées par de multiples pharmaciens – et on lui avait collectivement conseillé d'éviter à tout prix le sucre, les volailles, les produits laitiers, les fraises, le blé, les oranges (l'acidité), les champignons (la moisissure) et les piments rouges (le piquant). Elle devenait l'ombre d'elle-même. Ida, qui allait maintenant à l'église trois fois par semaine, dit que Dieu appelait Bessi et qu'elle n'avait plus d'autre choix à présent que de répondre à Son appel. Aubrey avait échappé au baptême en passant à la rénovation de la chambre d'Ida et de la cuisine. Il leva les yeux et dit à ses choux de Bruxelles trop cuits d'aller se faire voir. Il n'y avait plus de Mr Hyde. Mr Hyde était mort, son fantôme emprisonné dans la culpabilité d'Aubrey.

Bessi alla consulter d'autres médecins. Elle supprima l'huile d'olive et les tomates et maigrit encore davantage. Elle ne dormait plus du tout et, pour finir, elle céda à Ida. Elle appela Waifer Avenue un soir après minuit (Georgia était encore sortie) et dit en pleurant qu'elle ne pouvait plus tenir, qu'elle était prête pour Dieu.

— Bien, dit Ida. Nous irons demain. Il faut que tu portes quelque chose de blanc.

Ida avait parlé à beaucoup de fidèles de l'Église pour le Salut de l'Esprit de sa fille qui avait une éruption absolument abominable. Ils étaient tous tombés d'accord que la meilleure solution serait que frère Ronald la baptise. Ida et Heather passèrent chercher Bessi et Kemy avec la voiture de Heather le mercredi après-midi. Kemy avait proposé d'accompagner Bessi en tant que soutien moral, mais refusé de suivre le mouvement, comme l'avait suggéré sa mère ; premièrement, ses dreadlocks se mouilleraient, et, deuxièmement, elle songeait à se faire rastafari, de toute façon.

— Mais il y a peut-être quelque chose là-dedans, dit-elle, l'imposition des mains et tout ça.

Bessi portait la robe blanche qu'elle avait mise pour l'enterrement de Georgia et elle se gratta sur la banquette arrière de la voiture pendant tout le trajet tandis que Kemy, en blanc elle aussi, une ceinture en jean à la taille, lui disait d'arrêter. Georgia était excitée par le rôle de l'eau dans l'affaire.

Heather les conduisit par des marches basses à l'intérieur de la maison des robes blanches et des foulards de tête blancs. Les fidèles examinèrent les bras rose saumon de Bessi.

— Vous voyez ? disait Ida. Vous voyez ?

Au milieu du service, alors que les fidèles s'étaient agenouillés après un sermon sur l'endurance de Job préparé pour la circonstance, Bessi se plaignit à Ida qu'elle ne pouvait plus rester immobile parce que les démangeaisons étaient trop fortes. Ida et Heather se regardèrent en hochant la tête et convinrent qu'il était temps. Elles l'emmenèrent au sous-sol, auprès de frère Ronald et d'un certain frère Henry, qui louchait. Il fut dit à Bessi de s'asseoir dans une petite pièce au canapé dur. Kemy s'assit à côté d'elle et regarda frère Henry d'un œil méfiant.

Frère Henry attrapa le front de Bessi et s'adressa à l'éruption.

— Ah, dit-il. Ah. Et l'esprit ne peut pas se manifester sans la chair mais cette chair est faible, amen, cette chair est en feu !

Frère Henry rejeta la tête en arrière et serra plus fort le front de Bessi. Heather éclaboussa Bessi d'eau bénite, et Bessi se mit aussitôt à se gratter.

— Oh mon Dieu parfait qui ne veille qu'à notre bien, fais que cette chair boive au puits béni et elle sera *guérie*, mes frères et mes sœurs.

En haut, les robes blanches chantaient. Frère Henry louchait et secouait la tête de Bessi d'un côté à l'autre. Georgia et Bessi eurent le tournis.

— Libère la malade, libère la petite ! *Sors*, Satan, et *disparais* toi et ton feu perfide ! Et alors elle se lèvera et elle sera guérie, guérie ! Oui !

Et il dit à Bessi :

— Voilà ! C'est un miracle, tu es guérie !

Il lâcha sa tête.

« C'est qui ce cow-boy ? » demanda Georgia, qui grattait elle aussi furieusement, de la main droite.

Bessi s'attrapa la tête en gémissant. Heather annonça que frère Ronald était prêt. Elle fit enfiler à Bessi une robe ouverte à l'arrière comme une chemise de nuit d'hôpital et beaucoup trop grande pour elles deux. Elles marchèrent dessus à deux reprises en allant rejoindre Ronald.

Il était debout torse nu dans un bassin d'eau peu profond, le Nouveau Testament ouvert au Livre de Job.

— Viens, ma sœur, dit-il.

— Va, dit Ida.

Bessi descendit les marches de la pièce blanche vers frère Ronald qui tendait les bras.

— Es-tu prête à suivre Dieu ? dit-il.

— Je suppose que oui, dit Bessi.

— Es-tu prête à suivre Dieu ? répéta frère Ronald d'une voix plus ferme.

Bessi avait envie de dire : « Écoute, mon frère, j'ai une éruption cutanée, maman a dit que ce truc-là pourrait m'aider et ça ne va pas plus loin, d'accord ? »

Georgia aimait la fraîcheur de l'eau. Elle se réjouissait d'avance de s'y allonger.

« Oui », dit-elle par la bouche de Bessi.

Sous les regards d'Ida et de Heather qui souriaient et hochaient la tête en direction de la porte, de Kemy qui s'inquiétait pour la dignité de princesse Noisette dans la robe sans dos, frère Ronald dit sans ambages à Dieu qu'il Lui donnait Bessi. Ensuite il lui plongea le corps entier dans l'eau tiède, en arrière, trois fois.

— Oh la vache ! dit Bessi.

L'océan, l'eau, le lac, rêva Georgia, pour toujours.

L'eau pompa toute l'humidité de la peau. Les bras, les jambes et le cou s'en retrouvèrent à vif. Bessi dit merci à frère Ronald et courut chercher sa crème. Quand elle passa devant Ida, Nne-Nne dit à Georgia : « Il est presque temps de partir, oui. »

Et Georgia savait qu'elle avait raison.

Dieu n'apporta pas de soulagement immédiat à l'éruption. Bessi sentait le côté droit de son corps faiblir et Georgia lui parvenait de façon très étouffée, à présent, quand elles se parlaient ; Bessi ne pouvait l'entendre qu'en fermant les yeux, entourée d'un silence absolu. Elle marchait les pieds pointés en avant mais le côté droit traînait. Autour de ses côtes il y avait un espace vide et frais. Elle sentait Georgia s'y accrocher, s'y raccrocher, et perdre lentement prise.

Le jour de leur anniversaire, elles allèrent s'asseoir ensemble près du sommeil à impériale. Bessi avait vingt-cinq ans et pas Georgia. La terre s'était aplanie et elle était presque prête à recevoir la pierre. Les gens avaient jonché la terre de fleurs d'anniversaire et Bessi et Georgia avaient apporté des roses, dont une que

Bessi plaça en haut de la tombe, à l'endroit où serait le visage.

Bessi essaya d'imaginer comment ce serait une fois Georgia partie pour de bon. Serait-ce un long drink frappé en robe espagnole, serait-ce sans éruption cutanée ? Y aurait-il des anniversaires d'un seul côté et une claudication du côté droit ? Y aurait-il du rouge ? Est-ce qu'il augmenterait, ou diminuerait ? Y aurait-il des nectarines ? L'être-un avait-il un fruit au goût incomparable ?

Elle estima que c'était sans espoir pour la nectarine, mais que l'être-un pouvait bien avoir un fruit. Si Georgia partait, il faudrait qu'elle cherche ce fruit. Il faudrait qu'elle acquière de la confiance dans l'extraordinaire être-un de ses papilles.

« Tu sais, dit-elle, si tu partais, est-ce que tu pourrais jamais revenir ?

— Non, dit doucement Georgia.

— Alors comment je te parlerais ?

— Il faudrait qu'on se parle d'une autre façon. Il y a plein de façons.

— Comme quoi ?

— Tu écoutes les oiseaux et tu sens le vent sur ton visage, dit Georgia. C'est une façon de parler différente. Tu sens plus profondément le parfum des roses et tu regardes plus attentivement le ciel, ses variations, le changement qui s'opère au crépuscule quand le lilas trouve l'indigo. Tu attends que viennent les arcs-en-ciel et je suis dans les couleurs.

— Et dans les ombres, dit Bessi.

— Oui, dans les ombres, dans le noir. Il n'y a pas lieu d'avoir peur. »

Elles entourèrent leurs genoux de leurs bras frêles. Elles y réfléchirent profondément, à comment ce serait,

Bessi dans l'être-un pour de bon et Georgia dans tout. Serait-ce comme un divorce ? Elles fermèrent les yeux. Elles s'assirent dans les coins à la fraise. Elles se concentrèrent fort et laissèrent leurs esprits voguer entre les possibles.

Au bout de cinq minutes, elles dirent : « L'être-deux ne finit jamais – c'est ça le truc. »

Georgia s'accrocha aux côtes de Bessi encore trois semaines. Bessi essayait de la hisser vers le haut et prenait un soin particulier de son côté droit parce qu'elle n'était pas sûre de pouvoir survivre à la séparation. La nuit de la Saint-Valentin, alors que Bessi dormait, Georgia l'emmena dehors. Elle voulait s'assurer que Bessi sache lui parler. Elle les fit grimper par les ciels indigo et trouva la meilleure étoile. Elle montra à Bessi comment se fondre dans les bords de l'étoile. Elle lui montra comment être.

« Ça te plaît ? demanda-t-elle.

— Oh oui, dit Bessi.

— Alors l'étoile la plus brillante, dit Georgia, c'est le Bessi Bon Lit. »

Elles rentrèrent au matin. Un quart de siècle s'était écoulé depuis les phares. Un quart de siècle, c'est long, pensa Bessi, assez long pour rester toujours ce que les années avaient fait de vous. Georgia était très faible à présent. Elle commençait à exhaler pour la dernière fois dans le corps de Bessi. Ce fut une longue expiration, qui prit toute la journée. Bessi resta assise sans bouger sur le Sacco d'agrumes, tenant sa main droite de sa main gauche. Elle dit :

« Non, Georgia, ne pars pas ! »

Mais Georgia glissait le long des côtes, elle s'écoulait hors des veines, et tombait, et murmurait : « *N'oublie pas les roses.* »

Le crépuscule s'approcha d'elles à petits pas, traînant derrière lui un tiers de la lune. Une nuit de croissant de lune. Un voyage dans l'immensité de l'espace, dans le noir, le chemin des débuts. Bessi n'entendait plus la voix de Georgia. Elle trembla quand Georgia respira et expira. Quand elle lâcha le sang et les os et la peau. Lâcha la dernière côte. Les pieds commencèrent à se tourner en dedans de nouveau. Elle lâcha la main gauche de Bessi et le côté droit s'engourdit. Elles entendirent le cri des oiseaux nocturnes. Elles eurent la sensation d'approcher d'une route. Courez, sautez, volez, dirent les oiseaux. Soyez sans limites, pure vitesse.

Georgia fusa dans la nuit, dans le tout, et Bessi s'allongea sur son lit.

Elle respirait sur la gauche. Elle chercha la trace de Georgia en flairant l'air et ne put la trouver. Il y avait un silence insupportable et l'obscurité l'agrippa aux épaules. Elle se leva, courut à la fenêtre et cria le nom du reste d'elle-même. Alors elle entendit les oiseaux.

« Je te retrouverai devant l'arbre vert », dit Georgia.

Remerciements

Je suis reconnaissante à la Résidence pour Écrivaines d'Hedgebrook qui m'a attribué un chalet dans la forêt cet été-là, ainsi qu'au Arts and Humanities Research Board pour son soutien financier. Merci à Clare Alexander et Rebecca Carter pour leur foi, leur dynamisme et leurs moments de génie. À Bernardine Evaristo et Sara Wajid pour les encouragements de la première heure, et à Patricia Duncker pour son énergie et sa perception des choses. Merci à Naomi Alderman parce qu'elle donne la chair de poule ainsi qu'à Jennifer Kabat et Tash Aw pour avoir été présents quand vous l'étiez.

Mes plus profonds remerciements s'adressent à mon immense famille aimante, et surtout à Derek A. Bardowell, pour son amour et son soutien indéfectibles.

La traductrice remercie très chaleureusement M. Samuel Millogo, qui l'a aidée à rendre les dialogues en « pidgin English » du texte original en « français parlé » d'Afrique de l'Ouest.

Table

Le premier bout

Le deuxième bout

Le troisième bout

Le meilleur bout

Impression réalisée par

BUSSIÈRE

GROUPE CPI

à Saint-Amand-Montrond (Cher)
pour le compte des Éditions Laffont
en décembre 2006

La photocomposition de cet ouvrage
a été réalisée par
GRAPHIC HAINAUT
59163 Condé-sur-l'Escaut

N° d'édition : 47418/01. — N° d'impression : 064413/4.
Dépôt légal : janvier 2007.

Imprimé en France